CAFÉ MOGADISHU

Robbert van Lanschot

Café Mogadishu

Omzwervingen door het andere Nederland

Mets & Mets

'... That's one thing he knows. Making contact with people not like you is one of the best things a person can do.'

Ron Suskind – *The Way of the World*

INHOUD

Mijn grootmoeder was een allochtoon. Een westerse allochtoon. Zij kwam uit Brussel. Haar familie woonde er aan de Waverse Steenweg. Mijn vader, die soms heel snobistisch kon zijn, noemde die straat steevast de Chaussée de Wavre. Toen ik klein was, woonde mijn grootmoeder op een kasteel in Vught. Al heel jong werd zij weduwe. Zij sprak eigenlijk alleen Frans. En zij verlangde van alle mensen om haar heen dat ze ook Frans spraken. Na meer dan een halve eeuw in Nederland had ze slechts enkele woorden van onze taal opgepikt. Inburgering hoefde toen nog niet. Als wij op zondag bij haar op bezoek kwamen, legde ze een bevende hand op mijn hoofd en keek me door haar verzwakte, veel te witte ogen vertederd aan. 'Die lelijk Robbie', zei ze dan. Of vaker nog: 'Die stout Robbie.' Ook als klein jongetje begreep ik al dat haar taalgebruik rammelde.

Volgens de overlevering kende mijn grootmoeders beperkte Nederlandse woordenschat een nogal bizar woord: 'herenhater'. Standaardnederlands is dat natuurlijk niet. In Van Dale komt wel 'herenliefde' voor, maar over 'herenhaat' wordt niet gerept. Hoe zij in 's hemelsnaam ooit aan dat woord gekomen is, weten we niet. Maar we weten wel wat ze ermee wilde zeggen. Dat zat zo. In Vught was mijn grootmoeder bij veel dorpelingen geliefd, maar er was ook een groep mensen die een enorme hekel aan haar had. Voor dat laatste kon ze eigenlijk alleen een marxistische verklaring bedenken: het had te maken met klassenstrijd. De mensen die mijn grootmoeder met haar kasteel en haar Hispano-Suiza-cabriolet niet mochten, waren voor haar gewoon herenhaters. En ze sprak dat woord natuurlijk uit op z'n Waals: 'Erenaters.'

Heel vroeger ben ik wel eens op bezoek geweest in die voorouderlijke woning aan de Chaussée de Wavre. Het was een statig huis met een monumentale dubbele voordeur. Ik herinner me donkere kamers met zware meubels en potpalmen. Maar ook een lommerrijk tuinterras met comfortabele rieten stoelen. Indrukken zoals je die terugvindt op vergeelde foto's van het Parijs van Marcel Proust. Mijn grootmoeder was een Lagasse de Locht, een familie met veel hoge ambtenaren. Mijn overgrootvader werkte op het Ministerie van Openbare Werken. Hij was daar Directeur van Bruggen en Wegen, 'Ponts et Chaussées', noemde mijn vader dat dus. De Lagasses de Locht waren tijdens de Franse revolutie naar Brussel gevlucht. Zij waren toen dus eigenlijk al allochtonen.

In mijn herinnering was de Chaussée de Wavre breed en voornaam. In Brussel viel alleen de Avenue Louise misschien nog in dezelfde categorie. Maar een vergelijking met de Promenade des Anglais in Nice of de Parijse Avenue d'Iéna lag meer voor de hand. Enkele jaren geleden ben ik met mijn vrouw en kinderen speciaal teruggekeerd naar de Chaussée de Wavre. Qua breedte viel de steenweg toch wat tegen. Ook qua voornaamheid. Het huis staat nu midden in wat een Congolese wijk is geworden, Matongé. Het huis was trouwens ook kleiner geworden. Het heeft wel nog steeds die dubbele voordeur, maar de verf is gaan bladderen. En de ramen op de eerste verdieping zijn dichtgetimmerd. Matongé is vernoemd naar de gelijknamige uitgaanswijk in Kinshasa. Overal belwinkels en Afrikaanse eethuisjes. Op de menukaarten in de ramen wordt moambe aangeprezen en chikwange en saka saka. Uit de muziekwinkels komt met vlagen dansmuziek van Papa Wemba en Kofi Olomidé.

Mijn grootmoeder zou van dit nieuwe Brussel niet veel begrepen hebben. Maar in Nederland heeft zij ook nooit echt haar weg kunnen vinden. Zij vond het, zacht gezegd, altijd nogal moeilijk om zich aan te passen. Dat is iets wat ik gelukkig van haar heb geërfd.

Grootmoeder Marie Gertrude Julie Charlotte Mathilde Ghislaine van Lanschot Lagasse de Locht was de eerste allochtoon in mijn leven. Met haar begon mijn nieuwsgierigheid naar vreemde mensen uit andere landen. En het komt ongetwijfeld mede door haar dat ik uiteindelijk met iemand uit het buitenland ben getrouwd. Mijn vrouw Clara komt uit Colombia. En mijn kinderen, Adriaan en Cecile, zijn technisch gezien dus ook weer allochtoon. Toch gaat dit boek niet over Colombianen in Nederland. Ze zijn er bij duizenden, maar hun absoptie in onze samenleving roept geen prangende vragen op. De cultuurverschillen tussen hen en ons zijn eigenlijk vooral leuk en soms zelfs zinnenprikkelend.

Op dat laatste wijst ook de Vlaamse politicus Jean-Marie Dedecker in zijn boek *Hoofddoek of blinddoek?*: 'Als we allen hetzelfde denken, zijn er geen gedachten meer en als we allen hetzelfde doen en laten, wordt het leven monotoon en saai. Dat wij ons bij de ene cultuur beter voelen dan bij de andere, moet kunnen. Heeft Milan Kundera niet het recht om de Slowaakse vrouwen te verkiezen boven de Tsjechische? Al doet hij dat in zijn roman *De heraut* om zuivere machoredenen. Omdat ze eleganter zijn, minder geëmancipeerd en omdat ze op het moment van de verrukking "joj" zeggen.'

De cultuurverschillen met onze moslimmigranten lijken echter vaak onoverbrugbaar. Dan is het allemaal opeens minder leuk. Als burgemeesters het bezorgd hebben over 'de boel bij elkaar houden', denken ze niet aan de welvarende *expats* in Wassenaar en het Haagse Benoordenhout of aan mensen die uit Colombia of China naar hier gekomen zijn. Nee, dan gaat het om onze moslims.

Het idee voor dit boek is geboren toen ik met Jorge, de broer van Clara, een trilmachine ging ophalen in de Binckhorst, het bedrijventerrein aan de zuidkant van Den Haag. Jorge is wetenschapper en heel goed in wiskunde. We waren bezig met de aanleg van een terras achter het huis. Op de computer had hij een prachtig geometrisch patroon uitgedokterd. Maar de tegels dansten op het rulle zand. Vandaar dus die trilmachine.

Halverwege strandden we in de Schilderswijk in een hardnekkige file. En dat was voor het eerst dat ik het 'zag'. Ik wist allang dat het er was. En ik had het ook allemaal vaak al eerder gezien. Maar toen pas, geblokkeerd op de Vaillantlaan, begon ik echt te 'kijken'. Alyuva & Erbak Makelaars/Emlak, Aksaray Firini, Kapsalon Günes, Palandökan Koffiehuis. Binnen, in vaal neonlicht, alleen maar mannen. Restaurant Kervansaray met op het raam de mededeling *Bayram Nedeniyle 24/11* Günü Kapaliyiz, Tekbir Coskuri Reizen, Memat Kleermaker met een tekening van een meneer, eigenlijk meer een nozem, in een te wijdvallend Centraal-Aziatisch pak, Firat Mini Supermarkt, een kantoorpand met boven de voordeur Lakey Tercüme & Danisme Bürosu en op het raam in gouden letters *Kredi & Ipotek, Hukuk & Danismanlik*. Hukuk? Was er in ons land inderdaad zoiets als vraag naar hukuk? Was het iets wat je wilt hebben? ('Meneer, ik wil graag een maximale hukuk.') Of was het iets waar je juist vanaf wilt, iets waarvoor je je een beetje schaamt? ('Meneer, ik zit momenteel helaas met te veel hukuk.') Toch eens navragen bij de Turkse pizzabakker.

Wat speelde er zich achter al die gevels af? Waar was ik? Was dit mijn stad? Was dit mijn land? Nee. En toch ja. Het zag er allemaal hoe dan ook heel intrigerend uit. Ik ben destijds in de Buitenlandse Dienst gegaan vanwege het verre, het exotische. *Overzee* was – en is – voor mij het mooiste woord uit onze taal. Maar ik besefte opeens dat er ook op maar vijf minuten fietsen van mijn huis een mysterieus, exotisch en beklemmend territorium lag. En ik wist ook meteen: hierover ga ik schrijven.

Kan Nederland een harmonieus christelijk-islamitisch land worden? Of zijn we op weg naar een diep gefragmenteerde samenleving? Kan Den Haag ooit een Mostar worden? Of Maassluis een Mitrovice? Waarom eigenlijk niet? De culturele en sociale verschillen hier zijn schriller dan op de Balkan. Daar ging het heel lang goed, en toen ging het fout. Is zo'n lot ook ons land beschoren? Met die wat sombere gedachte in het achterhoofd ben ik gaan zwerven door het bonte, andere Nederland.

Aan de hoofdingang van de Haagse markt staat Lunchroom Beer. Het etablissement is alleen op marktdagen open. Technisch gezien bevindt Lunchroom Beer zich op het marktterrein. Als de zware metalen toegangspoort op niet-marktdagen gesloten blijft, is ook de lunchroom niet te bereiken. Ik houd van Lunchroom Beer. Het is een plek waar je je in Frankrijk waant of ergens rond Milaan. Het is er altijd vol. Ook ontzettend lawaaiig trouwens met al dat gekletter van kop-en-schotels bij de koffiemachine en de bestellingen die – net als in een Parijse bistro – worden doorgeroepen. 'Tweestokjesros!' 'Patatschotelzonder!' 'Eén chocomel en één gebakkeneispekopwit!'

Dat laatste is ook altijd mijn bestelling. Lunchroom Beer gaat 's ochtend om zes uur al open. Dan komen de mannen van de groothandel. Ze parkeren hun vrachtauto langs de trambaan. Een uitsmijter en een snelle koffie. Ze hebben weinig tijd, want de bevoorrading kan niet op zich laten wachten. Rond acht uur begint het gewone publiek te arriveren. De meeste bezoekers van de Haagse markt zijn moslims, maar de klandizie van Lunchroom Beer bestaat haast uitsluitend uit Hollanders. Soms zitten er ook een paar Marokkaanse of Turkse mannen. Moslimvrouwen zul je er niet zien. Maar aan de zijkant van de Lunchroom is een groot open raam. Dat geeft de mogelijkheid om ook moslima's te bedienen, die hun bestelling buiten consumeren.

Het kloppend hart van de zaak is Ines. Als je binnenkomt, staat ze meteen links in een kleine, slim ingedeelde werkruimte. Ines heeft zes armen. Zij kan tegelijkertijd op de bakplaat een uit-smijter bakken, een telefonische bestelling noteren, wisselgeld uit de kassa grijpen en door het grote open raam een moslima een aardbeienijs aanreiken. Ines is de kleindochter van de grondleg-ger van het bedrijf. Die heette Barend Beer. Dat wil zeggen, ie-dereen noemde hem Beer. Eigenlijk was zijn achternaam anders, meer mediterraan. Een Sefardische familienaam. In 1942 werd hij weggehaald door de Duitsers. Ines wil daar verder niet over pra-ten. Wel wil ze kwijt dat trouwe werknemers de zaak toen met kunst- en vliegwerk draaiend hebben weten te houden. Daardoor kon Barends zoon Eliazer – de vader van Ines – in 1945 een goe-de doorstart maken.

Ines is getrouwd met Henk. Het zijn allebei zorgzame mensen. Als dit Amsterdamse horeca was, zouden ze ongetwijfeld Tante Ines en Ome Henk heten. Ines is wel een beetje de baas over Henk. Hij maakt zo op het oog meer deel uit van het bedienend personeel. Samen met Nolleke en Jacqueline. Ines is de typische Joodse moe-der. Dat was goed te merken toen er een keer een paar bierglazen op de grond vielen. In een ander café zou zoiets vooral irritatie wekken. Maar niet bij Ines. 'Afblijven, niet aankomen, jongens, pas op, dat is scherp!' Ze snelt met veger en blik naar de plaats des onheils. 'Voorzichtig. Nee, Geert, ik doe het wel. O nee, o, o, let op, zo meteen snij je je nog in de vingers...' Even later: 'Ik had je ge-waarschuwd, ik had je nog gezegd dat je eraf moest blijven!'

Een keer per week komt Eliazer Beer nog in de zaak. Altijd op de dag dat zijn flat in Leidschendam wordt schoongemaakt. Hij helpt dan een beetje mee, maar komt toch vooral om de oude sfeer te proeven. Hij is degene die in de jaren zestig het interieur koos. Er is maar weinig veranderd. Helaas hebben de Beertjes de verleiding niet kunnen weerstaan om het thema 'beer' bij de de-coratie uit te buiten. De dagschotel staat met krijt vermeld op schoolbordjes die worden vastgehouden door gefiguurzaagde beren. Aan een zijmuur hangt een grote beervormige spiegel. Je vraagt je af waar ze die vandaan hebben gehaald. En op de vanillekleurige menukaarten loopt een klein spoor van berepootjes.

De oppervlakte van het eetgedeelte is maar iets van vijfenveertig vierkante meter. Maar je kunt er met vijftig man zitten. Wel alles en iedereen boven op elkaar. Rijen tafeltjes langs de muren. Zoals je vaak in Parijs ziet, is er aan een zijde een complete spiegelwand. Dat geeft dan toch weer een gevoel van ruimte. Ik heb Eliazer wel eens gevraagd of hij zich destijds heeft laten inspireren door een tocht door Frankrijk. Het was toen toch die romantische tijd van Sartre en Camus? Maar hij zei van niet. Alles had hij gewoon in Den Haag bedacht. Op de spiegelwand hangt in een ronde lijst een uitvergrote foto van grootvader Beer. Dat was een idee van Ines.

Volgens Eliazer wordt de lunchroom vooral door 'werkmensen' bezocht. Maar er komen ook opvallend veel diplomaten. Zij komen vooral af op de visstalletjes op de markt. Nergens zijn zo veel verschillende soorten vis te krijgen. En alles heel vers. Zo'n veertig jaar geleden kwamen de eerste gastarbeiders naar de lunchroom. Eliazer: 'Het was toen allemaal ontzettend gezellig in de buurt. Ik werd toen vaak Papa Beer genoemd. Vooral door die gastarbeiders. Ze kwamen me vaak hulp vragen. Dan ging ik ze helpen met hun AOW-formulieren of met al die papieren voor het ziekenfonds. Als ze zomers terugkeerden naar Turkije, vroegen ze mij om hun geld in bewaring te nemen. Natuurlijk deed ik dat. Soms gebeurde het in die tijd wel eens dat het heel vol was en dat er een Hagenees binnenkwam, die dan zei: Sorry hoor, maar ik ga daar niet naast een Turk zitten. Nou, zo'n vlerk werd dan mooi de deur uitgezet. Gelukkig komt dat nu niet meer voor. De mensen zijn aan elkaar gewend.' Maar er waren vroeger ook wel eens complicaties. 'Dan stonden ze te pissen in de wasbak. Moesten we uitleggen hoe de wc-ruimte in elkaar stak. Ze aten ook vaak nog gewoon met hun handen. Maar daar maakten we nooit een probleem van.'

De toekomst ziet er niet goed uit voor Lunchroom Beer. De zoon van Ines heeft een handicap en kan de zaak niet overnemen. De enige broer van Ines is advocaat. Hem krijg je niet achter een bakplaat. Eliazer verwacht dan ook dat het over enkele jaren is afgelopen. Opeens schalt een 'Ha, Papa Beer!' door de zaak. Het is een oude Turkse meneer die met een brede grijns achter een kop koffie zit. Net als vroeger, zie je Eliazer denken.

Op een zonnige vrijdagmiddag staan een paar typisch Haagse mevrouwen met grote tassen op het Hobbemaplein te wachten op lijn 6. Opeens schalt er over straat: 'Allaaahu akbaaaaar...!' De mevrouwen kijken elkaar verschrikt aan. Een aanval van al-Qaida? Op de trampassagiers richting Uithof en Frambozenstraat? Op een steenworp afstand, in een zijstraat van het plein, bevindt zich de Al Islam-moskee. Op het dak staat op een driepoot van buizen een forse geluidsinstallatie met ouderwetse toetervormige luidsprekers. Het is een van de weinige moskeeën in Den Haag die op vrijdag in de publieke ruimte oproepen tot het gebed.

De moskee ligt op een straathoek van vijfenveertig graden en is daardoor – heel ongewoon voor een moskee – niet vierkant, maar driehoekig. De gebedsruimten zijn verdeeld over drie etages. De begane grond en de eerste etage zijn voor de mannen. Het deel voor de vrouwen is op de tweede etage. De manneningang is vlak bij het punt waar de Van der Vennestraat en de Seghersstraat elkaar snijden. De vrouweningang is een eindje verderop in de Seghersstraat. De manneningang heeft een elegante dubbele deur, de vrouweningang is een enkele deur en doet toch meer denken aan een achterdeur.

Het trappenhuis van de vrouwentrap is op de begane grond door een muur gescheiden van de mannenafdeling. Maar op de eerste etage ontbreekt zo'n muur. Daarom hangt daar een hoog zwart gordijn om de vrouwen die naar de tweede etage klauteren te behoeden voor mannenblikken en vice versa. Vlak bij dat gordijn op de eerste etage hangt aan de muur een bordje om de nooduitgang aan te geven. Een klein groen mannetje dat in de richting van een pijl rent. Dat er in een moskee een afbeelding van een mannetje hangt, is ongewoon. Om afgoderij te voorkomen is de islam terughoudend met afbeeldingen van mensen en dieren. En in een moskee geldt die regel des te meer.

Bij brand moeten mannen en vrouwen gezamelijk over de vrouwentrap naar beneden. Mannenvlees samengeperst op vrouwenvlees. Het alternatief was geweest om voor de mannen een aparte brandtrap te maken van de eerste etage naar de begane grond. Maar dan waren er beneden drie trappen geweest, een te groot beslag op de beschikbare ruimte. Zullen de mannen bij brand eerst de vrouwen naar beneden laten gaan? Of komen de vrouwen pas na de mannen. Ook op straat loopt met name onder oudere moslims de vrouw toch vaak achter de man? Of wordt het gewoon een grote chaos? Wint het overlevingsinstinct het van de regels voor de zedigheid? Brandtechnisch gezien was het misschien ook beter als die vrouweningang in de Seghersstraat ook een dubbele deur was geweest.

Over brand en zedigheid gesproken, in maart 2002 stond er in Mekka een meisjesinternaat in lichterlaaie. De leerlingetjes wilden ontsnappen, maar werden met stokslagen tegengehouden door de religieuze politie, de *mutawa'een*. Ze waren namelijk niet gesluierd. De brand kostte vijftien meisjes het leven. Een overwinning voor de zedelijkheidsregels.

Als je de Al Islam-moskee door de manneningang betreedt, kom je eerst in een voorhal. Daar moet je je schoenen uitdoen. Halverwege in die hal is over de hele breedte op de vloer een opzichtig breed lint geplakt met de tekst: vanaf hier geen schoenen, vanaf hier geen schoenen, vanaf hier geen schoenen. Vrijwel direct na het lint is links een soort portiersloge. De conciërge die daar de wacht houdt, vertelde me ooit dat de bezwaren tegen de bouw van de moskee destijds niet van christelijke kant waren gekomen, maar van de zijde van Surinaamse Hindoestanen, die in groten getale de buurt bewonen. Na de voorhal kom je in een tweede hal. Daar staan lange houten rekken waar de gelovigen hun schoenen kunnen plaatsen. Rechts is dan een gebedsruimte. De gebedsruimte op de tweede etage is groter en voornamer. Daar staat ook het spreekgestoelte. Hoe de gebedsruimte voor vrouwen eruitziet, weet ik natuurlijk niet.

De moskee biedt ruimte aan zo'n tweeduizend gelovigen. Het interieur is een niet erg geslaagde mix van Europese en oosterse stijlelementen. Een saai systeemplafond waaronder grote vergulde Arabische luchters hangen, Hollandse tuimelramen tegenover houten wanden met priegelige arabesken, gekalligrafeerde Koranspreuken naast, op allerlei zwaaideuren, zakelijke aluminiumplaatjes met 'duwen' en 'trekken'.

Op vrijdag zijn veel gelovigen al ruim voor de oproep tot het gebed in de moskee aanwezig. Sommigen zijn aan de late kant. Die zie je dan in wapperende oosterse gewaden met een wat verbeten blik over het Hobbemaplein snellen. De oproep wordt niet gedaan door de imam, maar door speciale muezzins. Deze zijn binnen de – in casu Marokkaanse – geloofsgemeenschap geselecteerd op een mooi timbre van de stem en zuivere dictie. De Al Islam-moskee heeft twee vaste muezzins. Bij binnenkomst in de gebedsruimte groet je de mensen om je heen met een: 'Salaam aleikum.' Zij antwoordden dan met: 'Aleikum salaam.' Op de vrijdagmiddag wordt het gebed voorafgegaan door een preek. De preek duurt zo'n half uur. Meestal wordt die gehouden door de imam van de moskee. Maar soms is er een gastimam. De preek is in het Arabisch. Alleen op hoogtijdagen, bijvoorbeeld bij het Suikerfeest, komt eerst het gebed en dan pas de preek. De normale volgorde – preek en daarna gebed – is heel oud. Al in de tijd van de Profeet had de praktijk geleerd dat sommige gelovigen bij de volgorde gebed-dan-preek de moskee spoedig na het gebed stilletjes verlieten.

Als buitenstaander mag je gewoon in de moskee aanwezig zijn. Maar toen ik dat een paar keer had gedaan, kwam er een bebaarde medewerker op me af. 'Wij zien u hier liever niet meer. De gelovigen beginnen onrustig te worden. Ze begrijpen niet wat u komt doen. Misschien bent u een journalist. Of missschien bent u wel van de overheid. U begrijpt wel, in deze ingewikkelde tijden worden de mensen voorzichtig. Als ik dit aan anderen vertel zeggen ze heel verstoord "Dit mag helemaal niet. Een moskee is open voor iedereen"'.

Op zaterdagavond is er in de Al Islam-moskee een lesprogramma. Recente lessen gingen over 'Het islamitisch gezin', 'Jurisprudentie', 'Verhalen van de Profeet' en 'Afdwalings- en radicaliseringsverschijnselen bij de moslimjeugd in de Nederlandse maatschappij'. Mijn keuze viel op de avond over jurisprudentie. Met het woord jurisprudentie wordt binnen de islam gedoeld op de sharia-wetgeving. De les werd gegeven door Shaikh El Bakali. Hij is de imam van de moskee. Hij is een wat oudere man en ziet er wijs en innemend uit. Hij spreekt alleen Arabisch, maar er was me gezegd dat iemand in het Nederlands zou vertalen. Dat bleek niet het geval. Toch ben ik de hele avond gebleven – een beetje achteraf gezeten, leunend tegen de muur van de gebedsruimte.

Rond El Bakali zat een groep van zo'n twintig jongeren. Alleen jongens, geen meisjes. Ze luisterden heel aandachtig. Soms grinnikten ze even. El Bakali weet dat het goed is om een zwaar betoog zo nu en dan te larderen met een kwinkslag. De jongens zaten op de grond en maakten vlijtig aantekeningen. Hun pen ging snel van rechts naar links over het papier. Eén jongen viel wat uit de toon. Hij maakte nauwelijks notities. En hij had ook wel wat van een Marokkaanse hangjongere. Pezig en zo'n strak gezicht. Hij trok zijn hoofd regelmatig met korte, stevige rukjes naar links en dan weer een paar keer naar rechts, als een kickboxer die voor de wedstrijd zijn nekspieren losmaakt.

Als op vrijdag het gebed is afgelopen, halen de mannen hun schoenen weer uit de rekken. In dichte drommen stromen ze de moskee uit. Om de kleren van de anderen niet te bevuilen houden ze hun schoenen hoog boven het hoofd. Een heel speciaal gezicht is dat, zo'n compacte massa mannen met daarboven een bos van uitgestrekte armen en daar weer boven al die schoenen – sandalen, Bataschoenen, Nikes. Het leek wel of juist de mannen die er extra vroom uitzagen, hun schoenen iets hoger naar boven staken. Alsof ze met hun schoeisel heel even de onderkant van de hemel wilden aanraken.

CAFÉ MOGADISHU

Pal tegenover de Haagse markt, aan de overkant van de Hoefkade, bevindt zich café Mogadishu. Een A-1-locatie dus. De meeste mensen die de markt verlaten, slaan meteen linksaf en dan weer links naar tramhalte Hoefkade, of lopen rechtdoor naar het Hollands Spoor. Maar er zijn er ook altijd nog veel die de weg oversteken en dan bij wijze van spreken rechtstreeks in de fuik van café Mogadishu lopen. Toch is de praktijk anders.

Café Mogadishu, genoemd naar de hoofdstad van Somalië, ziet er van buiten al morsig uit en als je door de grote ruit naar binnen kijkt, zie je dat er niet veel klandizie is. Eigenlijk alleen Somaliërs. Somalische mannen welteverstaan, want vrouwen komen er maar hoogst zelden. Als de deur openstaat, loop je er op marktdagen tegen een *wall of sound*. Somaliërs zijn een luidruchtig volkje. En als er ergens in Somalië een crisis is, en dat is meestal het geval, staat er vlak naast de voordeur ook nog een televisietoestel te schetteren. Uitsluitend de BBC World Service of CNN. Somaliërs zijn nieuwsjunkies. Begrijpelijk, want hun land wordt sinds het begin van de jaren negentig verscheurd door verschrikkelijke conflicten.

Achter de toonbank staat Mohammed. Hij is een jaar of vijfenveertig. Hij lacht maar zelden. Het is buiten al warm, maar hij heeft nog steeds een overjas aan. Ook aan de tafeltjes zit bijna iedereen nog in zijn jas. Het versterkt het gevoel van ongezelligheid. Achter Mohammed hangt aan de muur het menu.

Samosa
Banakoek
Sugaar
Pasta
Kip
Vlees
Rijst
Biefstuk
Speciaal Eten

Somaliërs hebben moeite met de letter p. Vandaar het woord banakoek. Maar pasta wordt gewoon als pasta gespeld. Somalië was een Italiaanse kolonie en pasta is er nog steeds in alle restaurants de hoofdschotel. De Italianen hebben ongetwijfeld aan hun Somalische onderdanen uitgelegd dat 'basta' en 'pasta' twee heel verschillende woorden zijn. Het gerecht dat als 'sugaar' op het menu prijkt, is een schotel van stukjes gehakt vlees gestoofd in uien. Het is een gerecht dat in café Mogadishu veel aftrek vindt.

Meestal kies ik voor Speciaal Eten. Dat is een bord met rijst, een grote lepel van die sugaar en een dikke saus van tomaten en spinazie. Verder hoort er, los, een banaan bij. Op een apart tafeltje achter de toonbank ligt direct binnen Mohammeds handbereik een grote tros bananen. Café Mogadishu heeft twee eetruimten. Een kleine direct links van de toonbank en een tweede, veel grotere, die te bereiken is via een korte smalle gang. Daar ga ik meestal niet naar toe. Dat zaaltje achter heeft een te hoog hol-van-de-leeuwgehalte. Als Mohammed voor mij heeft opgeschept, loop ik met mijn bord Speciaal Eten in de ene en de banaan in de andere hand naar de eetruimte links van de toonbank.

Aan de muur hangen ingelijste foto's van het oude Mogadishu. Het mooie, elegante, witgekalkte Mogadishu van voor de burgeroorlog. Een bejaarde Somaliër heeft me wel eens een korte tour gegeven. Met een griezelig lange pinknagel tikte hij op de glazen platen. Tik, tik: 'Hier zie je de grote moskee.' Tik: 'Villa Italia – daar woonde in de koloniale tijd de Italiaanse gouverneur. Nu is het het presidentiële paleis.' Tik, tik: 'Ach ja, zo zag het gebouw van de Centrale Bank eruit.' Tik, tik: 'Ah, en dit was de Banca Nazionale del Lavoro!' De oude man klonk triest. De stad van die foto's ligt nu in puin. De liefde waarmee hij – met zwaar aangezet Italiaans accent – dat 'Banca Nazionale del Lavoro' proefde, verried heimwee naar een ver verleden.

Meestal ga ik in een hoek zitten met uitzicht op de voordeur en de Hoefkade. Soms komt het in café Mogadishu tot een handgemeen. Mijn bord met Speciaal Eten schuif ik dan zo dicht mogelijk tegen de muur. En zelf probeer ik me zo klein mogelijk te maken. Geschreeuw. Geduw. Mannen die aan elkaars kleren trekken. Een priemende vinger die beschuldigend op iemands borst wordt gezet. Oei, daar wordt een bril afgestoten! Bemiddelaars wringen zich tussen de soms al bejaarde kemphanen. De vrede wordt weer hersteld. Dan, even later, laait de ruzie weer op. En opnieuw moeten de bemiddelaars optreden. Waar de ruzie over gaat, is onduidelijk. Maar ik weet dat, net als bij clangevechten in Somalië, ook de spanning in café Mogadishu hoog kan oplopen. Na een minuut of tien keert het normale kabaal meestal weer terug. De stem van de nieuwslezer van CNN of de BBC klinkt er nog net bovenuit.

De minister voor Wonen, Wijken en Integratie wil zich richten op wijkaanpak. Wijkaanpak is een nieuw woord. Het is een multidimensionale *tool* om aanpakwijken aan te pakken. Aanpakwijken heten zoals bekend in het integratiejargon sinds enkele jaren niet meer aanpakwijken, maar 'krachtwijken'.

Zelf woon ik in wat volgens mij in feite een échte krachtwijk is. Bij ons in het Haagse Benoordenhout staan overal Volvo-stationwagons en de bewoners zitten flink in de hoogste belastingschijf. Onze tuinen worden gedaan door tuinlieden. Goed, soms zie je wel eens een mevrouw in Schotse rok en een slobberige, oud-geldtrui met een tuinschaar een bloem afknippen. Maar dat is toch meer *token* tuinieren. Voor het echte hovenierswerk hebben we allemaal een 'mannetje'. Alles straalt orde en tevredenheid uit. Laatst hoorde ik op de hoek van mijn straat een over het stuur van een oude, zwarte herenfiets leunende meneer tegen een andere meneer zeggen: 'Sorry, maar ik kan morgen niet komen, want dan moet ik bij Majesteit zijn.' Geweldig! Zelfs de honden die 's avonds worden uitgelaten, hebben klasse. Ze hebben een glanzende vanille kleurige vacht en als ze blaffen – wat ze in principe niet doen, behalve misschien even als het baasje met zijn golftas het tuinpad oploopt -, maar als ze dus blaffen, dan komt dat eruit met een diep, gedistingeerd: 'Woe! Woe! Woe!'

En dan nog iets: in het Benoordenhout plegen heren elkaar 's ochtends op straat te begroeten in het Engels. Alsof we permanent in het clubhuis van de *Haagsche* in Wassenaar rondhangen.

Degene die als eerste groet, doet dat met een luid, optimistisch 'MORning!' En degene die reageert, roept een half octaaf lager en wat meer achter in de keel 'Morning' terug. Als je naar je werk gaat, hoor je de hele tijd: 'MORning!'- 'Morning!' En op de hoek van het Van Hoytemaplein alweer: 'MORning – Morning!'

Waar dat vandaan komt, weet niemand. Natuurlijk, wij in het Benoordenhout zijn altijd net terug uit de *States* of op weg naar Heathrow voor de presentatie van een nieuw *product*. Dus dat Engels ligt ons op zich wel. Maar dat kan niet de hele verklaring zijn. 'MORning! – Morning!' Want in de middag lijkt het wel streng verboden om nog Engels te gebruiken. Iemand die bij wijze van spreken om drie uur bij Verhoog een doos petits fours gaat halen en de winkel binnenstapt met een opgewekt 'Good afternoon!', begaat een ernstige fout. Alle andere klanten zouden gegeneerd wegkijken. Het zijn misschien wel speciaal dit soort absurde, ongeschreven regels die van een krachtwijk een échte krachtwijk maken.

In het Benoordenhout wonen heel veel buitenlanders, maar geen allochtonen. De buitenlanders hier zijn namelijk *expats*. En die zijn hier geïntegreerd zonder dat er aan inburgering of wijkaanpak hoefde te worden gedaan. Ik vind het eigenlijk nogal raar dat probleemwijken krachtwijken worden genoemd. Je vraagt je bij zoiets of het ministerie misschien ook met andere woorden een loopje neemt. Bij Buitenlandse Zaken doen we gelukkig niet aan die onzin mee. Je moet er toch niet aan denken dat je in een ver land met je longdrink op een receptie staat en dan aan je collega's zou moeten uitleggen dat wij de Centraal-Afrikaanse Republiek voortaan als krachtstaat zien.

Vandaag gaat de minister – ik praat over de tijd van die leuke minister Vogelaar – de prijs uitreiken voor het winnende idee op het vlak van integratie. Sinds 2003 is dat een jaarlijks evenement. De plaats van samenkomst is het gebouw Het Sieraad aan de Postjesweg in Amsterdam. De organisatie is in handen van het Kennisnet Integratiebeleid en Etnische Minderheden. Ditmaal was 'wijkaanpak' het selectiecriterium. De wedstrijd heet Parels van Integratie. En het comité van deskundigen dat zich jaarlijks over de inzendingen buigt – dit jaar honderdnegen in getal – heet het Comité van Parelvissers.

Dat comité was ditmaal samengesteld uit de algemeen directeur van de Stichting Woonbedrijf Eindhoven, de wethouder Zorg & Welzijn, Jeugd, Integratie & Emancipatie van de gemeente Nijmegen, een hoogleraar grootstedelijke vraagstukken van de Erasmus Universiteit en de programmadirecteur Jeugd en Diversiteit & Integratie van de gemeente Utrecht. Ze staan alle vier op het podium. En zoals het moeilijk is om achterstandswijken als krachtwijken te beschouwen, zo is het ook niet eenvoudig om in dit prozaïsche gezelschap een groepje parelvissers te zien. Ook het Kennisnet Integratiebeleid en Etnische Minderheden neemt het dus eigenlijk niet zo nauw met zijn woordkeus. Misschien hoort dit gewoon bij de branche. Ik probeer me voor te stellen hoe die steile, calvinistische programmadirecteur Jeugd en Diversiteit & Integratie over de reling van een Arabische dhow klautert en zich als een ware parelvisser slechts gekleed in lendendoek in het lauwe water van de Perzische Golf naar beneden laat zakken. Godsonmogelijk.

Als ik rondkijk, valt me trouwens op dat ook de honderden gasten er eigenlijk erg prozaïsch uitzien. Geen ringbaarden, geen grofgebreide truien of mevrouwen met bovenmaatse oorringen. Het type van de straathoekwerker is uit de integratiebranche – of althans uit de hogere segmenten ervan – verdreven. De opvang en integratie van Hazara uit Afghanistan en Dinka's uit Zuid-Soedan hebben we in handen gelegd van managers en hogere ambtenaren. Ze hebben ook zware titels. Op de gastenlijst die ons bij binnenkomst werd overhandigd, staat achter iedere naam wie wat is: projectleider vraaggestuurde scholing; buurtregisseur; communicatieadviseur; senior communicatieadviseur; senior onderzoeksadviseur; trajectbegeleider; marktrelatiemanager; coördinator inburgering; jobcoach/adviseur; voorzitter participatieteam; stadsdeelcoördinator; coördinator wijkzaken; wijkcoördinator; beleidsmaker integratie; beleidsmedewerker diversiteit; creatief leider; projectleider inburgering en wijken; projectleider participatie en diversiteit; programmaleider participatie en integratie; programmamaker mantelzorg; projectmanager stedelijke vernieuwing; manager werkbureau; programmamanager; verenigingsmanager; unitmanager; procesmanager; afdelingsmanager. In de grote hal klinkt een gezellig geroezemoes. Dat is logisch. Een procesmanager, een unitmanager, een verenigingsmanager en een projectleider vraaggestuurde scholing doen allemaal precies hetzelfde werk en ze hebben elkaar natuurlijk al gauw gevonden.

In de hal staan de informatiestands van de acht projecten die alle voorronden zijn gepasseerd. Elk projectteam geeft bovendien een ochtendworkshop en een middagworkshop. Die worden gehouden in aparte zaaltjes van Het Sieraad. Ik raak in gesprek met enkele allochtone vrouwen in de stand van het Vrouwencentrum Delfshaven. Het zijn Wassila Asnoussi en Naima Badda. Ze hebben allebei een hoofddoek om en zijn allebei van Marokkaanse origine. Wassila is Arabisch en Naima is Berber. Ze nodigen me uit om hun middagworkshop bij te wonen. Het blijkt dat er in de ochtend alleen vrouwen aan hun workshop hebben deelgenomen. En dat vinden ze toch wel jammer. Gretig zeg ik dan ook ja. Ook het idee dat hun workshop een imitatie is van de vrouwenbijeenkomsten zoals die in hun centrum in Delfshaven standaard zijn, lijkt me spannend.

In het voor ons gereserveerde zaaltje staat een grote tafel met stoelen klaar. Op de tafel liggen kluwens wol, breipatronen, bakjes met kralen, klosjes garen en een doormidden gesneden meloen – nee, het blijkt een enorm speldenkussen te zijn. Het vrouwencentrum richt zich op geïsoleerde allochtone vrouwen en volgt een methode die handwerken combineert met praten. Ik zie dat ik de enige man ben en kies een stoel ver van de tafel met al dat naaigerei. Maar dat wordt niet geaccepteerd. Ik moet gewoon meedoen. En ik merk dat het werkt. We krijgen een *opdracht*. We moeten allemaal een eenvoudig patroon naar eigen keuze op een klein stukje grofmazig doek borduren. Maar wel zo dat ons eigen patroon aansluit bij dat van onze twee buren. Er worden dus als het ware in één moeite door allerlei overlegsituaties gecreëerd. Het is leuk werk. En niet alleen dat, de gesprekken komen meteen los. Aan het eind worden alle lapjes aan elkaar genaaid. Met trots bekijken we de lange sliert die is ontstaan. Later op de dag wordt hij vanaf een balkon in de grote hal neergehangen.

Aan het eind van de middag maakt de minister bekend wat het winnende project is. 'De prijs gaat...' en dan even stilte om de spanning op te voeren, 'naar...' weer een tergende stilte; we houden onze adem in, 'het Milieupunt Overvecht in Utrecht met Van Binnen naar Buiten!' In de hal wordt lang en enthousiast geklapt. Het Vrouwencentrum Delfshaven heeft dus niet als eerste de eindstreep gehaald. Maar de minister draagt alle acht de projectgroepen een warm hart toe.

'Fantastisch! Zo zien ze er dus uit, de Parels! Echt heel bijzonder om kennis te maken met de projecten die geselecteerd zijn. Dit is nog maar de derde keer, maar we gaan hiermee door! Het is belangrijk dat we met elkaar zichtbaar maken hoe we projecten kunnen doen. Integratie is een zoektocht. Er is heel veel geduld nodig. En dat is niet gemakkelijk in deze tijd. Toch moeten we met elkaar geduldig die voettocht naar integratie volhouden. Dit jaar was "wijkaanpak" het thema. En er is van een bijzondere selectiemethodiek gebruikgemaakt!' Even kijkt de minister tevreden naar de vier Parelvissers, die wat stijfjes op het podium staan. 'Het moest om projecten gaan die breed toepasbaar zijn. En ze moesten kunnen bijdragen aan een ontmoeting tussen allochtone en autochtone burgers. Dat vreselijke wij-zijdenken moeten we doorbreken! De separatie en het uit elkaar groeien zijn alleen maar erger geworden.'

De toespraak gaat nog een tijdje door. Ik schrijf alleen nog flarden op: 'Voor integratie is emancipatie hartstikke nodig'; 'we moeten vrouwen verleiden om over de drempel te komen'. Ik probeer onopvallend het gebouw te verlaten. De drempel van de voordeur over om diep de frisse, vrije lucht van de Postjesweg te kunnen inademen. Als ik het spoorviaduct bereik, zijn in Het Sieraad de trajectbegeleiders inburgering en de stadsdeelcoördinatoren waarschijnlijk al wel aan de borrel.

Zeventien mevrouwen zitten te wachten in een zaaltje van De Aker, een buurtcentrum in de Amsterdamse deelgemeente Osdorp. Vrijwel allen hebben een hoofddoek om. Over enkele minuten begint hun eerste fietsles. De cursus van het buurtcentrum omvat vijftien lessen van 1 uur. De lessen worden gehouden op de woensdagochtend. Volgens De Aker zullen alle hoofdelementen van het fietsgebeuren aan bod komen: opstappen, in balans blijven, sturen, remmen, bochten maken, afstappen. Sommige vrouwen volgen de fietsles in het geheim. Zij durven – hoorde ik naderhand van de leiding – thuis niet te zeggen dat ze iets met het buurtcentrum van doen hebben. Dit vooral omdat er ook *mannen* in De Aker rondlopen. Zelf zit ik ook in het zaaltje. Een beetje op de achtergrond, op een Marokkaanse divan met glimmende oriëntaalse kussens. Het overige meubilair in het zaaltje is standaard buurthuis.

Dat ik in het zaaltje mag zitten, is niet zo heel vanzelfsprekend. Ik ben voor moslims en moslima's een 'man' en in het nieuwe, andere Nederland ligt de aanwezigheid van mannen en vrouwen in een en hetzelfde zaaltje complex. Liesbeth, de fietslerares, had aan de groep gevraagd of ik er even bij mocht zitten en niemand had bezwaar gemaakt. Maar bijvoorbeeld fotograferen zou zeker uit den boze zijn geweest.

Liesbeth ziet er, in tegenstelling tot haar stevig ingepakte leerlingen, sportief uit. Ze is een jaar of vijfentwintig en heeft blond, kortgeknipt haar. Ze heeft de sportacademie gedaan. Maar daar is fietsen niet haar specialiteit geworden. Haar grote liefde was en is voetbal. Dat heeft ze vijftien jaar gedaan. Maar ze is dit jaar geswitcht naar rugby. 'Was voetbal toch te soft?' vroeg ik haar na afloop van de les. 'Nou, nee', zei ze, 'het komt vooral omdat ik vorig jaar niet zo'n goed voetbalseizoen heb gehad.'

Degenen die de fietscursus geheel doorlopen, krijgen een certificaat. Helaas is er geen voorbeeld voorhanden, maar Liesbeth vertelt dat het een A4-document is van extra zwaar papier. Op het certificaat staat een tekeningetje van een fiets en natuurlijk de naam van de gecertificeerde fietsster. Verder prijken er de naam en handtekening op van wat Liesbeth de 'fietsdocent' noemt. Ze vertelt dat de meeste vrouwen erg trots zijn bij de uitreiking. 'Soms krijgen ze ook nog een bloemetje.'

De vrouwen die in het geheim hebben leren fietsen, kunnen met dat certificaat natuurlijk weinig doen. Ze zullen bovendien hun fiets op een geheime plek moeten stallen. Maar het belangrijkste is natuurlijk dat ze voortaan zelfstandig de omgeving kunnen verkennen. Voor een Turkse of Marokkaanse mevrouw die alles te voet doet, is de actieradius misschien iets van driehonderd meter. Osdorp is groot. Als je er driehonderd meter loopt, is de kans groot dat je nog steeds in Osdorp zit. En degenen die Osdorp een beetje kennen, begrijpen dat dit helemaal niet leuk is. Fietsen geeft vrijheid. Fietsen geeft de vrouwen de kans om Slotervaart of Geuzenveld te leren kennen. Maar in Amsterdam, het echte, drukke, zondige Amsterdam aan de andere kant van de A10 zullen ze zich niet gauw wagen.

Voordat er buiten met de fietsen geoefend wordt, heeft Liesbeth een aantal praktische punten. 'De les gaat altijd door. Ook als het hard regent. In dat geval doen we hier in de zaal de verkeersborden en leren jullie alles over het op slot zetten van de fiets. Als het een beetje regent, gaan we – Nu even die mobiel uit. Ik vertel hier belangrijke dingen! -, dan gaan we gewoon naar buiten. Nog iets, op de fiets geen hoge hakken en het is ook beter om geen strakke kleren aan te doen.' De mevrouwen kijken elkaar aan. Strakke kleren? Ze zitten wel stevig ingepakt, maar van strakke kleren is geen sprake. 'Dan een laatste punt – moeten er nog mensen naar de wc?' vraagt Liesbeth, terwijl ze met opgetrokken wenkbrauwen streng rondkijkt. Alweer kijken de mevrouwen elkaar aan. Maar ditmaal moeten ze ook lachen. Die gekke Hollanders. Dit soort sanitaire kwesties ga je toch niet in de groep bespreken?

Even later staan we allemaal buiten. Het is een grauwe dag. En in Osdorp is een grauwe dag extra grauw. Ook de kleding van de deelneemsters is grauw. Maar over hun kleding dragen ze nu allemaal een felgroen fluorescerend veiligheidsvest met FIETSLES! op de rug. Liesbeth begint, nu wordt het dus menens, met het eerste lesonderdeel: lopen naast de fiets. Bij de ingang van De Aker is een kleine ronde vijver. Er staat geen water in. Liesbeth laat de mevrouwen om het vijvertje lopen met de fiets aan de hand. Het ene rondje na het andere. Het is stil, want het is een oefening die concentratie vergt. Nadat iedereen een stuk of tien keer zonder om te vallen is gepasseerd, roept Liesbeth: 'Ik ben trots op jullie!' De mevrouwen kijken elkaar blij aan.

Het moment voor een volgende, complexere oefening is aangebroken. 'Nu gaan we trainen hoe we van de ene kant van de fiets naar de andere kant kunnen komen.' Liesbeth manoeuvreert zich overdreven onhandig buiten het voorwiel om van de ene kant van haar fiets naar de andere. 'Zo doen we dat dus niet, hè, dames! We kunnen namelijk ook gewoon over de kettingkast stappen. Maar zorg er dan wel voor dat je het eerste been op ruime afstand van de fiets plaatst, zodat er plaats overblijft voor het andere been.' Ze beweegt een been over de kettingkast en plaatst het direct naast de fiets. 'Zien jullie dat dit niet klopt, dat het zo niet gaat!? Nu kan ik mijn andere been niet kwijt!' Voorzichtig beginnen de eerste leerlingen over de kettingkast te stappen. Sommigen plaatsen het eerste been toch te dicht bij de fiets. Her en der zie ik fietsen vervaarlijk hellen. 'Geen zorgen!' roept Liesbeth opgewekt. 'Ik heb pleisters bij me!'

Er volgen nog enkele andere oefeningen. De meer begaafde leerlingen leren tegen het einde van de les zelfs al op het zadel te zitten en dan met de voeten voorzichtige stepbewegingen te maken. Maar echt fietsen is iets voor later. Naast mij staat een oude, nogal verschrompelde Indische mevrouw. Ze heeft een islamitische voornaam. 'Ik heb suiker', zegt ze, terwijl ze een beetje beteuterd naar de fietsklas kijkt. 'Ik heb vanochtend een prik gehaald en nu voel ik me duizelig. Daarom kan ik nu niet meedoen met de les. Maar met kijken leer ik ook al een beetje.'

Ze kijkt weer even naar de deelneemsters, die ons al steppend passeren. 'Mijn suiker is echt veel te laag. Weet je, thuis heb ik een klapfiets. Maar ik kan er niet op fietsen. Hij staat in de gang onder de trap. Soms neem ik hem even mee naar buiten. Maar ik kan hem niet goed onder controle houden – hij gaat meteen heel erg slingeren. Drie jaar geleden heb ik hem gekregen door vakantiedagen in te leveren. Ik werk nog in een verzorgingstehuis. Ik moest ook nog zeventig euro bijbetalen.'

Ik vraag hoe de fiets onder de trap staat – ingeklapt of uitgeklapt? 'Uitgeklapt', zegt de oude mevrouw. 'Over een paar weken kan ik er zo op wegrijden!'

In Amsterdam, in een overwegend islamitische buurt, trof ik in het leesrek bij de ingang van een protestantse kerk een folder aan van de Stichting Open Doors, een stichting in Ermelo die vroeger bijbels naar landen achter het IJzeren Gordijn smokkelde, en die zich nu vooral richt op vervolgde christelijke minderheden in moslimlanden. In de folder wordt de loftrompet gestoken over een boek van ene Anne van der Bijl, die behalve auteur ook bestuurslid van genoemde stichting is. Het boek heet *Geheime gelovigen*. 'De titel spreekt voor zich', zegt de folder. 'Het boek is gebaseerd op ware gebeurtenissen, verhalend geschreven, meeslepend, een echte "doorlezer".' De folder bevat een fragment uit het hoofdstuk dat 'Layla' heet. Het speelt ergens in het Midden-Oosten. Layla zit op de middelbare school en is een *geheime gelovige*. Hieronder volgen enkele meeslepende passages.

De zon begon al onder te gaan en Layla wilde snel thuis zijn. Daarom nam ze een kortere route door een steegje. Ze voelde zich redelijk veilig. Dit was een voornamelijk christelijke buurt en ze had de afgelopen weken de jongens niet meer gezien die haar lastigvielen op de markt of naar haar gluurden voor de kerk.

Aan het eind van het steegje zag ze een jongen in zijn mobiele telefoon praten. 'Niet in paniek raken, Layla', zei ze tegen zichzelf. 'Ik loop gewoon snel langs hem heen en dan ga ik de straat in en loop vlug naar huis.'

Maar toen ze langs de jongen met het mobieltje liep, stopte er plotseling met piepende remmen een auto. (...) Twee handen grepen haar bij de armen en duwden haar op de achterbank van de auto. Voordat ze maar kon denken aan tegenspartelen, werden de portieren dichtgegooid en schoot de wagen met gierende banden de straat uit, draaide de hoofdstraat op en reed de stad uit. Ze werd door sterke armen omlaag geduwd en een stem vanaf de voorbank zei: 'Wat een verrassing! Een leuk, christelijk meisje helemaal alleen op straat.' 'Zonder hoofddoek', zei de stem van een van de jongens die haar omlaag drukte. 'Waar brengen jullie me naar toe?' vroeg Layla en ze probeerde de paniek te onderdrukken die in haar opkwam. 'Dat zul je wel zien', zei de jongen voorin. Layla haatte de klank van die stem al. 'Ik zal je heel gelukkig maken.'

Enig tijd later komt het tot een, zacht gezegd, stroeve ontmoeting tussen Layla's lieve ouders en de ouders van de jongen die tegen Layla zei dat hij haar 'heel gelukkig' zou maken.

Layla probeerde haar moeder wanhopig via haar ogen wat te vertellen. Haar hoofd was volledig bedekt onder een zwarte nikab, die alleen haar ogen vrij liet. Haar moeder probeerde de boodschap in haar ogen te lezen. Angst? Dat zeker. Droefheid? Ja. Verzet? Misschien iets, maar het werd steeds minder. Haar vader beheerste zijn woede. Hij had de raad van de priester opgevolgd en had via zijn zwager uit weten te vinden waar zijn dochter was. Toen er contact gelegd was, had de familie die Layla vasthield gezegd dat het meisje haar ouders niet wilde zien. Maar hij had volgehouden en bleef zeggen dat hij zich er alleen maar van wilde vergewissen dat het goed ging met haar. Nu waren ze bij elkaar voor een vreemde ontmoeting. Er stonden twee jonge mannen aan beide zijden van zijn dochter, en nog een direct achter haar. Dicht bij hen stonden nog meer mannen. In de overvolle kamer waren geen andere vrouwen te zien.

'Layla, gaat alles goed met je?' vroeg de vader. Layla had zich voorgenomen te zwijgen. Ze knikte. Bovendien, wat kon ze zeggen? Ze hadden haar geslagen, haar gedwongen om veertien tot zestien uur per dag op de boerderij te werken en ze werd 's nachts in de schuur opgesloten om te slapen. De mensen die haar gevangen hielden, hadden vreselijke dreigementen geuit voor als ze iets durfde te zeggen. 'Ik wil weten waarom jullie mijn dochter ontvoerd hebben', zei de vader tegen de mannen die rondom Layla stonden.

'U hebt het niet goed begrepen', zei de oudere man. 'Ze is uit vrije wil naar ons toe gekomen. Mijn zoon...' en hij wees naar de jonge man die achter haar stond, '...heeft het meisje hierheen gebracht omdat ze van hem houdt. Ze heeft hem verteld dat ze moslim wil worden. Wij onderwijzen haar nu in de islam.'

Layla wilde wel schreeuwen dat dit allemaal leugens waren. Maar toen haar vader zich tot haar richtte en vriendelijk vroeg: 'Is dit waar?' voelde ze een scherp voorwerp in haar rug prikken. Ze wist dat ze op dit moment haar regeltje op moest zeggen. Het leek wel alsof alles buiten haar om ging, alsof het iemand anders was die met bevende stem uitsprak: 'Ik heb me tot de islam bekeerd. Ik heb de rechte weg gevonden.'

Hiermee is het verhaal nog verre van af. 'Wilt u weten hoe het afloopt?' vraagt de folder ten overvloede.

Een warme zaterdagochtend. In de Fakonahof, een klein, intiem plein in de Haagse Schilderswijk, lopen enkele autochtonen in gele T-shirts met de opdruk STICHTING FAKONAHOF zenuwachtig op en neer. Ze wachten op Rabin Baldewsingh, de wethouder voor Burgerschap, Deconcentratie, Leefbaarheid en Media. Aan de rand van het plein staat een witte camper, ingepakt in een donkerbruin lint. Rabin zal dat lint vandaag doorknippen. Op het plein zijn een paar kinderen aan het voetballen. Ik zie ook twee politieagenten. In een kleine feesttent zijn op kosten van de gemeente koffie, thee en cake te krijgen. In de tent zitten een oude man en een jonge vrouw in Rode Kruis-kleding. Op de balkons rond het plein zijn bontgeklede Turkse en Marokkaanse vrouwen druk bezig de was op te hangen.

Zoals gepland arriveert precies om twaalf uur Rabin Baldewsingh. Om hem heen lopen een paar apparatsjiks van de gemeente en het welzijnswezen. Verder is hij vergezeld van een Antilliaanse steelband. Het metalige getrommel is veel te luid voor het kleine plein. Rabin is gekleed in een bruin pak, een bruine stropdas en bruine schoenen. *Power dressing* is niet zijn stijl. Hij heeft een plezierig, betrouwbaar gezicht. Hij is ook een beetje houterig en wat verlegen. Hij ziet er bepaald niet uit als een politiek roofdier. Hij is van de PvdA, maar ik denk niet dat hij een zaaltje vakbondsmensen kan begeesteren. De website van de gemeente vermeldt dat hij kort geleden vier kastanjebomen heeft geplant op de Korte Vijverberg. Op de foto zie je hem in een blauw pak met een blauwe stropdas en een schop in zijn handen. Op de achtergrond het spiegelende water van de Hofvijver. Dat is meer iets voor hem.

Zijn voorouders kwamen als contractarbeiders uit India naar Suriname. Zelf kwam hij op dertienjarige leeftijd uit Suriname naar Nederland. Je zou verwachten dat hij in ieder geval bij de allochtonen in de Schilderswijk goed ligt, maar daar is op de vrijwel lege Fakonahof niet direct iets van te merken. Rabin is op het plein om het Pleinenlint te starten. Het Pleinenlint is een concept dat is uitgedacht op het gemeentehuis aan het Spui. De bewoners in de directe omgeving van acht pleinen in de Schilderswijk en Transvaal moeten worden gestimuleerd om een 'positieve en veilige sfeer' te creëren. Rabin zal vandaag alle acht pleinen bezoeken.

Een flyer die in de twee wijken is rondgedeeld, belooft voor deze openingsdag 'brassband, twirling, miniskate park, breakdance. Ethiopische koffieceremonie, bollywooddance, trommelaars en capoeira, circusschool, sportwedstrijden, pony rijden, luchtkussens, muziek, kinderactiviteiten, clowns, eten en drinken en nog veel meer!' Op zich best een leuk programma, maar helaas het lokt geen publiek. Misschien komt het door dat 'Pleinenlint'. Een woord dat niet bestaat. Ons, autochtonen met goede kennis van de Nederlandse taal, zegt het al totaal niets. Je vraagt je af wie op het gemeentehuis in 's hemelsnaam gedacht kan hebben dat een zich nog inburgerende Anatolische herdersvrouw denkt: O, een Pleinenlint! Dat is echt iets helemaal voor mij!

Rabin loopt naar de microfoon. Een paar kinderen staan in een kringetje om hem heen. 'Beste vrienden, we willen jullie plein nog mooier, nog leefbaarder maken! Er gebeuren nu al heel veel leuke dingen in de Fakonahof. En ik wil dan ook de dames en heren van de Stichting Fakonahof, dat zijn de mensen in de gele

T-shirts, bedanken voor hun inzet. Zo meteen ga ik de Pleinencamper openen. Het voertuig is aangeschaft in het kader van het burgerschapsprogramma, waarin we proberen mensen aan elkaar te verbinden. De camper wordt de schakel tussen alle pleinen – de pleinen die we weer teruggeven aan de stad! Later we er een feest van maken!'

Hij legt aan het schaarse publiek uit dat de camper eenmaal per week op het plein zal staan en dat er vier *pleinanimatoren* zijn aangesteld die met de burgerij in die camper plannen kunnen maken om de pleinen een 'positieve sfeer' te geven. Terwijl hij zich door de microfoon uitslooft, gaan de vrouwen op de balkons onverstoorbaar door met de was. Alleen toen de steelband het plein opmarcheerde, was er even een spoor van nieuwsgierigheid. Rabin loopt nu in de richting van de Pleinencamper. Hij krijgt een keukenschaar met rode handvaten. Wij kijken gespannen toe als hij het donkerbruine lint doorknipt. Het lint kleurt goed bij zijn pak. De kinderen, de twee politieagenten, de mensen in de gele T-shirts, enkele buurtbewoners en de ambtenaren van het gemeentehuis applaudiseren.

Rabin stelt de pleinanimatoren voor aan het 'publiek'. 'Helaas is er één ziek, maar hier staan nu bij mij Jasper – een applaus voor Jasper! (we klappen allemaal voor Jasper) – en Fikriye (we klappen voor Fikriye) en iemand die een beroemdheid is hier in de Schilderswijk, onze!... eigen!... onvolprezen!... Maaammáááár! Een warm applaus voor Fikriye en Mammááár!' We klappen opnieuw. 'Ik hoor niets. Weten jullie soms niet wat klappen is?' roept Rabin, alsof hij ceremoniemeester op het podium van GelreDome is. Dus gaan we braaf nog harder klappen.

Nadat Rabin nog een keer heeft uitgeroepen: 'We maken er een fantastisch feest van!', verdringen we ons allemaal voor het deurtje van de Pleinencamper. Vanbuiten ziet ie eruit als een ge-

wone camper. Maar vanbinnen zit dat ding natuurlijk volgestouwd met videoapparatuur, flipovers en laptops. O nee, toch
niet. Ook binnen ziet alles er net zo uit als in een gewone camper. Een kleine zithoek met kastruimte onder de banken, een
wc'tje, een douche. Een grappenmaker achter mij mompelt dat
hij de camper graag voor de zomer wil reserveren. Iemand anders
vraagt zich hardop af hoe het zou voelen om op dat wc'tje te zitten, terwijl de camper over de A4 raast.

Nadat we hebben mogen rondkijken en de deuren van alle
kastjes open en dicht hebben gedaan, gaat Mammar, het buurt-
boegbeeld waarvoor we zojuist zo enthousiast hebben geklapt,
even achter het stuur zitten. Gewoon even kijken hoe het voelt.
Rabin moet met de steelband door naar het volgende plein, het
Meester de Bruinplein. Daar legt hij opnieuw uit wat het Pleinenlint is. Weer bestaat zijn gehoor hoofdzakelijk uit zes- en ze-
venjarigen. Volwassen buurtbewoners laten het afweten. Zo nu
en dan zie je een gordijn dat op een kier wordt geschoven en een
paar ogen dat even naar buiten gluurt.

De Schilderswijk is nu hoofdzakelijk islamitisch. De ramen
zijn er geblindeerd met gordijnen, vitrages, lappen stof en – *quel-
le horreur!* – verticale lamellen. Inkijk in woningen en flats is iets
van het verleden. Alle porseleinen herdershonden, herderinne-
tjes, vetplanten, stervende herten, koperen urntjes, klokjes gevat
in stuurwieltjes, Mariabeeldjes met sneeuw als je ze omdraait –
alles is van de vensterbanken verdwenen. De huizen zijn blinde
muren geworden. Waarom bouwen projectontwikkelaars in
krachtwijken eigenlijk nog huizen *met ramen*, vraag je je wel eens
af. Doen ze daar iemand plezier mee, of moet dat nog steeds van
de overheid?

In een hoek van het Meester de Bruinplein is een geïmprovi-
seerde boksring. Daar komt dus een van de sportevenementen

die ons in de Pleinenlintflyer werd beloofd. Khared Zafar van buurthuis De Mussen is verantwoordelijk voor dit programma-onderdeel. Hij loopt op Rabin af en wil hem een Black Power-handshake geven. Maar het gaat helemaal mis. Rabin had hier duidelijk niet op gerekend en hun handen grijpen onhandig in elkaar. Khared daagt Rabin uit voor een ronde boksen. Hij is kleiner dan Rabin, maar wel steviger. Khared noemt zich trots 'de sportkracht' van De Mussen.

Rabin doet enthousiast als hem twee enorme rode bokshandschoenen worden aangeregen. Hij kan het natuurlijk niet maken om nee te zeggen. Hij maakt even een paar grappige huppeltjes om zich op te warmen. Khared is in trainingspak. Rabin heeft zijn bruine jasje en stropdas gewoon aangehouden. Even doen ze alsof ze echt boksen. Dan veinst Rabin dat hij knock-out wordt geslagen. Hij wankelt even en laat zich dan met een opgelucht gezicht van de rode handschoenen bevrijden.

Meteen toen ik er binnenkwam, zag ik het: het tapijt lag verkeerd. Niet dat ik een goed oriëntatievermogen heb, eerder het tegendeel. Verdwaald in Slotervaart/Overtoomse Veld had ik een aantal keren mijn Cito-stratengids voor Amsterdam moeten raadplegen en zo wist ik dat mijn einddoel, de nieuwe Poldermoskee, in een straat stond die parallel liep aan de AIO-West. De poldermoskee is gevestigd in een jarenzestigpand dat ooit van VluchtelingenWerk Nederland was. De gebedsruimte – vroeger een kantoortuin – kijkt uit op de AIO, of eigenlijk meer nog op de spoorlijn die ernaast loopt. De ringweg loopt in dat deel van Amsterdam strak van zuid naar noord en dat betekende dat die gebedsruimte pal op het oosten lag.

Het tapijt in de gebedsruimte was zo'n typisch moskeetapijt: lange banen met vakken die ervoor zorgen dat de gelovigen – ieder in een eigen vakje – in nette rijen bidden en, belangrijker nog, dat zij bidden in de richting van Mekka. Maar in de Poldermoskee lagen die banen van het tapijt parallel aan de spoorlijn en dat betekende dat de gelovigen niet richting Mekka, maar richting Moskou baden. Het had anders gekund, dan had de stoffeerder de vloerbedekking op het zuidoosten moeten leggen. Schuin dus. Maar dan krijg je een migraine-effect. Het had er bovendien rommelig uitgezien.

Dat een moslim in de richting van Mekka moet bidden, is niet iets uit de overlevering van de profeet Mohammed. Nee, het staat met zoveel woorden in het tweede hoofdstuk van de Koran. En de Koran is het woord van Allah. In de oertijd baden de Profeet en zijn volgelingen met het hoofd naar Jeruzalem. Maar toen de verhouding met de Joodse gemeenschap in Medina verzuurde, werd er voortaan naar Mekka gebeden. De overstap kwam volgens sommige verhalen heel abrupt. Een man kwam op een aantal gelovigen toerennen die midden in het ochtendgebed waren. Hij riep rond dat er aan de Profeet net nieuwe Koranverzen waren openbaard, waarin stond dat er voortaan in de richting van de Heilige Moskee in Mekka moest worden gebeden. En diegenen die net knielden, draaiden zich nog op hun knieën om in de richting van Mekka, en degenen die juist aan het buigen waren, draaiden zich met gebogen rug.

Volgens een ander verhaal heeft een groep rabbi's uit Medina nog aan Mohammed voorgesteld dat de Joodse gemeenschap hem alsnog als profeet zou erkennen, op voorwaarde dat de gebedsrichting weer Jerusalem zou worden. Maar die veronderstelde *deal* is dus niet doorgegaan. Hoe het ook zij, in de Poldermoskee was kennelijk besloten het tapijt 'netjes' te leggen in weerwil van de specifieke wensen van Allah. De Nederlandse hang naar orde en overzichtelijkheid had gewonnen.

Ik was in feite op zoek naar die Poldermoskee vanwege het openingsfeest. Eindelijk was er een moskee gekomen voor jonge, hippe gelovigen van nu. We mochten het hele gebouw verkennen. Overal blije gezichten. De gebedsruimte had nog steeds het systeemplafond en de lange rijen tl-buizen van VluchtelingenWerk Nederland. Op de binnenplaats was een tent geplaatst die vol zat met jonge moslims en vertegenwoordigers van wat ik maar allochtonofiel Nederland noem. Er waren allerlei presentaties en enthousiaste speeches van sprekers als deelraadvoorzitter Ahmed Marcouch, 'jongerenimam' Mohammed Cheppih en de – bij dit soort happenings ook haast onvermijdelijke – Egyptisch-Zwitserse moslimfilosoof Tariq Ramadan. Aan het slot was er 'ruimte' voor het stellen van vragen.

Ik twijfelde. Zou ik beginnen over dat tapijt? Moslims zijn heel wettisch en als je ze vertelt dat ze iets fout doen, jaag je ze meteen op de kast. En dat geldt in het kwadraat als zo'n verwijt van een buitenstaander afkomstig is. Maar de sfeer was er niet naar. Het was er te gezellig en te feestelijk. Achter in de tent was een groep moslima's al druk in de weer met het uitstallen van een oosters buffet. Die tapijtkwestie moest wachten.

In het Midden-Oosten staat in veel hotelkamers een discreet pijltje op het plafond geschilderd. Op die manier weet de reiziger precies in welke riching hij moet bidden. Hij knielt neer en bidt dan naar de klerenkast of de ingebouwde strijkplank, maar hij weet dat ergens daarachter Mekka ligt. Als hij heel gelovig is, zal hij ook, zoals de Profeet placht te doen, op z'n rechterzij slapen, met zijn gezicht in de richting van Mekka. In dat geval moet er soms dus flink met het hotelbed worden geschoven. Het heeft trouwens iets magisch: meer dan een miljard gelovigen die vijf keer per dag bidden in de richting van de Ka'aba, de granieten kubus op de binnenplaats van de Heilige Moskee. Dat moet een verheffende, kosmische energie opleveren die neerslaat in het hart van Mekka.

Aan de pelgrims is dat overigens niet direct te merken. Die kijken nors en verdringen elkaar om maar dichter bij de Ka'aba te komen. In tegenstelling tot de meeste moskeeën is er in de Heilige Moskee geen scheiding tussen mannen en vrouwen. Alles en iedereen loopt er door elkaar. Maken sommige pelgims daar misbruik van? Zou iemand uit het strenge Afghanistan, die – misschien wel voor het eerst in z'n leven – de kans krijgt om onder het mom van al dat gedrang voorzichtig met zijn hand of zijn bovenbeen zo'n strakke moslima-bilspleet te verkennen, de verleiding kunnen weerstaan? Gebeuren dat soort dingen? Ik denk het niet. Want die bedevaartgangers zijn in al hun norsheid ook in een staat van religieuze exaltatie.

Dat weet ik niet omdat ik in Mekka geweest zou zijn: die stad is voor niet-moslims verboden. Maar ik weet het wel van de beelden van de Saudische televisie. Iedere dag zijn er vanuit de Heilige Moskee rechtstreekse uitzendingen naar het hele Midden-Oosten. Er staan een stuk of vijf, zes statische televisiecamera's. De beelden zijn iedere dag hetzelfde. Maar de magie van die gewijde plek is zo groot dat ik er heel vaak naar heb zitten kijken. Ik heb zelf ook ooit zo'n soort 'exaltatiemoment' meegemaakt, maar dat was in Irak, in de bedevaartstad Karbala. Enkele maanden na de Amerikaanse inval in 2003 reisde ik rond in dat land. Nu zou dat suïcidaal zijn, maar qua veiligheid kon dat toen nog net. Een taxichauffeur had mij vanuit Bagdad naar Karbala gebracht.

Midden in Karbala staat de Imam Hoessein-moskee. En op de binnenplaats van die moskee bevindt zich in een overdadig met goudblad en spiegeltjes gedecoreerd gebouw de graftombe van Imam Hoessein, de kleinzoon van de Profeet. Ieder jaar komen daar honderdduizenden sjia-moslims op af. Mijn taxichauffeur, zelf ook sjia-moslim, wilde van de rit naar Karbala gebruikmaken om de graftombe te bezoeken, en ik liep met hem mee naar de moskee. Bij de poort hield ik stil om hem alleen verder te laten gaan, maar hij drong erop aan dat ik meeliep. Ik wilde tegenstribbelen, maar het was al te laat. Ik voelde hoe ik werd opgenomen in een compacte stroom bedevaartgangers, die onverbiddelijk naar de graftombe schuifelde. Onmogelijk om daar nog uit te los te komen. In het gewoel was ik mijn taxichauffeur kwijtgeraakt.

Om mij heen mannen en vrouwen in religieuze extase, met ogen vol tranen over het onrecht dat soenni-moslims Imam Hoessein veertien eeuwen geleden hadden aangedaan. Niemand aan wie ik kon uitleggen dat dit er een vergissing in het spel was: dat het echt niet mijn eigen idee was om die graftombe binnen te gaan. Maar ontsnappen was niet meer mogelijk. Zo zou ik dus aan mijn einde komen. Ieder moment kon het hysterische geschreeuw losbarsten. 'Dood de indringer! Dood de christenhond!' Gelyncht en daarna vertrapt op de koele marmeren vloer.

Maar niets van dat alles. De bedevaartgangers 'zagen' mij niet. Zij waren te ver heen. Iedereen had maar één obsessie: dichter bij het sierhek rond de tombe te geraken. Als je met je hand even over een van de gouden bollen op de spijlen van dat hek kon strijken, was dat de bekroning van een dagen- of misschien wel wekenlange voettocht. En zoals de mannelijke pelgrims mij niet 'zagen', zo 'zagen' zij ook de vrouwelijke pelgrims niet. Al het geduw en gepers rond die graftombe was van elke erotische lading ontdaan.

De Heilige Moskee in Mekka is de enige moskee ter wereld waar de gelovigen niet in rechte rijen bidden, maar in concentrische cirkels. Zij zitten, staan en knielen rond de Ka'aba. Zeker als je ver van het Arabisch Schiereiland verwijderd bent, is de juiste richting niet altijd gemakkelijk te vinden. Dat komt doordat de aarde bol is. Je kunt dus niet zomaar op een wereldkaart kijken, want die geeft een vertekende projectie. Ik las in een Amerikaanse krant dat een groep moslims in New York dat wel had gedaan en dat zij op een gegeven moment tot hun schrik hadden ontdekt dat zij zich tijdens het gebed naar Kinshasa in Congo richtten.

Dat komt dus door de bolling van de aarde. Als je in New York bidt, moet je – hoewel Mekka veel zuidelijker ligt dan New York – in noordoostelijke richting bidden. Een lijn die grosso modo over IJsland loopt. Een KLM-vlucht van Schiphol naar JFK gaat ook over het noorden van Schotland en dan bijna over IJsland.

Aan de westkust van de Verenigde Staten moet een moslim zich in de richting van Groenland keren. Helemaal contra-intuïtief is de gebedsrichting in Alaska. Als Sarah Palin in Anchorage moslim werd, zou ze pal naar het noorden moeten gaan bidden.

De gebedscircels die de Ka'aba als middelpunt hebben, worden wijder naarmate je je verder van Mekka bevindt. Maar aan de andere kant van de aardbol worden ze weer nauwer. Er is daar dan ook een plek waar de kleinste circel niet meer is dan een stip – in de wiskunde heet dat punt de antipode. De antipode van Mekka ligt ergens in de buurt van het eiland Fiji in de Stille Oceaan. Op die plek mag je – en er zijn maar weinig moslims die dat weten – alle kanten uit bidden, want daarvandaan is de afstand naar Mekka in alle richtingen even groot. In Nederland is de gebedsrichting, de kibla, zuidoost. Als een moskee in ons land wordt gevestigd in een bestaand gebouw – een school, een kerk, een garage – kan dat dus problemen opleveren. Bij nieuwbouw wordt er vaak wel rekening mee gehouden. Daarom staan nieuwe moskeeën dikwijls met een rare, on-Hollandse hoek ten opzichte van de rooilijn.

Onlangs ging ik terug naar de Poldermoskee. Dat was op donderdag. In de ochtend had het gesneeuwd. Tijdens het middaggebed was de gebedsruimte bijna leeg. Buiten reden de treinen af en aan. Gele NS-wagons, afgewisseld door bordeauxrode Thalystreinen. Er waren hooguit twintig gelovigen, enkel Marokkanen op leeftijd. Iedere keer als ze stram, soms met korte, zachte kreuntjes, neerknielden, kwam er wel een trein voorbij. Een ongeïnformeerde buitenstaander had kunnen denken dat het om een exotische eredienst voor de Nederlandse Spoorwegen ging.

De mannen in de zaal waren gehuld in lange sombere winterjassen. Hun grauwheid paste wonderwel in die kille voormalige kantoortuin. Ze vertelden dat ze de Poldermoskee bezochten, omdat die voor hen handig dichtbij lag. Van het ideaal van jongerenimam Mohammed Cheppih – een moskee waar leuke, jonge moslims uit heel Nederland naar toe zouden stromen – leek weinig overgebleven. Ook het beloofde inter-etnische aspect – een ontmoetingsplek voor Somaliërs, Turken, Afghanen, Surinamers en goed, ook Marokkanen – leek achter de horizon verdwenen. De Poldermoskee leek snel te zijn verworden tot de zoveelste Marokkaanse 'heimweemoskee', om die prachtige vondst van Cheppih maar eens te gebruiken.

Na het gebed raakte ik in de gang in gesprek met een van de gelovigen, een zekere Oulad. Een vriendelijke man met een wijs, bebaard gezicht. Vroeger had hij in de tuinbouw gewerkt, maar nu was hij arbeidsongeschikt. 'Oulad', vroeg ik op een gegeven moment, 'hoe voelt dat eigenlijk om in een verkeerde richting te bidden? Is dat niet heel erg fout?' Hij was het niet met mij eens. Op de glazen klapdeur tekende hij met zijn vinger een soort toeter. 'Weet je, als wij bidden, dan waaiert het gebed automatisch uit. Dus ook als je niet precies in de goede richting bidt, pak je Mekka al gauw mee. Trouwens, we bidden op dat tapijt niet recht vooruit, maar een beetje schuin naar rechts. Misschien is je dat niet opgevallen, maar dat is echt zo.' Het was me inderdaad niet opgevallen.

Naderhand liepen we samen naar buiten. Opeens werd hij enthousiast. 'Ik wil je de nieuwe moskee laten zien. Hij is nu nog in aanbouw, maar hij staat precies in de goede richting van Mekka.' Door de natte sneeuw liepen we de brug over de Slotervaart over en de Ottho Heldringstraat in. Daar, op de hoek met de Henri Dunantstraat, werd druk gebouwd aan een nieuw complex. Een groot carré met flats en in het midden, schuin, een moskee. Voorzichtig liepen we de bouwplaats op.

De contouren van de moskee waren al duidelijk zichtbaar. Je kon zien dat het een koel, efficiënt gebouw zou worden zonder ooster-se tierlantijnen. Vanuit het middelpunt van wat eens de gebeds-ruimte zou zijn, keken we een tijdje in het rond. Er stonden kra-nen en er lagen hoge stapels betonnen bouwelementen. Vanuit een bouwkeet werden we iedere keer als er iemand naar buiten kwam, toegeroepen met: 'Helm op!' 'We zijn alweer weg!' riepen we dan telkens terug. Oulad voorspelde dat de Poldermoskee over een paar jaar over zou gaan naar dit nieuwe gebouw. Ik vroeg wie de finan-cier was. 'O, het geld komt uit de Emiraten', zei Oulad.

Daags daarop, vrijdag dus, ging ik opnieuw naar de Polder-moskee. Vrijdag is in de islam een heel andere dag dan bijvoor-beeld donderdag. En misschien was er op vrijdag wel iets zicht-baar van de idealen van Mohammed Cheppih. Dat bleek inder-daad het geval. Voor een deel althans. Opnieuw werd het gros van de gelovigen gevormd door oude Marokkanen. Toch waren er nu ook een paar jonge Marokkaanse mannen. Maar echt gek, hip oogden ze niet. Revolutionairder was dat er achter in de zaal een deel gereserveerd was voor vrouwen.

In de Heilige Moskee van Mekka, die gemanaged wordt door oerconservatieve wahabieten, is zichtbare aanwezigheid van vrouwen accepteerd. Maar in andere moskeeën, ook in Neder-land, blijft zoiets heel ongewoon. Op z'n minst is er een schei-dingswand of een gordijn om de vrouwen voor gulzige mannen-blikken te behoeden. De trots van de Poldermoskee is nu dat er achter in de zaal – zonder zelfs maar een vitrage – ruimte is voor vrouwen. (Er is overigens ook een gescheiden vrouwengebeds-ruimte voor vrouwen die zich daar meer op hun gemak voelen.) Toen ik die vrijdag ruim voor de aanvang van het gebed zelf ach-ter in de zaal ging zitten, kwam iemand me snel waarschuwen. 'Je zit in het vrouwendeel. Je moet meer naar voren gaan zitten, want straks komen hier de vrouwen.' Gezien de ruimte die er voor hen was gereserveerd, leken er enkele honderden vrouwen te worden verwacht. Maar het waren er slechts vier.

Toen de preek en het gebed voorbij waren, riep de imam – een Hollandse imam, die conform een ander ideaal van Cheppih in het Nederlands had gepreekt – ons mannen op om nog even te wachten. 'Broeders, er zitten zusters achter in de zaal. Ik wil jullie verzoeken hun de gelegenheid te geven om de gebedsruimte als eersten te verlaten.' Snel keek ik om en zag hoe vier zusters op hun sokken naar buiten schuifelden, het hoofd preuts en vroom naar beneden.

In de Poldermoskee is tegenover de gebedsruimte aan het andere uiteinde van de gang een kleine vergaderruimte. Het is de plek waar de imam van de dag – de 'switchimam', zoals Cheppih het noemde – met enkele getrouwen uit de geloofsgemeenschap na afloop van het vrijdaggebed bijpraat. Iemand nodigde me uit om aan te schuiven. Midden op tafel stond een grote ketel met muntthee in een krans van hoge theeglazen. De aanwezigen keken me met blije gezichten aan. Maar in hun ogen zag ik wantrouwen. Schuin tegenover mij zat Mohammed Cheppih *himself*. En weer borrelde die hele kwestie in me op.

'Mohammed, jij was een van de initiatiefnemers van de Poldermoskee. Is er in het begin ooit gesproken over de ligging van de gebedsruimte? Hebben jullie het er met de stoffeerder over gehad? Die verkeerde richting druist toch in tegen de Koran?'

Maar Cheppih vertelde dat het allemaal in orde was. 'We hebben er nooit over hoeven te vergaderen. Het is nooit aan de orde geweest. Waar het om gaat, is dat de imam in de goede richting bidt, en zoals je zult hebben gezien ligt er middenvoor in de zaal op het tapijt een klein gebedskleed, dat schuin ligt. Dat kleed ligt wel precies in de richting van Mekka. Het wordt gebruikt door de imam. Als hij maar in de goede richting bidt, is er verder niets aan de hand. Zijn gestalte bepaalt de gebedsrichting voor de andere gelovigen, die achter hem zitten. Via hem wordt het gebed van al die anderen als het ware in de goede richting gebogen.' Tevreden keek Cheppih me aan. Hij doet zijn uitspraken met een natuurlijk gezag. Ik weet nu gelukkig dat het wel goed zit.

Soner heeft een winkel in buikdansartikelen. Of eigenlijk heeft hij er twee. Een op de Hoefkade en de andere, op een steenworp afstand, in de Herman Costerstraat, een straat met nieuwbouw die langs de Haagse markt loopt. Soner heeft de winkel aan de Hoefkade Soner genoemd. De winkel aan de Herman Coster-straat heet de Zilver en Bijou Shop. In beide winkels verkoopt Soner meer dan alleen buikdansartikelen. Maar die vormen wel de waar die het meest in het oog springt.

In de Zilver en Bijou Shop verkoopt hij ook eenvoudige sie-raden. Je kunt er verder Turkse snuisterijen en tassen krijgen en ook wat Soner 'vrouwelijke artikelen' noemt. In Soner ligt de na-druk meer op cd's, Turkse snaarinstrumenten en waterpijpen. 'Vooral de waterpijpen doen het de laatste tijd erg goed', vertel-de hij me onlangs. 'Via Turkse restaurants worden waterpijpen steeds populairder. De mensen willen lekker chillen, zeker in de zomer. Het zijn vooral Turken en Arabieren die er een kopen. Maar ook onder Hollanders worden ze steeds populairder.'

Mijn nieuwsgierigheid gaat echter meer uit naar die buik-dansartikelen. In de Zilver en Bijou Shop staan iets van vijftien outfits te koop. Erg erotisch zien ze er niet uit. Een ouderwetse bikini uit de jaren vijftig onthult heel wat meer. Veel variatie is er voor een ongetraind oog ook niet in, afgezien van de kleur en het vaak overdadige borduursel. De zomen aan de bovenzijde zijn meestal afgezet met gouden muntjes teneinde korte, hitsige buik-bewegingen te accentueren. Soner heeft ook buikdanskleding voor meisjes. Zelfde snit, zelfde borduursel en muntjes, alleen alles wat kleiner. Twee of drie keer per jaar reist hij naar Istanbul om nieuwe spullen te halen. Er wordt in Turkije nog steeds buikdanskleding gemaakt. Maar het merendeel komt tegenwoordig uit China.

Terug in Nederland biedt hij de jurken aan voor maximaal honderdvijftig euro. Ik heb een paar keer wat met Soner zitten kletsen. En ik hoop dan altijd dat er een echte buikdanseres de winkel binnenstapt. Een wat dikkige mevrouw *d'un certain age* met gitzwart haar, die Soner met hese stem vraagt of hij nog wat nieuws voor haar heeft gevonden in de bazaars van Erzurum of Zonguldak. Helaas heb ik het nog niet meegemaakt. De meeste klanten zijn jonge vrouwen die zichzelf na een middag zeulen met zware tassen op de Haagse markt even willen verwennen met een ringetje, een doosje glitters of een sjaal.

Ik heb Soner wel eens gevraagd of hij nooit klachten krijgt van de vele vrome moslims die zijn etalages passeren. Soner: 'Nee, dat is me nog nooit gebeurd. Ik weet dat buikdanskleding niet islamitisch is. Maar ik kijk naar het geld dat ik ermee kan verdienen. Als ik die kleren niet verkoop, doet een ander het wel. Als ik het aan de imam zou vragen, zou hij me zeggen dat het niet echt goed is. Maar hij zal me, denk ik, ook niet tegenhouden.' Er rust wel een ander taboe op. Turkse vrouwen en meisjes zijn gebonden aan strenge zedigheidsregels. Half bloot dansen voor vreemde mannen kan absoluut niet. Soner: 'Buikdanskleding wordt bijna alleen gekocht om vrouwenfeestjes op te vrolijken. Gewoon een beetje pret maken. Buikdansen is in feite in Nederland vooral iets van vrouwen voor vrouwen.'

De Zilver en Bijou Shop heeft, een beetje buiten het zicht, ook een plank met artikelen voor heren. Er staan onder meer enkele tulbanden uitgestald. Forse kant-en-klaartulbanden van glibberig textiel. Op de voorkant zit een saffier of een smaragd zo groot als een kievitsei. De tulbanden staan er een beetje verloren bij. Er ligt ook een dun laagje stof op.

Sinds kort is er in ons land ook een echte moslim-Barbie. Ze heet Fulla. Ze is enkele jaren geleden ontwikkeld door een Syrisch bedrijf en is in het Midden-Oosten razend populair. Ze heeft nu ook haar eigen Nederlandse website: Fullashop.nl.

Het verschil tussen Barbie en Fulla, die dus een moslima is, is groot. Barbie ziet er soms gewoon niet uit! Neem de speelset Barbie en het Diamantkasteel. Dat decolleté! Als ze echt zo in Amsterdam door de Westelijke Tuinsteden rondliep, zou iedere passerende Marokkaanse jongen haar vanaf z'n scooter voor hoer uitmaken. Ook de Barbie van Barbie Eilandprinses zou in het echt veel ellende over zich afroepen. Ik denk dat al met al alleen Barbie in de ruiterkleding uit Barbie's paardenavontuur de hangjeugd op het Slotervaartse August Allebeplein zonder kleerscheuren zou kunnen passeren. Nog zoiets: Barbie heeft, zoals bekend, een buitenechtelijke verhouding met Ken, en sinds geruime tijd is er ook iets met een zekere Steven. Voor Fulla is dit absoluut ondenkbaar. Fulla's kring beperkt zich tot haar jongere broertje Badr (9,99 euro) en een klein zusje dat Noor heet (9,99 euro). Verder heeft ze nog twee vriendinnen, Yasmeen (19,90 euro) en Nada (19,90 euro).

Fulla heeft een onderwijsset waarin zij lesgeeft aan Badr en Noor, die in roze schoolbankjes zitten. Er is ook een tandartsset waarbij je de kleine Badr achterover ziet leunen op een roze tandartsstoeltje, terwijl Fulla een boor gereedmaakt. Maar jongens vanaf de puberteit zijn in Fulla's wereld taboe. Je zou kunnen denken dat Fulla daardoor iets mist. Maar dat wordt op haar website met kracht ontkend: 'Denk niet dat Fulla saai is! Fulla is hip, Fulla is slim. En... Fulla is van deze tijd! Ieder moslimmeisje wil daarom Fulla zijn. Waarom? Omdat Fulla leeft en midden in deze wereld staat. Net als andere meisjes houdt ze van shoppen, koken, lezen en gebed.'

Laat ik nog een opvallend verschil tussen Barbie en Fulla noemen. Als je Barbie en trouwens ook Ken of Steven uitkleedt, zie je dat ze alle drie genitaliënvrij zijn, maar er toch onmiskenbaar 'bloot' uitzien. Bij Fulla is dat niet het geval. Fullashop.nl: 'Fulla is de enige pop ter wereld die, als je haar uitkleedt, niet naakt is, maar nog altijd een dun "badpak" over de huid heeft.' Interessanter is het overigens om Fulla juist aan te kleden. Je hebt daarbij in grote lijnen twee varianten: kleding voor op straat en, zoals Fullashop het noemt, 'indoor'. 'Indoor' kan natuurlijk iets heel beklemmends hebben – denk aan Afghanistan, waar meisjes nauwelijks het huis uit mogen. Maar zoals we al hebben gezien: Fulla is hip en van deze tijd en we mogen dus aannemen dat Fulla's vader, over wie we overigens niets te horen krijgen, een redelijk liberale kijk op de wereld heeft.

Er zijn in feite maar drie 'indoor' combinaties. Alle drie worden ze door de website bestempeld als Fulla's 'allerhipste indoor fashion'. Nummer een is een vanillekleurige hoofddoek met een legergroene jurk tot bijna op de enkel, nummer twee is een blauwe hoofddoek met een donkergrijze jurk tot op de enkel, en nummer drie is een rode hoofddoek met een rode jurk tot bijna op de enkel. Wat Fulla aandoet als ze nou toevallig even niet in de stemming is voor de allerhipste indoor fashion, bijvoorbeeld als ze net heeft gehoord dat ze haar tandartsexamen niet heeft gehaald, komen we helaas niet te weten. Op straat gaat de lieve Fulla gekleed in een zwarte, allesverhullende abaya, afgezet met glittertjes (19,99 euro).

Normaal gesproken kom je als mannelijke bezoeker bij moslims thuis niet verder dan de zitkamer. De vrouw des huizes komt zo nu en dan even gehoofddoekt uit de keuken om lekkere hapjes en glazen muntthee te brengen en verdwijnt dan weer. Zij komt er niet even gezellig bij zitten. En het is absoluut niet de bedoeling dat u als bezoeker de keuken betreedt, ook niet met een vriendelijk aanbod om te helpen bij de afwas. Vanuit dat perspectief is het zonder meer fascinerend dat Fullashop ons niet alleen meeneemt naar de keuken van Fulla, maar zelfs naar haar slaapkamer! En ingeval we hopeloos verliefd zijn op Fulla kunnen we in Fullashops virtuele winkelwagentje zelfs enkele van haar slaapkameraccesoires stoppen. Ik denk dan met name aan de Fulla boekenstandaard (14,99 euro), de Fulla groeimeter (19,99 euro) en de Fulla wandklok (19,99 euro).

Fullashops website zegt over de Fulla groeimeter: 'De Fulla groeimeter mag natuurlijk in geen enkele meidenkamer ontbreken.' En iets verderop over de wandklok: 'De Fulla wandklok mag natuurlijk in geen enkele meidenkamer ontbreken.' Nou, mijn stelling is dat iedere echte man diep in zijn hart misschien ook wel zo'n sensueel beladen Fulla wandklok en groeimeter in zijn studeer- of slaapkamer binnen handbereik wil hebben.

Het Fullaconcept maakt het jonge meisjes zelfs mogelijk om als het ware zelf Fulla te worden. Dit kan dankzij zowel de Fulla Gebedset Groot (44,99 euro) als de Fulla Gebedset Klein (24,99 euro). De Gebedset Groot bestaat uit een roze abaya, een roze gebedskleed, een roze plastic tas voor de abaya en een roze plastic tas voor het gebedskleed. De abaya en dat gebedskleed zijn qua maat geschikt voor meisjes van een jaar of tien. De Gebedset Klein telt wel een abaya, maar geen bijpassend gebedskleed en dus evenmin zo'n leuke roze gebedskleeddraagtas. Beide sets worden enthousiast door Fullashop aangeprezen. 'Gebedskledij voor jonge meiden, ideaal als cadeau!'

Er waait een conservatieve wind door het Midden-Oosten en Barbie mag sinds enkele jaren Saudi-Arabië niet meer binnen. De religieuze politie daar heeft haar uitgemaakt voor onzedig en decadent. Fulla is nog wel welkom. Toch ligt dat niet echt voor de hand. Het spelen met poppen is in de islam een gevoelig thema. Sommige strenge islamgeleerden achten poppen haram, zondig, niet geoorloofd. Zij vrezen dat poppen kunnen aanzetten tot afgoderij. Maar er zijn ook imams die er soepeler over denken. Zij denken er niet per se soepeler over omdat zij soepel zijn, maar omdat er twee overleveringen rond de Profeet bestaan die op dit punt tolerantie suggereren.

De ene werd opgetekend door Al Bukhari en de andere door Abu Dawud. Beide geleerden leefden rond het jaar 850, dus zo'n tweehonderd jaar na de dood van Mohammed. Via via vergaarden zij onafhankelijk van elkaar duizenden uitspraken van Mohammed en van sommigen mensen uit zijn directe omgeving, Een van die personen was Aisha, Mohammeds derde vrouw. Aisha was volgens de overlevering zes jaar oud toen haar huwelijksovereenkomst met Mohammed werd gesloten, en negen jaar toen het huwelijk werd geconsummeerd. In de tussenliggende periode speelde zij, wanneer de Profeet haar opzocht, nog gewoon met poppen. En dat heeft een paar belangrijke poppenquotes van Aisha opgeleverd, die ook de situatie rond onze lieve Fulla kunnen verhelderen.

Zo noteerde Al Bukhari in zijn bundel dat Aisha ooit het volgende had verteld: 'Ik placht met poppen te spelen in de aanwezigheid van de Profeet en mijn vriendinnetjes speelden ook met mij. Als Allahs Apostel binnenkwam, verborgen zij zich, maar de Profeet riep hen terug en moedigde hen aan om met mij te spelen.' Die uitspraak wordt door de meeste imams gezien als een bewijs dat poppen, althans voor jonge meisjes, halal zijn. De tweede quote werd opgetekend door Abu Dawud en versterkt het verhaal van Al Bukhari. Bovendien laat Abu Dawuds citaat zien dat Mohammed en de kleine Aisha best plezier hadden met elkaar. Abu Dawud: 'Aisha vertelde ooit: Op een dag vroeg de Boodschapper van Allah me: Wat zijn dit voor dingen? Mijn poppen, antwoordde ik. En wat is dit hier in het midden? Een paard, antwoordde ik. En wat zijn dan de dingen die daar bovenop zitten? Vleugels, antwoordde ik. Een paard met vleugels? vroeg hij. En toen zei ik: Hebt u dan nooit gehoord dat Salomon, de zoon van David, paarden met vleugels bezat? Daarop begon de Boodschapper van Allah zo luid te lachen dat ik zijn kiezen kon zien.'

'Ik ben zo bang! Iedere keer als het winter wordt, ben ik weer bang. Al dat ijs en die sneeuw! Vroeger vond ik het niet zo erg om te vallen. Maar nu ben ik oud. Soms kan ik bijna niet meer opstaan. Mijn krukken glijden weg op dat ijs.' Ik zit met professor Abdoelsamad Taky – iedereen noemt hem gewoon Taky – in de Marokkaanse salon de thé Farid-Regency aan de Hoefkade. Hij is een Iraakse vluchteling. Toen hij acht jaar was, kreeg hij polio. Hij is klein, maar zijn benen zijn extra klein, de benen van een achtjarig jongetje.

'Vier dagen geleden ben ik weer gevallen. Een kruk verkeerd neergezet. Het overkomt me zo eens in de twee weken. Ik probeer zo min mogelijk te lopen. Een supermarkt is voor mij vol gevaar. Naar de binnenstad ga ik al helemaal niet. Je wordt er zo omgestoten. Overal waar het druk is, ben ik bang. Maar als de mensen hier eenmaal zien hoe ik moeilijk ik loop, tonen ze respect. Toen ik nog klein was, hadden allerlei Iraakse artsen mijn vader verteld dat zij nog wel iets aan me konden doen. Maar ze wilden gewoon geld hebben. Uiteindelijk nam mijn vader me mee naar Bagdad, naar een heel dure Duitse arts. Die wilde voor een consult tien dinar hebben. Maar toen hij me had onderzocht, gaf hij dat geld weer terug. Jouw zoon kan ik niet genezen, zei hij.'

'Mijn vader was grootgrondbezitter. Hij had landerijen met graan en watermeloenen en uitgestrekte tuinen met dadelpalmen. Toen ik nog heel klein was, zag ik hoe mijn vader een boer mishandelde, hem keihard afranselde. Ik werd toen heel boos op mijn vader. Ik dacht dat die boer op zijn eigen land werkte. Ik begreep niet dat hij voor mijn vader werkte. Later besefte ik dat mijn vader in feite honderden boeren in dienst had. Mijn vader was heel slim. Heel intelligent. Hij wist alles. Maar hij kon niet lezen of schrijven. Mijn ouders kregen vijftien kinderen. Tien stierven er toen ze nog klein waren. Zelf was ik heel goed op school en mijn vader heeft ervoor gezorgd dat ik medicijnen kon gaan studeren. Later heeft hij me ook naar Europa gestuurd. Eerst naar Zwitserland en daarna naar Duitsland. In Berlijn heb ik aan de universiteit *Sozialmedizin* gestudeerd. Daarna ben ik in Hamburg gepromoveerd. Mijn proefschrift ging over medicatie tegen tropische wormen.'

'Na mijn studie ben ik teruggegaan naar Irak. Daar heb ik epidemiologie gedoceerd, eerst in Basra, later in Bagdad. In Bagdad stond ik een keer in een heel lange rij. Dat was in de tijd van Saddam Hoessein. We wachtten allemaal op eieren. Die waren heel moeilijk te krijgen. Toen ik eindelijk aan de buurt was en mijn handen al had uitgestoken, werd ik opzij geduwd door een generaal die was voorgedrongen. Zie je niet dat ik invalide ben? vroeg ik. Toen zei hij: Zie je niet dat ik een generaal ben!? en ging er met mijn eieren vandoor. Zo was dat in die tijd.'

We vertellen elkaar verhalen over Basra. Maar het gaat over twee verschillende Basra's. Ik was in 2004 door Buitenlandse Zaken aan Defensie uitgeleend als politiek adviseur van de Nederlandse commandant in as-Samawah. Voor mijn werk moest ik zo nu en dan naar Basra. Iets buiten de stad hadden de Britten op de luchthaven hun hoofdkwartier. En in het centrum zat een onderafdeling van de Coalition Provisional Authority, het bezettingsbestuur van Paul Bremer.

Basra was in 2004 een levensgevaarlijke stad, haast even gevaarlijk als Bagdad. Maar bijna niemand in Europa die dat wist, want er kwamen nauwelijks journalisten. Als we vanuit as-Samawah arriveerden, gingen we eerst op de Britse basis een extra beveiligingsteam ophalen. We moesten er ook overstappen in andere voertuigen, type Landrover Discovery. Die auto's waren helemaal volgestouwd met wapentuig. In de uitklapbare houders voor de koffiebekers staken handgranaten. En boven ons hoofd, in de bagagenetten, zaten klotsende zakken met bloedserum en injectienaalden. Voor het geval dat. De rit van het vliegveld naar het centrum was altijd heel spannend. In de auto werd niet gepraat, afgezien van de korte zakelijke constateringen van de beveiligers. 'Geparkeerde vrachtauto rechts voor!' of 'Pas op, daar op die brug. Zie je dat, daar staan drie mannen.'

De stad zag er verschrikkelijk uit. Overal armoede en bergen afval. Het water in de kanalen – ooit was Basra het Venetië van de Oriënt – had een foute, lichtgroene kleur. Iets met chemische vervuiling. Maar niemand leek te weten waar die griezelige kleur vandaan kwam. Als de poort van de compound van de Coalition Provisional Authority openzwaaide, kwam je opeens in een andere wereld. Op het terrein stonden allerlei kantoren en opslagloodsen en drie protserige villa's van Saddam Hoessein. De gebouwen lagen in een parklandschap met brede, kronkelende paden. Over die paden reden de Britse en Amerikaanse ambtenaren van de Coalition Provisional Authority in van die witte, elektrische golfbaanwagentjes van vergadering naar vergadering. Het leek nog het meest op een *gated community* voor bejaarden in Zuid-Florida.

Taky's Basra was in de jaren zeventig nog een relatief mondaine stad. 'Er woonden heel veel christenen en Joden', vertelt hij. 'De Joodse gemeenschap was heel welvarend en stond in hoog aanzien. Er woonden verder veel Perzen en ook Koerdische satanaanbidders, Yezidi. Soenni- en sjia-moslims leefden er vredig naast elkaar. De stad was omringd door palmplantages. Handelaren uit Koeweit kwamen naar Basra om groente en fruit te kopen. Maar ze kwamen ook voor het uitgaansleven. Er werd gedanst en er waren bars en cafés en nachtclubs. In Koeweit kon dat allemaal niet. Basra was een echte havenstad. De kanalen waren omzoomd door oude huizen met loggia's met kunstig houtsnijwerk. Vanuit die loggia's konden de vrouwen door roosters ongezien kijken naar wat er zich op straat allemaal afspeelde.'

'In Basra hadden wij een aantrekkelijk huis aan de baai van de Shatt al-'Arab. Trouwens later, toen we naar Bagdad verhuisden, woonden we daar aan de Tigris. Kennelijk heb ik wat met rivieren!' Taky zit even in zichzelf te grinniken. Hij zet zijn krukken wat meer rechtop tegen de tafel.

'Toen ik moest vluchten, waren we net begonnen aan een nieuw huis. De muren stonden al. In die wijk is het nu heel gevaarlijk. Maar over een paar jaar hoop ik toch wel terug te gaan. Ik wil weer lesgeven op de universiteit. Ik mis ook mijn vrienden heel erg. Vroeger speelden we vaak poker. Niet alleen voor het spel, maar ook om te praten. Maar over politiek praten ging niet, ook niet met je vrienden. Ik had een heel mooie pokertafel voor acht mensen. Er zat zo'n dikke blauwe glasplaat in. Die plaat kwam uit België. Die had ik destijds overgenomen van de Iraakse ambassadeur in Brussel, toen die op verlof terugkwam naar Irak. Van hem had ik ook acht hoge, mooie Belgische stoelen gekocht. Ach ja, je vraagt je af waar dat nu allemaal gebleven is.'

In Nederland voelt Taky zich zeker niet geïsoleerd. Hij heeft veel Nederlandse kennissen. Vooral via de SP, waar hij actief lid van is. Maar hij kent ook mensen via de Duitse bibliotheek op de Witte de Withstraat. Verder doet hij vrijwilligerswerk in het Mannencentrum in het Laakkwartier. Hij is ook altijd bezig van alles uit te vinden. Hij heeft allerlei octrooiaanvragen lopen bij het Octrooicentrum Nederland. Bijvoorbeeld voor een 'dynamisch fietszadel' dat op en neer beweegt, de bloedsomloop bevordert en impotentie kan tegengaan. Voor een achteruitkijkspiegel die afhankelijk van de snelheid van het voertuig van kleur verandert. Of een speciaal vliegtuigkussen tegen trombose. In verband met die laatste uitvinding is hij door Airbus uitgenodigd om te komen praten.

Met een groep mannen uit het Mannencentrum – een opvangshuis voor mannen – doet hij mee aan een toneelstuk. Amateurtoneel, maar toch. Ik ben op de try-out wezen kijken en in feite heb ik hem daar voor het eerst ontmoet. Het toneelstuk heet *In de naam van de vaders*. Het is geschreven door Jos Bours, een Utrechtse toneelschrijver, en zijn vrouw, Marlies Hautvast, heeft het geënsceneerd. In het stuk vertellen drie autochtone en tien allochtone vaders over hun vaders, maar ook over hun eigen vaderschap. Het zijn allemaal waargebeurde verhalen. Taky kwam op een gegeven moment nog in moeilijkheden met zijn eigen verhaal.

'Weet je, ik doe niet meer aan de islam. Ik beschouw mezelf als een atheïst. Ik wilde dat op het toneel niet verhullen. Maar dat was meteen een groot probleem voor de Turken en Marokkanen die ook meedoen. Die wilden een boycot. Ze zeiden: Wij willen niet in een stuk spelen waarin ook een afvallige speelt. Toen heeft mevrouw Marlies nog moeten bemiddelen. Dat heeft heel veel tijd gekost. Maar ik heb uiteindelijk wel mijn zin gekregen. In feite is het gevaarlijk om een afvallige te zijn. Kijk maar Ayaan Hirshi Ali. Ik ben niet zo erg bang, want ik ben een oude man met polio. Maar een fanatieke moslim zou mij zo kunnen doden.'

In het toneelstukstuk vertelt Taky over een gesprek dat hij heel vroeger met zijn vader had over water en regen en over het geloof.

We hebben op school geleerd: als waterstof en zuurstof als gassen samenkomen, dan maken die water. H_2O. Het is de eerste keer dat ik dat hoor. Ik kom thuis en wij gaan bidden dat God regen zal brengen.

Ik zeg tegen vader: 'Wat is water?'

Hij zegt: 'Water is water.'

Ik zeg: 'Nee, water is gassen en lucht.'

Mijn vader zegt: 'Lucht is water?'

Ik zeg: 'Waterstof gaat naar boven, daar is het koud, komt als regen terug. Dat hebben we op school geleerd.'

Hij zegt: 'Nee, dat is fout! God brengt die wolken en de engelen laten die wolken hier regenen of daar regenen in de naam van God. God bepaalt alles. Je hoeft alleen te geloven. Geloven is makkelijk.'

Ik zeg: 'Dat is niet waar! In de boeken op school staat het anders.'

Mijn vader is heel boos. Hij zegt: 'Jij bent kafir, een afvallige, jij mag niet terug naar school, daar leer jij alles tegen Allah, tegen islam.'

Maar ik ben toch naar school gegaan! Het beste wapen tegen onwetendheid is kennis. Als mensen kennis hebben, laten zij zich niet meer onderdrukken. Als boeren kennis hebben, laten zij zich niet meer uitbuiten door hun feodale heer. Als vrouwen kennis hebben, laten zij zich niet meer slaan door hun eigen man. Als de oudste zoon kennis heeft, is hij niet langer de slaaf van de familie.

Het is kwart voor negen 's ochtends. We drinken koffie in de kleine kantine achter het kantoor van Mammar, de teamleider van Team Transvaal. Onlangs kreeg hij ook nog een leuke nevenfunctie. Hij werd door de gemeente Den Haag tot *pleinanimator* benoemd. Team Transvaal houdt toezicht op een tiental pleinen in de Schilderswijk en Transvaal.

De stemming is slecht en er wordt nauwelijks gepraat. Met name Jaap, een Hollander met een taakstraf van honderdtwintig uur, zit duidelijk te balen. Hij kijkt nors voor zich uit. Ahmed klaagt ten onrechte dat de wc smerig is. En niemand reageert. Hij grijpt met zijn handen in zijn kruis, gaat in een urineerhouding staan en trekt dan een vuil gezicht. Ahmed komt uit Macedonië en spreekt bijna geen Nederlands. Ik dacht dat hij een Roma was, maar hij vertelde me dat hij er tot de Turkse minderheid behoorde.

Naast me zit Abdulhamid. Hij komt uit Afghanistan. Hij was daar vroeger officier in het leger. Toen hij ooit in een pantservoertuig zat, is hij beschoten met een mortiergranaat. Hij raakte zwaar gewond. Een tijd geleden rolde hij eens voorzichtig zijn broekpijpen op om mij zijn onderbenen te laten zien. Op elk onderbeen een web van diepe littekens.

Ook aan tafel zit Asim. Hij is een Azeri. Zijn familie vluchtte lang geleden uit Azerbeidzjaan naar Oost-Turkije. Asim spreekt gewoon Turks, maar kan vanwege zijn afkomst ook Azeri-Turks praten. Er zijn een stuk of tien, vijftien talen vertegenwoordigd in de kantine. Maar de voertaal is Nederlands. Slecht Nederlands met kreupele zinnen. Nederlands waar weinig overtuigingskracht van uitgaat. Toch is het een van de hoofdtaken van het team om mensen in de wijk aan te spreken op hun gedrag. 'Straat niet vuilmaken!' 'Naar huis jij!'

Kort voor negen uur neemt een andere Ahmed het routerooster door. Eigenlijk is dat de taak van Mammar, maar die komt meestal wat later op het werk. Ahmed handelt uit eigen beweging. Hiërarchisch staat hij op gelijk niveau met ons. Maar hij heeft behoorlijk wat geldingsdrang en we zijn allemaal een beetje bang voor hem. Hij is van Marokkaanse afkomst. Na vijftien jaar werkloosheid in Leeuwarden arriveerde hij in Den Haag. Hij is een soort Marokkaanse hangjongere, maar dan oud. Met een blauwe viltstift zet hij, nogal willekeurig zo te zien, namen van teamleden achter de lijst met pleinen. Mij roostert hij in bij zijn eigen ochtendronde in de megabrommobiel. Alle anderen gaan te voet, maar wij met z'n tweeën zijn dus gemotoriseerd. Op zich is dat geen speciaal privilege, want voor de megabrommobiel is er een apart rotatieschema, waardoor iedereen aan de beurt komt.

Precies om negen uur loop ik met Ahmed naar de garage. Ahmed draagt een t-shirt met het devies van het team erp. TEAM TRANSVAAL schoon-heel-veilig. De meeste anderen dragen een fel oranje vest met reflecterende strepen. Ik heb er ook een gekregen. In de garage staat de megabrommobiel. Zo te zien passen we net met z'n tweeën in de cabine. Achter de cabine is een kleine laadbak. Op het deurtje aan mijn kant is een sticker geplakt. Alweer: TEAM TRANSVAAL schoon-heel-veilig. Onder die tekst staan twee handen afgebeeld die elkaar een hand geven. Een hand is wit en de andere heel donker. Meer een Afrikaanse dan een Marokkaanse of Turkse hand.

We tuffen de Abraham van Beyerenstraat uit en draaien de Hoef-kade op. Rechts passeren we Soner, hét adres voor buikdanskle-ding. Het rolluik is nog dicht. Iets verderop aan dezelfde kant van de straat café Mogadishu. Het is er nog donker. Vroege klanten beginnen naar de Haagse markt toe te stromen. Wij rijden de Schilderswijk in. In de verte zie ik Patisserie Farah, waar ze klei-ne, lekkere honingtaartjes verkopen. Ik vraag Ahmed voorzich-tig of we een korte stop kunnen maken. We zijn amper de poort uit, en om dan meteen een wellicht ongeautoriseerde werkpauze te suggereren ligt gevoelig. Maar Ahmed stemt in.

Enkele ogenblikken later stappen we blij met een grote zak de winkel uit. Voor mij kan de dag eigenlijk al niet meer kapot. Op straat begint het nu echt druk te worden. Pruttelend rijden we in de richting van het Jacob van Campplein. Ik merk dat ik sjans heb. Leuk oogcontact. Niet met Marokkaanse of Turkse vrouwen, die kijken altijd zedig langs je heen. Maar wel met Surinaamse en An-tilliaanse vrouwen. Als ik te voet of op de fiets door de wijk ga, overkomt me dat niet zo vaak. Maar nu, als schlemiel in een me-gabrommobiel met zo'n oranje vest aan, heb ik opeens succes! Dat is toch verrassend.

Het is een bekend wetenschappelijk gegeven dat grote rijkdom of een machtspositie in de politiek als liefdeselixer kan werken, dat vrouwen dan gewoon niet van je af kunnen blijven. Maar als je aan het andere uiterste zit – als mannetje in een oranje werk-vest – kun je kennelijk ook goed scoren. De megabrommobiel als liefdesmagneet. Ik zit hier misschien wel met een doorbraak in de psychologie. Je zou daar een heel nieuwe theorie omheen kunnen bouwen. Aantrekkingskracht uitgezet in een U-curve. Aan het ene uiteinde de snelle jongens van de Quote 500, en aan de andere kant al die te vroeg oude mannen in felgekleurde werk-kleding. Zelf zit ik als een van de duizenden nette, maar nogal kleurloze bz-ambtenaren helaas op de bodem van de curve. De Van Lanschot Libido u-Curve. Mmmm, klinkt niet slecht, en misschien – Ahmed haalt me terug naar de realiteit. Boven het lawaai van het megabrommobielmotortje uit roept hij dat we aan de slag moeten. Midden in het park liggen een paar kromgebogen supermarktkarrretjes. Die halen we weg. Maar verder ademt het plein orde en rust. Op een bank zitten een paar gesluierde vrouwen zachtjes met elkaar te praten. Er zijn geen andere mensen. We rijden weer verder. Bij het passeren van de Kockstraat wijst Ahmed op een bovenhuis. 'Daar woont een Marokkaans gezin met twintig kinderen', grinnikt hij. Ahmed is zelf getrouwd geweest met een Nederlandse vrouw. Maar dat ging niet goed. Zij woont nu met de kinderen bij de Belgische grens.

We inspecteren het Gele Hekkenpark. Zo heet het althans bij Team Transvaal. Het is een klein sportpleintje. Er staan hoge hekken omheen, niet geel, maar grijs. Zoals je ze ook in Amerika ziet, rond baseballpleintjes in New York. 'Ahmed, waarom heet dit het *Gele* Hekkenplein?' Ahmed weet het ook niet. Op het planbord van Team Transvaal staat het sinds jaar en dag zo omschreven.

We gaan via de Hobbemastraat naar het Teniersplantsoen. Ook daar is alles rustig. Er is een bescheiden kinderboerderij. Er grazen geiten en ook een paar koeien. Groningse blaarkoppen, als ik me niet vergis. Aan de lange zijde van het plein staat een moskee van Milli Görü. Naast de moskee is een *chaikhana*, een open theetuin met banken, zoals je die ook veel in Centraal-Azië ziet. Een paar mannen zitten buiten een glaasje thee te drinken. Het is een mooie dag. Op het hek van de kinderboerderij staat aangegeven wat je de dieren te eten mag geven. Wel mag: wortelen, appels, andijvie. Niet mag: brood, aardappelen, rijst. Een Sonja Bakker-dieet voor dieren.

Als het tegen halfelf loopt, rijden we terug naar de kantine van Team Transvaal voor koffie. De anderen zijn ons al voor geweest. Iemand zit een *Metro* te lezen. Er wordt water opgezet. Verder is het stil. Door een ruit zien we Mammar druk in de weer in zijn kantoortje, maar hij steekt zijn hoofd niet om de deur. Hij is kennelijk niet erg geïnteresseerd in feedback van het team. Hij staat over de printer gebogen te bellen. Dan is hij weer aan het schrijven en tegelijktijd met een hand in een klapper aan het graaien. Hij hoeft alleen maar een man of tien, vijftien de wijk in te sturen om wat rond te lopen en zo nu en dan een shagje te draaien. Echt druk kan dat toch niet zijn. Misschien dat die nieuwe nevenfunctie van pleinanimator een groot beslag op hem legt.

Hij woont midden in Transvaal. Hij vertelde me eens dat niet alleen de Hollanders zenuwachtig zijn over allochtonen, maar dat de allochtonen zelf soms ook zenuwachtig zijn over weer andere allochtonen. Dat was voor mij een belangrijke les. Als er in Transvaal in een portiek een flat leeg komt, schiet iedereen volgens Mammar in de stress. O jee, wie krijgen we in 's hemelsnaam nu weer als buren? Dronken Polen? Kosovaarse randcriminelen? Een Dinka vluchtelingengezin uit Zuid-Soedan? Mammar vroeg me eens waar ik woonde. Ik zei: 'In het Benoordenhout.' 'Ah', zei hij, 'dus je woont achter het Centraal Station!' Ik vertelde hem dat wij in het Benoordenhout juist vinden dat de mensen in Transvaal achter het Centraal Station wonen. Daar moesten we allebei wel om lachen.

Abdulhamid pakt het dambord. Hij kijkt rond wie er geïnteresseerd is. Niemand dus. Abdulhamid kan heel goed dammen en niemand heeft zin om zich in te laten maken. Uiteindelijk gaat Asim zonder een spoor van enthousiasme tegenover hem zitten. Zo nu en dan horen we een damschijf over het bord schuiven. Later horen we regelmatig een zacht kreun van Asim als Abdulhamid zijn zoveelste sluwe zet doet. Niemand praat. We kijken allemaal een andere richting uit. Zoals die late, vereenzaamde cafégangers op Edward Hoppers schilderij *Night Hawks*.

Na de pauze gaan we met hetzelfde gezelschap weer de straat op. Opnieuw zit ik met Ahmed in de megabrommobiel. Ditmaal is ons doel het Van der Venneplein. Ahmed groet er een bekende. Het is een Marokkaan die deel uitmaakt van een HWB-schoonmaakploeg. HWB staat voor Haags Werk Bedrijf. Net als wij heeft het ploegje oranje kleding aan. Het bestaat uit drie personen die de hele dag dat plein schoonhouden. Ze doen dat al vijf jaar. Een Marokkaan, een Chinese mevrouw en een oude, gerimpelde Turkse man. Altijd in diezelfde samenstelling. Ahmed vertelt dat ze geen van drieën Nederlands spreken. Vijf jaar communiceren ze nu al met elkaar in gebarentaal. Daar wil ik een verhaal over schrijven.

Anderhalf uur later zijn we weer terug in de kantine. Ik hang mijn oranje werkvest aan de kapstok en ga op de fiets terug naar het Benoordenhout. Bij het Hoflandplein, schuin tegenover de ingang van de Haagse markt, staat een groepje Surinaamse vrouwen te praten. Het stoplicht springt op rood en ik heb tijd om van nabij naar ze te kijken. Ze zien er leuk uit. Maar ze kijken niet terug. Ze zien me gewoon niet staan. *The magic is gone.*

Mzine, het vlotte maandblad dat zich zegt te richten op jonge 'zelf-bewuste Nederlandse Marokkanen', heeft onlangs een lijst gepubliceerd met de top-10 ramadanvoornemens onder moslimjongeren. Dit waren de resultaten van de enquête.

1 Beginnen met bidden
2 De hele ramandanmaand Tarawieh* bidden
3 Minder westers gekleed gaan
4 Vaker op tijd bidden
5 Vaker naar de moskee gaan
6 Een ruzie bijleggen
7 Een hijaab dragen
8 Beter zijn voor de ouders
9 Enkel halal voedsel nuttigen
10 Trouwen

* Tarawieh is het avondgebed

'Twintig jaar lang heb ik hier in de buurt aan migranten inbur-
geringsles gegeven. Daar zaten ook veel Marokkaanse en Turkse
vrouwen en meisjes bij. Maar nu willen ze me eigenlijk niet meer
kennen. Sinds een paar jaar lopen ze gesluierd, hè? En ook hun
gedrag is helemaal anders geworden. Nou ja, ze groeten me nog
wel, maar gezellig een praatje maken is er op een enkele uitzon-
dering na niet meer bij.'

Wil kijkt een beetje droef voor zich uit. Maar verslagen is ze
niet. Daarvoor is ze, ondanks haar zeventig jaar, veel te strijdbaar.
Vele jaren is ze lid van de PvdA geweest. Nu niet meer. Ze heeft
haar lidmaatschap opgezegd. Maar als ze over vroeger praat, heeft
ze het toch nog steeds over de Partij. Als u en ik 'de partij' zeggen, klinkt dat gewoon als 'de partij'. Maar bij haar heeft het een
diepe, volle klank, met alle bijbehorende beelden van waperen-
de vaandels en fabriekspoorten en stakingen.

We leerden elkaar kennen, Wil en ik, in de Rode Hoed aan de
Keizersgracht in Amsterdam. *Volkskrant*-columniste Nausicaa Mar-
be hield er een lezing. Het betrof de Abel Herzberglezing, die daar
eenmaal per jaar plaatsvindt. Als je Nausicaa Marbes lezing wilde bijwonen, moest je langs een rijtje beveiligers. De mevrouw
die haar inleidde, vertelde dat er per e-mail bedreigingen waren
binnengekomen. Goed, Nausicaa is in haar columns niet altijd
even positief over onze moslimmigranten, maar passages waarvan
je zegt: hiervoor moet de Rode Hoed worden opgeblazen, kom je
eigenlijk niet tegen.

Aan het slot van de lezing was er tijd voor vragen en Wil maakte daar gretig gebruik van. Ze kwam – dat heb je heel vaak bij dat eigengereide Amsterdamse publiek in de Rode Hoed – met een lange vraag die eigenlijk een opmerking was. Ik dacht meteen: Goh, dat is een leuke vraagopmerking, en wrong me na afloop door de mensenmassa heen om haar te leren kennen. En nu, twee weken later, zitten we dus rond de tafel in wat zij omschrijft als haar 'gewone arbeiderswoning'. Makelaars zouden het blij over een 'leuk, beknopt huisje' hebben. Het ligt aan een rustige straat in een kleine plaats in het Gooi. Ook Wils man Roel en haar zoon zitten aan tafel. Roel was vrachtwagenchauffeur, haar zoon is dat nog steeds.

Overal staan snuisterijen en op de muren – of het nou in het halletje is of in de kamer of in het keukentje – valt bijna geen vrije plek meer te bekennen. Affiches, foto's, kindertekeningen, telefoonlijsten, een collectie Russische snaarinstrumenten, gekke ansichtkaarten, oude cijferlijsten, nog meer foto's. Maar het is allemaal wel ontzettend gezellig zo. Sommige spullen verwijzen naar een verleden in Nederlandsch-Indië. In de kamer staan enkele uitpuilende boekenkasten. Het streven naar 'geestelijke verheffing' is Wils huis niet ongemerkt gepasseerd.

De familie van Wil bestaat uit rasechte Amsterdammers en ook zij zelf voelt zich ondanks tientallen jaren in het Gooi nog steeds Amsterdammer. Wils moeder woonde er in een echte volksbuurt, maar later ging ze met haar man mee, die een tijdlang boormeester was voor de Bataafsche Petroleummaatschappij. Hij was daarmee een man van aanzien. Toch mochten de lokale Indonesische mensen van Palembang gewoon bij hen thuis langskomen. Ook wat Wil zelf betrof ging alles voor de wind, totdat de politionele acties begonnen. Toen zeiden haar Indonesische vriendinnetjes dat ze niet meer met haar mochten spelen. Een keer liep ze van de school, die in de desa stond, naar de Europese wijk en werden er stenen naar haar gegooid. Toen ze huilend thuiskwam, zei haar moeder: 'Lieve meid, wij Hollanders hebben hier ook heel slechte dingen gedaan. Jij hebt zelf dan wel niets slechts gedaan, maar soms moeten de goeden lijden onder de slechten.'

Dat was voor haar een belangrijke les. De diversiteit uit haar jeugd – al die Indische mensen en Chinezen en Hollanders en Sumatranen – en die strubbelingen tussen de lokale bevolking en de koloniale macht hebben haar kijk op de wereld voor altijd beïnvloed.

Wils zoon gaat nieuwe koffie zetten in het keukentje. Op tafel staat een blikken trommel met speculaas. Roel schuift hem naar mij toe. Dat van die hoofddoeken zit Wil nog steeds dwars. 'Wat ook zo jammer is, is dat die Marokkaanse vrouwen in feite prachtig haar hebben. En daar zie je nu niets meer van. Ik vroeg wel eens: Mag ik lekker even met m'n handen door je haar? En dan woelde ik door dat dikke donkere haar. Zo lekker! Ze hadden van die zware dikke paardenstaarten of het stond wijd uit. Dat voelde gewoon super!' Ik vraag wat die vrouwen zelf van hun haar vonden. Waren ze er trots op? Wil: 'Nou nee, ze vonden hun haar gewoon hun haar.'

Iets verderop in de straat woont een Hollandse mevrouw van wie de dochter moslim is geworden. Wil: 'Die loopt nu dus ook met een hoofddoek rond. Ze heeft tegen haar moeder gezegd: Mams, als je wilt dat ik bij jou in huis m'n hoofddoek afdoe, moet je wel de gordijnen dichtdoen. Die moeder heeft daar wel moeite mee. Maar ze heeft gekozen voor haar dochter. Dat is trouwens ook de reden dat bij veel migrantenfamilies de gordijnen altijd hermetisch gesloten blijven. Anders kunnen de hoofddoeken niet af.'

Rond Wils tafel heeft zich veel afgespeeld. Wil was actief voor het Medisch Comité Nederland-Vietnam. 'Dat stond eigenlijk dichter bij de CPN dan bij de PvdA.' Er moest altijd wel wat voor dat comité geregeld worden. Soms kreeg ze dreigbrieven in de bus. Iemand schreef: 'Je bent een rat die aan de democratie knaagt!' Al die brieven heeft ze weggegooid. Daar heeft ze nu toch wel spijt van. Bij haar thuis werden ook collectes gepland en filmavonden met documentaires over Vietnam. Het was de tijd van al die beroemde massademonstraties in Amsterdam. Het was verboden om president Johnson een moordenaar te noemen, dus schalde er over de straten en grachten: 'John-son mo-le-naar!! John-son mo-le-naar!!' Ze kan er nu nog om lachen.

Als er ergens actie gevoerd moest worden, kon je op Wil rekenen. Ook nu nog hangt de hanglamp boven de tafel samenzweerderig laag. Maar het ging niet alleen om actie, Wil en trouwens ook haar Roel houden gewoon van mensen. Zo hebben ze eens zes weken lang vijf straatmuzikanten uit Rusland in huis gehad. Wie doet nou zoiets? 'Het was net na het uiteenvallen van de Sovjet-Unie. De mensen daar hadden toen echt niets te makken. Dus die muzikanten waren naar Nederland gekomen om wat te verdienen. Ik heb al heel lang iets met Rusland, dus ik zei tegen ze: Kom maar gewoon bij ons. Het was wel passen en meten. Drie sliepen er op onze slaapkamer en Roel en ik sliepen met twee anderen hier beneden op de vloer.'

Ook de inburgeringscursussen werden in het begin bij Wil thuis gegeven. Alles door elkaar, mannen, vrouwen, mensen uit Oost-Europa, Marokko, Turkije, Somalië, Iran, zelfs ooit iemand uit Amerika. Het idee dat inburgering voor mannen en vrouwen gescheiden diende te zijn, leefde toen nog niet. 'Inburgering heette destijds volwasseneneducatie. Het was in die tijd nog allemaal een beetje onschuldig en naïef. We hadden hier zo'n groot boek – hé, Roel, hoe heette dat ook alweer?' Roel: 'Nederlands voor gastarbeiders.' Ze kijken elkaar even vertederd aan. Wil: 'Dat was een heel mooi boek. Je kon er alles ook heel gemakkelijk mee uitleggen. Maar het was wel ouderwets. Er kwamen veel tekeningen in voor. Bijvoorbeeld van een Turk – nou ben ik even de naam die hij had meegekregen vergeten, maar die had dus zo'n hele grote zwarte snor. Zo'n stereotype zou nu niet meer kunnen, maar toen vonden we dat allemaal gewoon nog leuk. Later ging die volwasseneneducatie NT2 heten. Nederlands als Tweede Taal. En nu heet het dus inburgering.'

'Ik heb sociaal-cultureel werk gestudeerd op Akademie de Horst in Driebergen. Dat was toen nog echt een behoorlijk linkse club. Er hoorde ook pedagogiek bij. Dus ik kon dat wel aan, die inburgeringslessen. Het gekke is dat het gemakkelijker was om aan nieuwkomers onderwijs te geven dan aan gastarbeiders die hier al een tijd zaten. Want die hadden zich wat wij noemden het 'kromme praten' aangeleerd. Ik, en dan het hele werkwoord: ik niet begrijpen, ik niet komen, ik niet slapen. Enfin, je kent dat wel. Het was heel moeilijk om ze dat af te leren. En dan waren er ook nog alle problemen met de klemtoon. Maar dat gold voor iedereen. Waarom is het béver en niet bevér en waarom is het weer wel bevél en niet bével? Leg dat maar eens uit.'

'Er bestond toen nog geen verplichting om Nederlands te leren. De gemeente maakte iedereen erop attent dat er lessen bestonden, maar dat was het dan ook. Het was liefdewerk, maar het werd ook goed betaald. Wel maakte je soms overuren waar je helemaal niets voor kreeg. Dan was ik tot middernacht bezig. Ach, Wil, kun je me niet even helpen met het invullen van de formulieren? hadden ze dan gevraagd. En soms werd je gevraagd om thuis familiekwesties te komen oplossen. Er zaten toen ook veel vrouwen op de cursus. Vooral dochters van immigranten – die waren toen nog vrijer. Vroeger, die meisjes, dat waren soms echt pittige meiden. Maar veel zijn er met hun studie of werk gestopt. Ze lopen nu hier door de straat in van die lange jassen.'

'Laatst zeg ik tegen een van hen: Goh, meid, hoe kan je dat nou toch doen? Zo helemaal ingepakt? En toen zei zij dat ze heel gelukkig was en nu voortaan volgens de Koran leefde. En ik: Ja, maar de Koran is toch door mensen geschreven? En zij: Nee, die is door Allah geschreven! En toen zei ze: Ik moet nu naar huis. Een andere meid zat op de les altijd te kletsen, wat zeg ik, dat waren gewoon échte discussies. En een willetje, hoor. Op een gegeven moment zei de dochter van de imam tegen haar dat ze een hoofddoek moest gaan dragen, maar zij accepteerde dat niet. Ze zei: Helemaal niet. Mijn geloof zit toevallig hier, in mijn hart! Maar een paar jaar later liep zij ook met een hoofddoek.'

'En dan nog zoiets. De jongens kwamen altijd verloofd terug van vakantie. En dan zei ik: Ahmed, dat moet je me toch eens uitleggen. Elf maanden hier in Holland en nooit verliefd. En dan een paar weken in Turkije en dan kom je verloofd terug. Nou, dan stonden ze wel met een mond vol tanden. En dan zei ik: Jongen, neem toch gewoon een leuk Turks meisje hier. Hoeft geen Nederlands meer te leren, heeft geen problemen met de familie in Turkije, geen heimwee, ze is hier opgegroeid en kent alles en begrijpt alles. Doe nou niet zo stom. En dan stamelden ze zoiets van dat Turkse meisjes hier te vrij waren en niet huishoudelijk genoeg waren aangelegd. Maar het ging er natuurlijk ook om dat ze binnen de familie moesten trouwen.'

Ik vraag aan Wil waarom ze de PvdA heeft verlaten. 'Dat is geen leuk verhaal. Ik ben echt heel erg verbonden geweest met de Partij. Ik heb zelfs jarenlang in het lokale partijbestuur gezeten. Ik had op een gegeven moment wel ontzettend veel moeite met de standpunten van de Partij over de Balkan. Maar er heeft zich iets voorgedaan waardoor ik wist: dit is het einde. Op een partijvergadering hadden we ooit een discussie over asielzoekers en migranten. En ik sta op, het is alweer jaren geleden, en ik vraag of het niet goed zou zijn als we ook een klein beetje zouden letten op wat ons dat allemaal ging kosten. Dat was dus ver voor de discussie die nu woedt. Goed, er springt meteen een mevrouw op en die wijst naar me en roept op schrille toon: Wat krijgen we nou? Die mensen hebben afgrijselijke dingen meegemaakt, ze hebben met eigen ogen gezien hoe hun ouders werden uitgemoord, en nu wil deze mevrouw zo nodig weten of het niet te duur voor ons wordt! Gewoon schande!'

'Nou, ik keek dus in de richting van de voorzitter. Dat was een goede kennis van me die wist hoe ik altijd in de weer was voor onze nieuwkomers. Maar hij keek gewoon weg. Tijdens de koffiepauze zat ik alleen aan een tafeltje. Niemand kende me meer. Vroeger was het binnen de Partij gebruikelijk dat ze, als je wat moeite had met een bepaalde lijn, bij je aanbelden om te vragen of ze mochten komen praten. Gewoon koffie en alles nog eens rustig doornemen. Maar mij zijn ze verder totaal vergeten. Er is hier niemand langs geweest.'

De zwarte kat van Wil en Roel neemt een aanloopje en springt op tafel. Even bolt hij zijn rug en gaat dan tevreden liggen. Hij heet Diesel, omdat hij heel hard kan spinnen.

'Soms word ik wel heel moe van wat ik af en toe meemaak. Een paar dagen geleden kom ik in de supermarkt een groepje oud-leerlingen van me tegen. Ik vraag: En hoe gaat het? En die vrouwen allemaal: O, het gaat prima. En hoe gaat het met jullie Nederlands? En zij, een beetje lacherig: Nou, dat zijn we weer bijna helemaal vergeten. De schotel, hè? We kijken haast geen Nederlandse televisie. Op zo'n moment heb ik daar behoorlijk moeite mee. Maar spijt heb ik nooit.'

'Het moeilijkst waren de analfabeten. Die hebben maar weinig taalinzicht. Daar kunnen ze zelf ook niets aan doen, maar het is gewoon zo. Dan haalde iemand een broer of zo naar Nederland. Compleet ongeletterd. Zelfs de eenvoudigste zinnetjes kostten ontzettend veel moeite. Het kwartje wilde gewoon niet vallen. Dan zat ik van: Ik ben Wil, en dan zeg jij: Ik ben ... En dan keken ze je aan met zo'n blik van wat wil die mevrouw van me? En ik dan weer, heel erg op mezelf wijzend: Ik ben Wil! En dan nog een keer, extra wijzend: Ik ben Wil! En jij zegt dan: Ik ben ... Maar dan bleef het gewoon stil. Ik kwam gewoon niet door. Ik had ooit een Russin in de groep. Die ging als een speer door het cursusboek heen. Toen ze me een keer zo een uur lang zag zwoegen, zei ze na afloop hoofdschuddend: O, mijn God, wat doen jullie jezelf aan! Arm Nederland, arm Nederland.'

Gelezen in een bundel lesmateriaal voor inburgering in de Openbare Bibliotheek aan de Rotterdamse 1e Middellandstraat:

Feest!

Marieke, de buurvrouw van Darya
Karaman, is jarig. Ze heeft Darya
uitgenodigd. Darya is nog nooit op
een Nederlandse verjaardag geweest.
Moet ze iets meenemen? Een cadeau?
Bloemen? Nederlanders houden van
bloemen. Dus Darya koopt een bos
bloemen. Om vier uur gaat ze naar
Marieke.

- 'Gefeliciteerd, Marieke!'
- 'Wat een mooie bloemen! Dank je
wel! Kom binnen. Ga zitten, Darya.
Wil je een tompoes?
- 'Ja, Lekker!'
- 'Wil je koffie? Of thee?'
- 'Thee graag.'

Er zitten nog meer buren. Ze zitten in
een kring. Ze eten taart. Daar is
Marieke weer.

- 'Alsjeblieft Darya, een tompoes.
Je thee zet ik even daar op de tafel,
goed?
- 'Ja, dank je.

Darya heeft nu op haar knie een
klein bordje. Met een tompoes...
... en een vorkje.

- 'Oh help! Mijn jurk!
- 'Oh jeetje! Op je feestjurk! Wacht,
ik zal een lapje voor je halen.'

Loes loopt naar de keuken. Ze komt
terug met een lapje. Ze maakt alles
schoon.

- 'Zo, dat ziet niemand meer!'
- 'Bedankt!'
- 'Ja, ik kan dat ook niet hoor,
tompoes met een vorkje! Ik doe het
altijd met mijn handen. Zo...'

Darya heeft het warm gekregen. En
haar mooie jurk is vies. Ze wil naar
huis. Dit is toch geen feest! Er is
geen muziek. En niemand danst!
Nederlanders!

Bij Team Transvaal schoon-heel-veilig zitten twee soorten mensen. De harde kern bestaat uit allochtonen die langdurig werkloos zijn, of liever gezegd waren. Zij kwamen in het team terecht via een Melkertbaan, wat tegenwoordig een ID-baan heet. De andere categorie bestaat vooral uit Hollanders. Zij hebben van de rechter een taakstraf gekregen. Zij moeten vijftig of honderd of hondertvijftig uur meelopen met de pleindienst. De straf is opgelegd voor kwesties als heling of een probleempje met fraude. Nooit iets heel ergs. Bij die taakstraffers zijn vaak moeilijkheden aan het thuisfront. In de kantine krijgen we daar het nodige over te horen. Joops vrouw is bijna blind. En de vrouw van Cor is aan de zuurstof. Iedere nacht heeft zij tien uur lang twee van die plastic buisjes in haar neus.

Team Tranvaal is niet echt een *dream team*. We vormen al met al een nogal morsig gezelschap. Maar er is één vreemde eend in de bijt: Abdulhamid. Hij ziet er altijd keurig uit. Niet alleen zijn kleren, maar ook zijn haar en zijn nagels zijn netjes en schoon. Hij heeft een scherp geknipte snor. Zijn blik is altijd streng. Hij vertelde me ooit dat hij officier was in het Afghaanse leger. 'Twee rangen onder het niveau van generaal', zei hij. Zijn specialiteit was logistiek.

Terwijl we bezig waren aan een middagronde in de megabrommobiel, begon hij over zijn verleden. Hij is min of meer oorlogsinvalide. Hij heeft diepe littekens op zijn onderbenen, maar de details kende ik niet. We stonden geparkeerd op het Joubertplein, vlak naast een drukke speelplaats. Het Joubertplein is klein en de kinderstemmen ketsten heen en weer tussen de huizen. Ons voertuig trok trouwens de nodige belangstelling. Voor kinderen van zes, zeven jaar is zo'n debiele megabrommobiel nog redelijk indrukwekkend. Als ze naar de zin van Abdulhamid ook maar iets te dichtbij kwamen, keek hij vlug door het open zijraampje naar buiten. Eén strenge blik en ze deinsden automatisch een stap achteruit.

Abdulhamid woont al negen jaar in ons land, maar zijn Nederlands is nog steeds rudimentair. Vaak moet hij zinnen herhalen of herformuleren. Toen hij in zijn relaas aangekomen was bij de ziekenhuisopname van zijn vrouw in Kaboel, kwam dat eruit als: 'Vrouw ziek; één nier is weggooien.' Met zijn hand maakte hij een boze weggooibeweging. Als je er met je aandacht bij blijft, wordt uiteindelijk altijd duidelijk wat hij wil zeggen. Zo ook toen het ging over die verschrikkelijke dag in maart 1983, toen hij met een konvooi van tien vrachtauto's en twee pantservoertuigen van Kaboel naar de provincie Logar reed. Het was een logistiek konvooi met materiaal voor de gevechtstroepen, en hij stond aan het hoofd.

Vijftig kilometer buiten Kaboel werden ze in de bergen beschoten door opstandelingen, de moedjahedien. Hij zat in het voorste pantservoertuig, naast de bestuurder. Ze werden geraakt door een mortiergranaat. De inslag was net achter de linkerdeur. De chauffeur werd gedood en ook de vier soldaten die achterin zaten. Zelf ontwaakte hij een etmaal later uit een coma. Met name zijn benen waren er slecht aan toe. Eerst bracht hij een jaar door in een ziekenhuis in Kaboel. Nog tijdens de revalidatie, toen hij nog met twee stokken liep, kwamen ze hem zeggen dat hij terug moest in het leger. Niet voor velddienst, maar voor een kantoorbaan. Maar hij wilde niet meer. Een paar weken later kwamen ze weer zeggen dat hij zich moest melden. Opnieuw weigerde hij. Toen begon er twijfel te ontstaan over zijn loyaliteit. Er kwamen verhalen dat hij sympathie koesterde voor de moedjahedien. Hij werd opgepakt door de geheime dienst.

Het waren moeilijke tijden. Het verzet tegen het bewind van Babrak Karmal, die gesteund werd door de Sovjet-Unie, werd steeds heftiger. Eerst kwamen de ondervragingen. Daarna volgde geïsoleerde opsluiting. Maar ze konden niets tegen hem vinden en een jaar later kwam hij weer vrij. Met zijn gezin week hij uit naar Pakistan. Pas jaren later kwam hij naar Nederland. Hij heeft geen zin meer om verder te praten. Voorzichtig vist hij twee pasfoto's uit zijn portefeuille. Ze hebben een ouderwetse sepiakleur en de hoekjes zijn afgesleten. Hij heeft er duidelijk zelf al vele malen naar gekeken en ze misschien ook vaak aan anderen laten zien. Op de ene staat hij als burger. Op de andere heeft hij een uniform aan. Op de epauletten zie ik twee sterren en daarnaast iets wat niet goed zichtbaar is, een merkwaardig gebobbeld iets. Met veel moeite komen we er samen uit. Het blijken twee gekruiste kromzwaarden te zijn. Ook op beide foto's weer die strenge, trotse blik. Abdulhamid is echte mijnheer.

Soms zet ik vraagtekens bij de vluchtverhalen van mensen die naar ons land zijn gekomen. Maar dat van Abdulhamid is voor mij boven iedere twijfel verheven.

Op de hoek van de Rotterdamse Haringpakkersstraat en het Visserijplein ligt het Vrouwencentrum Delfshaven. De toegangsdeur is aan de kant van de Haringpakkersstraat. Mooie naam trouwens. Een die associaties oproept met hoekig gebouwde Rotterdamse mannen die zware shag roken. Maar de buurt wordt nu door allochtonen gedomineerd. Het straatbeeld wordt niet langer bepaald door arbeiderspetten, maar door hoofddoeken.

In het Vrouwencentrum heb ik een afspraak met Wassila en Naima. Ik heb ze leren kennen op de 'Parels van Integratie'-prijsuitreiking in Amsterdam. Wassila, die er nogal streng uitziet en een strakke, veel verhullende hoofddoek om heeft, is de bedrijfsleidster van het centrum. Naima, meer een moederlijk type met een weelderige onbedekte bos gitzwart haar, is een van de medewerksters. Het centrum wil met name voor oudere, geïsoleerde vrouwen een 'laagdrempelige en veilige omgeving' zijn om met andere vrouwen 'activiteiten te ondernemen en zichzelf te ontplooien'.

Het centrum staat overigens ook voor jongere vrouwen open en heeft voor hen een speciaal programmaonderdeel dat 'de meidenkamer' heet. De informatiefolder vermeldt daarover: 'Dit jaar gaan we weer van start met de meidenkamer, met als doel dat de meiden lekker kunnen ontspannen of te wel lekker hun gang kunnen gaan. De leuke activiteiten die worden opgericht zijn onder andere kookles, filmmiddag, schilderen, sieraden maken, islamlezing, henna-middag, spel & ontspanning en nog andere leuke activiteiten die de meiden zelf bij kunnen bedenken.'

Wassila en Naima nemen me mee naar een ruimte achter in het gebouw die eigenlijk een crèche is. De kamer heeft een raam dat op een binnenplaatsje uitkijkt en nauwelijks daglicht doorlaat. Op de vloer ligt oudewets zeil en er staat wat kindermeubilair in sombere kleuren. In een hoek staat onder een plastic hoes een enorme, nogal intimiderende hometrainer. Ik krijg van Naima een dampende kop koffie, die ze voor mij op een heel klein geel kleuterstoeltje neerzet.

Wassila zegt dat haar broer mij kent. We blijken bij de As-Soennah-moskee in Den Haag in dezelfde Koranklas te zitten. Ik vertel haar dat onze Koranleraar, Abu Ismail, net naar Mekka is vertrokken voor de hadj en dat een inval-imam voorlopig les zal geven. Abu Ismail heeft ons speciaal op het hart gedrukt om toch vooral aardig te doen tegen zijn nog onervaren collega. Mijn klasgenoten, die de Koran en alle verhalen eromheen vaak al heel goed kennen, zouden zich – zo bleek later – weinig van Abu Ismails verzoek aantrekken. Ze begonnen allerlei ingewikkelde vragen te stellen, die de jonge inval-imam handenwringend – de knakkende vingerkootjes waren tot in de verste hoeken van het klaslokaal te horen – probeerde te beantwoorden.

Wassila vertelt dat 'laagdrempelig' in het centrum het sleutelwoord is. 'In een buurthuis kan iedereen binnenkomen. Het Vrouwencentrum daarentegen is alleen voor vrouwen. Deze plek geeft daardoor een vertrouwensgevoel. Voor sommige allochtone vrouwen hier in de buurt bestaat alleen hun woning en dit centrum. En hun mannen weten dat het hier veilig is. Die vrouwen zeggen dan: Mijn man heeft me hier toegelaten, maar niet in de bibliotheek.'

'Die bibliotheek bleek echt een probleem. Die ligt hier om de hoek aan het Visserijplein. Maar in datzelfde gebouw zit ook een koffiecorner. Als een vrouw naar de bibliotheek wilde, moest ze eerst door die koffieruimte lopen. En dat viel verkeerd. Want daar zitten allerlei mannen koffie te drinken en die kijken dan naar zo'n vrouw. Ook als zij meteen snel doorloopt naar de leeszaal, wordt er toch over haar gepraat. En dan hoort haar man op een gegeven moment dat zij naar de bibliotheek is geweest zonder dat hij er tevoren van wist. Maar nu is er een speciale ingang gemaakt, zodat vrouwen vanaf de straat de leeszaal in kunnen zonder die koffieruimte te passeren. En er zijn nu ook speciale uren in de ochtend waarop de bibliotheek alleen open is voor vrouwen.'

Ik vertel Wassila en Naima dat ik op een islamitische website heb gezien dat er ergens een islamitische boekenbeurs was georganiseerd, ik meen in Helmond. Daar stond ter geruststelling bij vermeld dat er een lokatie was alleen voor mannen en een geheel andere lokatie, ver weg elders in de stad, uitsluitend voor vrouwen. Ik zeg dat ik dat soort dingen toch wel erg raar vind. Maar zij willen niet echt een standpunt innemen.

Volgens Wassila zijn er in Delfshaven veel oudere allochtone vrouwen die zich vreselijk vervelen. Ze zitten helemaal geïsoleerd. Het doet me denken aan wat ik onlangs in het Amsterdamse Slotervaart van een buurtactiviste hoorde, namelijk dat sommige Marokkaanse vrouwen al vele jaren in Sloterdijk wonen en nog nooit op de Dam zijn geweest. Wassila: 'Wij proberen de vrouwen over te halen om regelmatig de deur uit te komen. Bijvoorbeeld via een naaicursus. Ook taallessen zijn heel belangrijk. We zeggen tegen die vrouwen: Straks zijn je kinderen het huis uit en dan raak je nog meer geïsoleerd, want dan is er niemand meer die voor je kan vertalen. We proberen ze te stimuleren om stapje voor stapje de samenleving in te gaan.'

'We hebben het in Delfshaven echt over duizenden vrouwen. Veel van hen zijn op latere leeftijd hier naar toe gehaald en hebben geen eigen familie hier. Die zitten vol heimwee, vooral op de grote feestdagen. Dan weten ze dat hun eigen familie in Marokko het Suikerfeest viert en dan kunnen zij er niet bij zijn. Om de verveling tegen te gaan zitten ze de hele tijd naar de Marokkaanse televisie te kijken. Dat geeft ze steun. Maar plekken zoals ons Vrouwencentrum zijn ook heel hard nodig.'

Ik vraag of die oudere Marokkaanse vrouwen zich niet ergeren aan al dat bloot van de advertenties op de bushokjes en in de straten. 'Nou nee, daar zeggen ze van: Dat hoort nu eenmaal bij dit land. Maar wat ze eigenlijk gekker vinden, is al die aandacht voor honden. Er zijn ook wel moslims met een hond, maar die mag niet in huis komen. Want zo'n hond heeft geen schoentjes aan. Die loopt dan met zijn poten over een gebedskleedje. Dat kan natuurlijk niet. Maar een hond mag bijvoorbeeld wel om buiten het huis te bewaken. Over gebedskleedjes gesproken, die hebben we ook hier in het centrum. De vrouwen kunnen hier dus bidden.'

Naima vult aan: 'De vrouwen in Delfshaven gaan ook steeds meer naar de moskee. Met name op de zevenentwintigste dag van de ramadan, dus drie dagen voor het Suikerfeest. Dan is het een bijzondere dag. Vooral jonge moslima's gaan naar de moskee. Ze horen dat het bij het geloof hoort. Ook in Marokko neemt het moskeebezoek trouwens toe. Niet in de plaats waar ik vandaan kom, Tiznit, maar wel in een grote stad als Agadir. Religie begint steeds belangrijker te worden. Ook in Delfshaven wordt de bedevaart naar Mekka steeds populairder. Alleen dit jaar al zijn zes vrouwen uit ons centrum geweest – Safwa, Amal, Aisha, en dan nog drie. Ze reizen met hun man mee.'

'Het kost drieduizend euro per persoon, zonder inkopen en maaltijden. Ze gaan een paar jaar niet op vakantie om te sparen voor de hadj. Bij terugkeer nemen ze flesjes water mee uit de Zamzam-bron en kleine cadeautjes, bijvoorbeeld kralen en gebedssnoeren. Voor hun vertrek uit Nederland worden alle ruzies bijgelegd en wordt ook aan iedereen vergiffenis gevraagd. Als je gaat, moet je helemaal rein zijn. Hier op ons centrum beleggen we speciale zittingen waarop vrouwen vergiffenis kunnen vragen aan alle anderen. Kleine dingen, hoor. Dan hebben ze bijvoorbeeld iets geleend dat ze vergeten zijn terug te geven. Toch kan zo'n zitting soms heel hevig, heel emotioneel zijn. Je kunt er ook afspraken maken over wie er voor je kinderen zal zorgen als je niet meer terugkeert...'

Dat laatste valt in de praktijk natuurlijk behoorlijk mee. De Saudische autoriteiten hebben de hadj perfect georganiseerd. Tussen het vliegveld van Jedda en Mekka loopt een prachtige vierbaansweg. Maar Naima spreekt – vertederend trouwens – over haar vrouwen alsof die nog steeds per kameel door de woestijn moeten ploeteren en onderweg misschien wel door rovende bedoeïenen zullen worden belaagd.

Vanuit het Vrouwencentrum loop ik nog even naar die gekke bibliotheek. En ja, er is inderdaad een aparte ingang. Betaald van ons belastinggeld. De koffiecorner die volgens Wassila en Naima voor sommige vrouwelijke bezoekers zo problematisch was, is overigens erg braaf. Er zitten wat mensen, hoofdzakelijk bejaarden, een kopje koffie te drinken en er wordt een kaartje gelegd. Moeilijk te begrijpen dat enkele blikken van dat vergrijsde koffiecornerpubliek de eer van een mevrouw, en daarmee ook de eer van haar man, en daarmee ook nog de eer van zijn *extended family* zou kunnen aantasten.

Ik heb met ze afgesproken in de McDonald's op het industrieterrein Spaanse Polder bij Rotterdam. Geen plek die ik erg kan aanbevelen. 'Ze' zijn Jennifer van de Stiching Vrienden van Pim, Rinus van de Stichting Standbeeld voor Pim en Ben die zichzelf enthousiast omschrijft als rechts-nationalistisch activist. De eerste kennismaking had al een hele tijd eerder plaatsgehad: bij gebouw C van de rechtbank Rotterdam.

In de zwaar beveiligde rechtszaal die normaal alleen voor de berechting van ernstige delicten wordt gebruikt, speelde het kort geding van de Nederlandse Islamitische Federatie tegen Geert Wilders vanwege de film *Fitna*. We zaten op de publieke tribune, een soort kooi die met grote ruiten van pantserglas gescheiden is van de rechtszaal. De stem van de rechter en de advocaten komt er via een speciale geluidsinstallatie binnen. Rinus en Ben maakten op de tribune allerlei provocerende opmerkingen en het zou zeker zijn uitgelopen op een handgemeen met het overige publiek, ware het niet dat op de hoogste rij een forse no-nonsense gerechtsdienaar de boel onder controle hield.

Na afloop, buiten op straat, ging het wel mis. Ben riep daar een paar keer keihard: 'Hand in hand – terug naar eigen land!' Meteen snelden een aantal agenten in burger toe. In het handgemeen werd ook Rinus, die vlak achter Ben liep, aangepakt. De volgende dag stond Rinus met een grote foto op pagina 3 van *De Telegraaf*. Vier handen trekken aan zijn kleren en op zijn straatvechterskop zie je een vreemde grimas. Er staan ook een man en een vrouw op –

handlangers? agenten? – die met hoogopgetrokken benen door de narcissen van de middenberm op de Postumalaan naar Rinus toe snellen. De begeleidende tekst luidde: 'Een voorstander van de film van Geert Wilders wordt stevig vastgepakt door een speciale aanhoudingseenheid in burgerkleding.' Die twee personen midden in dat narcissenbed zullen helaas voor eeuwig een mysterie blijven. Jennifer hield zich buiten het strijdgewoel. En het is via haar dat we onze afspraak hebben kunnen maken.

De McDonald's blijkt te lawaaiig en we besluiten ergens anders heen te gaan. Ik rijd achter de oude, vaalwitte Mitsubishi-bestelbus van Rinus aan. Op de achterdeur van het busje zit een grote sticker met: Ik zeg wat ik denk en ik doe wat ik zeg. We stoppen bij de Noord-West, een eetcafé/snackbar tussen de bedrijfshallen aan de Matlingeweg. Binnen een oud-Hollands interieur dat je de industriële omgeving moet doen vergeten. We nemen een tafeltje in de hoek. Ik begin maar meteen over Pim Fortuyn. Hoe verliepen eigenlijk de eerste contacten? Rinus gaat er echt voor zitten.

'Ik heb in 2001 gewoon ooit bij hem aangebeld. Daar op G.W. Burgerplein. Daar stond zijn huis. Ik had stad en land moeten afbellen om erachter te komen waar hij woonde. Hij was toen pas net in de politiek. Ik had een videoband bij me van een film die TROS Aktua had gemaakt over de verloedering in mijn wijk, Spangen. Goed, ik bel dus aan en hij doet zelf open. Ik zie hem nog staan in z'n blauw-wit geblokte overhemd. Hij deed de deur maar op een kier open. Ik zeg: Sorry, ik heb op de televisie gezien hoe u met wethouder Els Kuijper van de PvdA in discussie ging over de allochtonen in Rotterdam. Ik denk dat het goed is als u naar deze video kijkt. Dus hij zegt: Kom maar even binnen.'

'Nou, ik wist niet wat ik zag! Het was gewoon een paleisje daarbinnen! Marmeren vloeren. Schilderijen. En in de gang stond zo'n ouderwetse, rode vleessnijmachine van Van Berkel. Vond ie gewoon mooi. Ik dacht meteen van: o, klere, waar kom ik nou terecht? Ik had toen nog van dat haar tot hier. Ik heb alleen op de BLO gezeten, dat stond voor bijzonder lager onderwijs. Ik ben een gewone jongen van de Kruiskade. Maar goed, hij nodigt me uit voor een bakkie koffie. Beneden in het souterrain. We hebben toen een kwartiertje zitten praten. Ik merkte meteen dat hij het goede met ons voorhad. Ik leg hem uit dat ik op die video zeg dat de allochtonen uit mijn wijk moeten oprotten. En ook dat het een groot probleem is dat die mensen gewoon blijven doorfokken. Ja, echt waar, dat heb ik gewoon precies in die woorden op TROS Aktua gezegd.'

'Hij zei: Ik zal de band bekijken. Dat ding heeft daar uiteindelijk maanden lang gelegen. Naderhand hoorde ik dat hij helemaal geen videospeler had om het te bekijken. Toen hij me uitliet, zei hij: Meneer, alles komt goed. Zo zei hij dat dus, hè? Meneer. Terwijl ik natuurlijk gewoon een boefje ben. Via via ben ik vrijwilligerswerk voor hem gaan doen. Ik ben ook een tijd lijfwacht voor hem geweest. Ja, ik zie u nu naar mij kijken van: iemand die er zo tenger uitziet, kan toch geen bodyguard zijn. Maar ik ben wel een straatvechtertje. Als ik dan met hem meeliep, hoorde ik van die Marokkaanse gozers "Hé, ouwe vieze kankerhomo" naar hem roepen. En goed, hij heeft ook veel Marokkaanse jongens gehad. Daar heb ik later veel verhalen over gehoord. Als het ergens anders terecht was gekomen, hadden er nu zo'n twintigduizend Marokkaantjes extra rondgelopen, denk ik wel eens.'

'Trouwens, wat daar bij die rechtbank is gebeurd, was gewoon niet normaal. Ik liep vlak bij Ben met een hele groep fotografen en televisieploegen om ons heen. Toen ze Ben arresteerden, werd ik omvergelopen. Er was helemaal geen relletje en toch doken die agenten op ons. Dat bleken jongens te zijn van het regionale ondersteuningsteam, zo heet dat. Ze zeiden: Opkankeren, jullie!

Eerst wist ik niet dat het politieagenten waren. Ze hadden van die capuchons op. Dus ik riep: Hou je kankerklauwen effe thuis! Want het hadden ook best Marokkanen kunnen zijn. Toen zijn ze met een man of zes op me gaan liggen. Het verkeer op de Posthumalaan kwam mooi helemaal tot stilstand! Ze maakten met hun armen allerlei slaande bewegingen naar me. Dat was gewoon niet meer normaal. Word ik opeens bij de strot gegrepen! Ik ben geen bange jongen, maar toen voelde ik toch wel pure angst.'

Hij kijkt naar zijn cappucino. Het schuim is weggezakt. Voorzichtig neemt hij nog een slok.

'Ik ben in een busje gegooid en daar bleven ze ook met vier man op me liggen. Kijk, als er op straat iets aan de hand is, dan moeten ze eerst zeggen van: u moet zich verwijderen. Zo moet dat volgens de Nederlandse wet. Maar niets van dat alles. Ik heb uiteindelijk vijf uur vastgezeten. In een arrestatiecel. En ze hebben me ook anderhalf uur ondervraagd. Die speurders wilden iets strafbaars. Ik heb gezegd dat ik met die leuzen van Ben had meegedaan om die moslims die daar bij de ingang van de rechtbank stonden, een onaangenaam gevoel te geven. En dat ik dat deed omdat ik me zelf ook onaangenaam voel onder al die moslims. Dit is geen islamitisch land tenslotte.'

'Zo'n foto in *De Telegraaf* is trouwens heel vervelend. Toen ik daarna door Spangen liep, werd ik door allerlei Marokkanen voor kankerracist uitgemaakt. Maar ik loop dan gewoon door.' Dan lachend: 'Vroeger had ik op mijn bestelbusje een groot bord hangen met: Met de PvdA aan de macht, wordt het land verkracht. Bij de verkiezingen van 2006 knalden ze toen mooi een steen door de ruit.'

We bestellen een nieuwe ronde. Cappuccino's en warme chocomel met slagroom. Buiten is het guur. Het natte straatdek weerspiegelt een stroom vrachtauto's die traag passeren. Langzaam loopt de

Noord-West vol. Rond de bar zijn nu alle krukken bezet. De sfeer doet steeds meer aan een dorpscafé denken. Een kleine, knusse cocon te midden van gigantische fabriekshallen. Ben wil wat over de AIVD vertellen, maar Rinus trekt opnieuw het gesprek naar zich toe.

'De overheid is er destijds wel als de kippen bij geweest om te zeggen dat Pim Fortuyn door een blanke was vermoord. Als het een Marokkaan was geweest, was het oorlog geworden. Dan was de boel ontploft. Daar op de Nieuwe Binnenweg, in de Sheikh – dat is een Marokkaanse kebabzaak – was de eigenaar, een perfecte Marokkaan, echt een toffe gozer, zich helemaal rot geschrokken. Die stond te trillen op z'n benen. Hij gooide meteen zijn zaak dicht. Hij was als de dood.'

Rinus, die nu net in de vijftig is, is op z'n twintigste met zijn familie in Spangen terechtgekomen. Zijn vader was straatkoopman. Die stond jarenlang met een fruitkar in Delfshaven. Rinus zelf besloot in loondienst te gaan. Hij heeft bij een bedrijf gewerkt dat zebrapaden spuit. Daarna volgde een tijd in het abattoir. Maar hij ontdekte dat hij het op straat verder zou schoppen. Met losse handel, welteverstaan. Een van zijn specialiteiten was kerstbomen. Nu heeft hij een haringkar. Formeel staat die kar op naam van zijn vriendin. Hij helpt haar en ziet zichzelf verder vooral als huisman.

'Dertig jaar geleden woonden er in Spangen al wel een paar buitenlanders, maar de sfeer was nog gewoon Hollands. In de jaren negentig kwam er een grote renovatie. Veel van de oude bewoners kwamen daarna niet meer terug. Dit is onze kans om weg te komen, dachten die. Zelf wilde ik in Spangen blijven. Ik had het er toen nog naar mijn zin. We hadden een grote vriendenkring. 's Zomers zetten we de bankstellen op straat met de televisie in het raam. Hadden we de woonkamer gewoon buiten. Maar we zijn door de allochtonen verdrongen. Ik ben enkel en alleen gebleven omdat ik een lage huur betaal.'

'Meneer, de islamisering van onze wijk is niet meer tegen te houden. Een voorbeeld wilt u? Komen er Marokkanen boven ons wonen, met een kind. Die lui gingen de ramen zemen. Niet met een spons, nee, ze pleurden er gewoon emmers water tegenaan. Ik naar boven, ik zeg: Buurvrouw, ik heb zonneschermen. Ik hoop dat er geen bleekwater in zit. Zij zegt: Nee hoor. Nou, enkele dagen later zaten er wel degelijk witte vlekken in die schermen. Een poosje daarna hoor achter ik een klap van hier tot Overijssel. Hebben ze al hun rotzooi in één keer naar beneden gegooid. Al dat afval in mijn achtertuin! Gingen ze op vakantie en mevrouw komt zwanger terug. Was dus Mohammed nummer twee op komst! Ik ben op een gegeven moment bij Woningbedrijf Rotterdam gaan klagen over de situatie daarboven. Die lui zijn jaren bezig geweest om dat gezin weg te krijgen. Die zagen ook wel dat het varkens waren. Op het eind renden er boven vier kinderen rond. Ik werd er helemaal gek van – meneer, met uzi's heb ik op ze willen schieten!'

'Nu wonen er in de straat nog zo'n tien Hollandse gezinnen. In de overige woningen, zo'n tweehonderd stuks, wonen allochtonen. Mijn broer heeft in Spangen een café gehad. Café Doelpunt. Je had ook nog café Da Costa. Dat waren de laatste twee Hollandse cafés, maar die zijn nu dicht. Je hebt nog wel Het Kasteel. Maar ook dat is overgegaan naar die buitenlandse gasten.'

Rinus heeft een wat oudere buurman die Marokkaan is, maar met wie hij, Rinus, het heel goed kan vinden. Die behoort wat hem betreft tot de oude garde van Spangen. Hij heeft zich volgens Rinus goed aan de samenleving aangepast. Hij zit zelfs in de deelgemeenteraad van Delfshaven, waar de wijk Spangen bestuurlijk onder valt. Zelf is Rinus ook vaak op de vergaderingen van die raad te vinden. Er wordt vergaderd op de eerste donderdag van de maand. Ik ben er een keer geweest en zag toen hoe Rinus zich proactief onder de raadsleden mengde. Zijn gegroefde

kop met van die holle zware-Van-Nelle-wangen tussen de wijk-
elite. Rinus:

'En dan ben ik nog bevriend met Casimir. Ook een Marokkaan. We zijn samen opgegroeid. Hij spreekt hetzelfde als ik. En
hij denkt ook gewoon precies hetzelfde. Maar al die nieuwkomers
die niet met ons willen samenwonen, moeten gewoon het land uit
worden gegooid. Weet u, de oudere allochtonen zien het eigenlijk ook niet meer zitten. Die willen net als veel Hollanders eigenlijk weg.'

Ondanks zijn pessimisme wil Rinus toch blijven knokken voor
zijn wijk. 'Met Woningbedrijf Rotterdam zijn we bezig met de
plaatsing van centrale antennes. Dan kunnen al die schotels van
de balkons weg. En er komen ook bloembakken op straat. Met
wethouder Karakus – dat is een Turk, maar ik kan het goed met
hem vinden – heb ik geregeld dat er regelmatig containers komen voor grootvuil. Met die man kun je echt afspraken maken.
Ik ken al die gasten op het gemeentehuis. Ik ken ook Balkenen-
de. Ik ben iemand die voor zijn wijk gaat. Als je de zaak op kunt
fleuren, moet je dat ook doen. In Spangen wordt het nu wel heel
erg. Maar dat geldt voor heel Nederland. Blanken eruit, zwarten
erin. Vroeger werd er nog wel over kinderbeperking gesproken.
Want Nederland begon vol te raken. Ik kom zelf uit een gezin
van negen kinderen. Maar nu hebben ze het daar niet meer over.
Ik wil niet zeggen: jullie mogen geen kinderen hebben. Maar een
beperking zou goed zijn. Weet u wat het is, ze blijven gewoon
doorfokken. Tot ze een zoon hebben.'

Op internet zijn honderden, zo niet duizenden websites te vinden waar uitleg wordt gegeven over islamitische geloofskwesties en gedragsregels. Vaak gaat het in de vorm van vraag en antwoord. De vragen worden per e-mail ingezonden door gelovigen en de antwoorden worden meestal gegeven door onzichtbare *cyberimams*. Maar sommige sites behoren toe aan bekende rechtsgeleerden of vooraanstaande imams. Zo is voor veel sjia-moslims de website van ayatollah Ali al-Sistani een belangrijke bron van informatie. Hij is een van de zeven grootayatollahs, die een soort opperleermeesters zijn voor de wereldwijde sjia-gemeenschap. Khomeini was er ook een.

Iedere sjia-moslim moet op een bepaald moment voor zichzelf een grootayatollah kiezen, die hij dan in principe voor de rest van zijn leven volgt. Zo volgen de meeste Iraakse sjia-gelovigen Ali al-Sistani, hoewel hij buiten Irak is geboren. Hij komt uit Mashad, in Oost-Iran. Zijn politieke macht werd door de Amerikanen ernstig onderschat. De Amerikaanse bewindvoerder Paul Bremer wilde ooit getrapte verkiezingen doorvoeren. Ali al-Sistani liet vanuit zijn woonplaats Nadjaf ten zuidwesten van Bagdad weten dat hij daarmee niet kon instemmen.

Wat krijgen we nou, dachten de Amerikanen, gaat een oude man op een tapijtje onder een amandelboom ons vertellen hoe we Irak moeten runnen? En ze gingen gewoon door met hun plannen. Maar toen kwamen er grote demonstraties en die getrapte verkiezingen zijn niet doorgegaan. Hieronder enkele vragen en antwoorden die ik ontleen aan de website van Ali al-Sistani (www.sistani.org).

Is het toegestaan een lange baard te hebben?
Bij voorkeur is de baard niet langer dan de breedte van een vuist.

Mag ik mijn verloofde aanraken of kussen?
Voor het huwelijk is dit niet geoorloofd.

Een bepaald soort broeken is bekend als jeans. De broeken worden geproduceerd in niet-islamitische landen. Er zit een stukje leer op als label. Het is niet bekend of het leer afkomstig is van een dier dat op islamitische wijze is geslacht. Is het geoorloofd met zo'n broek aan te bidden?
Ja, dat is geoorloofd.

Is het toegestaan een dansfeestje te organiseren waar iedereen decent is gekleed en elke man uitsluitend met zijn eigen vrouw danst op rustige muziek?
Dat is niet geoorloofd.

Wat is uw uitspraak over kattenhaar op iemands kleding wanneer betrokkene bidt?
Kattenhaar maakt het gebed niet ongeldig.

Telkens als ik aan een mooie vrouw denk, komt er een vloeistof naar buiten die aan sperma doet denken. Is het sperma? Hoe kan ik weten of het sperma is of een reine stof?
Betreffende afscheiding is rein. Als echter niet duidelijk is of de afscheiding sperma is of urine of iets anders, moet de afschei-

ding beschouwd worden als sperma indien deze met lustgevoelens werd geëjaculeerd en het lichaam vervolgens verslapte. Als al deze of sommige van deze kenmerken zich niet hebben voorgedaan, zal de afscheiding niet worden beschouwd als sperma. Indien de afscheiding die bij een gezonde man naar buiten komt, een van de genoemde kenmerken had en betrokkene niet weet of deze ook nog andere kenmerken had, en indien hij zich, voordat de afscheiding het lichaam verliet, ritueel gewassen heeft, hoeft hij zich niet opnieuw ritueel te wassen.

Een islamitische aannemer wordt gevraagd een kerk of gebedshuis te bouwen in een niet-islamitisch land. Mag hij dat werk aannemen?
Dat is niet toegestaan, want het zou valse religies bevorderen.

Als mijn vrouw wil dat ik in haar aanwezigheid masturbeer, is dat dan toegestaan?
Antwoord: U mag zich niet opwinden met uw eigen handen, maar u kunt het wel doen met de hand van uw vrouw.

Wat zijn de minimumvereisten met betrekking tot decente kleding voor een vrouw?
Een vrouw behoort haar lichaam en haar te verbergen voor een man die niet tot de mahram (directe familie) behoort en voorzichtigheidshalve dient zij zich ook te verbergen voor de blik van een minderjarige jongen, ingeval die al onderscheid kan maken tussen goed en kwaad en mogelijkerwijs seksueel prikkelbaar is. Maar zij kan haar gezicht en haar handen tot aan de pols onbedekt laten in de aanwezigheid van personen die niet tot de mahram behoren, op voorwaarde dat dit er niet toe leidt dat betrokkenen een zondige blik op haar werpen of dat zij als

vrouw iets doet wat verboden is. In die gevallen moet zij haar gezicht en handen alsnog bedekken.

Sommige mannen ontlenen genot aan een kunstvagina. Is dit toegestaan, indien er geen zaadlozing wordt beoogd? Maakt u in uw uitspraak nog verschil tussen een gehuwde man en een vrijgezel?
Het gebruik van een kunstvagina kan zekerheidshalve beter worden vermeden, ongeacht of er een zaadlozing wordt beoogd. In mijn uitspraak maak ik geen verschil tussen getrouwde mannen en vrijgezellen.

Mag ik naar het meisje kijken waarmee ik wil trouwen? Meer in het bijzonder, mag ik naar haar lichaam kijken om te zien of zij bij mij past? Als zij mij bevalt, is de kans groot dat ik inderdaad met haar zal trouwen.
Indien de kans groot is dat u met haar zult trouwen, mag u haar inderdaad bekijken, maar dat slechts kort en slechts eenmaal.

Als je vanuit het Rotterdamse Centraal Station het Weena bent overgestoken, krijg je aan je rechterhand een ruim twee kilometer lange straat, die maar liefst vijf keer van naam wisselt. Het eerste stuk heet West-Kruiskade, dan wordt het opeens de 1e Middellandstraat, dan de 2e Middellandstraat, daarna – vanaf de hoek met de Heemraadssingel – de Vierambachtsstraat, om vervolgens te eindigen als Mathenesserdijk. Ondanks al die naamsveranderingen is en blijft het één enkele straat, die gevoelsmatig, visueel en ook stedenbouwkundig duidelijk een geheel vormt.

Met al zijn Chinese, Surinaamse, Indiase, Turkse, Marokkaanse en Hollandse winkels, snackbars, restaurants en bedrijven is het ook een van de bontste trajecten van onze havenstad. Haast aan het eind van het deel waar de straat nog Vierambachtsstraat heet, bevinden zich naast elkaar feestartikelenwinkel Frans Moret en islamitische boekhandel Al-Maktabah.

Als je bij Frans Moret binnenstapt, is het moeilijk om niet meteen in een vrolijke stemming te komen. Regelmatig galmen er aanstekelijke gilletjes van mevrouwen die enge maskers uitproberen voor een jubileum- of kantoorfeestje. Het feestassortiment is redelijk voorspelbaar, maar vooral ouderwets. Maskers dus, confetti, opplaklittekens, suikerklontjes die blijven drijven, plastic spinnen, ampullen met namaakbloed, jeukpoeder. Jeukpoeder? Wordt dat echt nog gemaakt? Jazeker. Frans Moret verkoopt het in kleine, makkelijk het klaslokaal binnen te smokkelen pakjes. De opdruk luidt: Erger dan een lading vlooien!

Maar er zijn ook – we zijn een vrij land – erotisch getinte artikelen. Het hoogtepunt is wat mij betreft de bakvorm (4,95 euro) waarmee je spiegeleieren kunt bakken in de vorm van een geplette penis-met-testikels. Dit keukengerei wordt geproduceerd door de Britse firma Horny as Hell. Volgens Horny as Hell leent de bakvorm zich ook voor culinaire variaties als de Penis Pancake en de Big Willieburger. Vroeger lag de bakvorm gewoon voor het grijpen in een van de schappen. Maar nu ligt hij op een plank achter de kassa. Daarmee bevindt hij zich tevens – maar wel gescheiden door een bakstenen muur – op zo'n dertig centimeter afstand van de met goudopdruk versierde leren banden met Arabische Korancommentaren bij buurman Al-Maktabah.

Het binnentreden bij Al-Maktabah is iets heel anders. Als je er de deur opent, zegt een computerstemmetje automatisch in het Arabisch: 'Bismillah (in de naam van Allah), vergeet niet tot Allah te bidden!' Mohammed, de man die meestal achter de toonbank staat, heeft me wel eens uitgelegd dat de spreuk een kalmerend effect heeft, een 'onthaastingseffect'. Het apparaatje, dat op de deurpost dient te worden gemonteerd, wordt gemaakt in China en is bij Al-Maktabah te koop voor 10 euro inclusief twee staafbatterijtjes. Maar de verkoop loopt niet hard. Volgens Mohammed willen de mensen vooral dingen in het Nederlands. Zo lopen ook de boeken in het Arabisch niet goed. Van de oudere klanten kan 90 procent geen Arabisch lezen. En ze kennen ook geen Nederlands.

Door een en ander bestaat de clientèle vooral uit jongeren. Vooral Marokkaanse jongeren, en dan weer vooral meisjes. Als je de winkel binnenstapt, zie je links de afdeling met boeken. Helemaal links, tegen de muur van feestwinkel Frans Moret, de Arabische werken en vervolgens vrijwel recht tegenover de ingang een gangetje met aan weerszijden boeken in het Nederlands. Overigens alleen werken die met de islam te maken hebben. Al-Maktabah is verder vooral gespecialiseerd in hoofddoeken. In de rechterhoek van de zaak is een langgerekte uitstalkast met doeken – Turks fabrikaat – in zo'n tweehonderd kleurschakeringen. Maar alleen effen kleuren, die er bovendien allemaal nogal vaal uitzien. Voor een spetterend dessin ben je bij Al-Maktabah aan het verkeerde adres.

Het assortiment omvat ook gebedskleedjes. Sommige hebben speciaal voor op reis een ingebouwd, of liever gezegd ingeweven kompas. Er wordt in de winkel ook water verkocht uit de Zamzam-bron bij Mekka. Kleine plastic flesjes die voor 1 euro over de toonbank gaan. Het water wordt vooral gekocht voor zieke familieleden. Verder zijn er cd's en enkele schappen met bijna vijftig verschillende Arabische parfums, allemaal van het merk Al-Rehab uit Jedda. De Profeet was een groot liefhebber van parfum en daarom vinden moslims het aantrekkelijk om die belangstelling te delen. Het gaat vooral om de zware geuren van muskus, wierook, kaneel en mirre – een nostalgische terugkeer naar het welriekende Arabië, *Arabia Odorifera*, uit de klassieke oudheid.

Je kunt in Al Maktabah ook terecht voor islamitische kleding en sieraden. Verder zijn er elektronische wekkers waarop de iedere dag wisselende gebedstijden staan aangegeven, zes in totaal. De klokken kunnen volgens de bijbehorende verpakking worden ingesteld op de gebedstijden van maar liefst duizend steden in verschillende tijdzones. Bij Al-Maktabah staan ze gemakshalve al voorgeprogrammeerd op Rotterdam. Verder worden er gebedssnoeren en islamitische mutsjes verkocht, alsook – heel zeldzaam – leren sloffen zoals die in de tijd van de Profeet 's winters in de woestijn rond Mekka en Medina werden gedragen.

Zulke sloffen heten in het Arabisch *choef*. Als je op reis bent, hoef je voorafgaand aan het gebed je voeten niet te wassen en kun je volstaan met het schoonmaken van die sloffen. Moslimgeleerden weten overigens niet goed wat ze aan moeten met nieuwigheden als *choef*s gemaakt van kunstleer of bijvoorbeeld met een rits. Vallen die ook onder die uitzonderingsregel uit de zevende eeuw? Of tellen alleen klassieke *choef*s? Hierover wordt, ook via internet, heel wat afgeruzied.

Zelf kom ik altijd graag bij Al-Maktabah. Er heerst een serene sfeer. Het lawaai van lijn 21 die elke paar minuten over de Vierambachtsstraat dendert, dringt er nauwelijks door. Meestal sta ik in dat gangetje met Nederlandse boeken. Er zijn altijd wel weer wat nieuwe aanwinsten. Zo ontdekte ik onlangs een boekje voor islamitisch sms'en. Het is van de hand van A. Bayrak-de Jager en L. Farouk en heet *Gesluierde hartendiefjes*. In het voorwoord vermelden de auteurs dat het is bedoeld om 'de banden tussen moslims onderling te versterken en kennis door te geven via sms'jes'. De bundel bevat honderden sms-tekstsuggesties. Zoals: 'Mensen van wie Allah het meest houdt zijn mensen met goed gedrag.' Nog eentje:

Ik vroeg Allah om water
Ik kreeg een zee
Ik vroeg een bloem
Ik kreeg een boeket
Ik vroeg een vriendin
Ik kreeg dit nummer.

Het idee dat God hand- en spandiensten verleent bij het achterhalen van een mobiel telefoonnummer, zit volgens mij dicht aan tegen blasfemie, en mijn voorkeur gaat uit naar het bekoorlijke:

Onze liefde voor Allah
brengt ons nader tot elkaar
ook al ben ik hier
en jij daar.

Ingeval je niet over liefde wilt sms'en, maar gewoon iets leuk antiwesters wilt versturen:

Bonjour, Gutentag, Hello,
je krijgt ze allemaal cadeau
want moslims hier en daar
zeggen allemaal Salaam Alaykum tegen elkaar.

De schrijvers komen ook met een hele reeks sms'jes met tips en 'weetjes' uit de Koran of over de overleveringen rond de Profeet:

Wist je dat
vrouwen hun haren
niet als een kamelenbult
mogen dragen?

Nog een:

Wist je dat volgens de geleerden
westerlingen de vlag van
de islam zullen dragen
als het Uur nabij is?

Er zijn in Al-Maktabah talrijke boeken die je aan het denken zetten over de consequenties van je eigen frivole levenswandel. Bijvoorbeeld Ibn Rajab Al Hanbali's *De kwellingen van het graf.* En van diezelfde schrijver *De angsten van de hel*. Met name dat tweede boek ontneemt je iedere interesse in een zondig leven. Leuke scharrel met een andere vrouw? Nee, dank u. Gauw een stukje truffelchocolade in je mond stoppen als de banketbakker toch de andere kant uitkijkt? Vroeger wel, maar nu – *no way*.

Van uitgeverij Noer te Delft staat er *De dag van de opstanding*. Het boek telt 320 bladzijden en bevat zo veel details, dat het niet anders kan of de schrijver is bij die belangrijke gebeurtenis persoonlijk aanwezig geweest. Van relatietherapeut Muhammad Ibn Ibrahim Al-Hamad staat er het door Editions Al Hadith (Brussel) uitgegeven populaire drieluik *Fouten van de echtgenote en hoe ze te verbeteren*, *Fouten van de echtgenoot en hoe ze te verbeteren* en *Fouten op weg naar het huwelijk*. Niks geen prietpraat. Muhammad Ibn Ibrahim Al-Hamad stoot meteen door naar de essentie. Zo gaat hij in *Fouten op weg naar het huwelijk* in op het thema 'De blik van het meisje naar de huwelijkskandidaat'. Een belangrijke kwestie, want in het algemeen past het vrouwen niet om naar mannen te kijken. Maar hoe voorkom je dan dat je je als meisje in de huwelijksnacht totaal rot schrikt en gillend de bruidssuite uit vlucht? Muhammad Ibn Ibrahim Al-Hamad weet raad:

'De rechtsgeleerden hebben vermeld dat het aanbevolen is voor de vrouw om te kijken naar de man die zich aanbiedt om haar ten huwelijk te vragen, want zaken van hem kunnen haar bevallen, net zoals zaken van haar de man kunnen bevallen. Als de vrouw de man pas ziet na het huwelijk, kan het zijn dat ze hem enkel door hem te zien, verafschuwt.'

Al-Maktabah heeft ook het bij Editions Almadina uitgegeven *Het genot van het koppel*. Van vrouwenspecialist Hassan Amdouni staat er *De maanstonden, de metrorragies en de kraamvloed*. Van antidarwinist Harun Yahya het handboek *Het bedrog van de evolutie*. En van Ibn Qayyim al-Jawziyya *De tien mogelijkheden tot bescherming tegen de jaloersheid, de hekserij, de afgunst, het kwade oog en tegen het influisteren van de demon.* Bij sommige boeken blijft nogal onduidelijk waar ze over gaan. Dat had ik bijvoorbeeld bij het tweedelige opus *Een selectie uit de uitleg van de Tuinen der Oprechtigen* van Al-Imaam Aboe Zakariyya Yahya ibn Sharaf.

Altijd leuk om in te bladeren is *Vragen en antwoorden over het moslimkind* van uitgeverij Ahl-Ul-Hadith. Een typische vraag is: 'Ik heb een vrouw en acht dochters met haar en zij heeft een zus die vijftien jaar jonger is dan haar. Een man heeft borstvoeding gekregen van haar moeder en werd daardoor haar broer. Mijn probleem is dat mijn dochters volhouden dat hij een oom uit zoogmoederschap van hun moederskant is en zij dragen daarom geen hidjab in zijn aanwezigheid. Ik probeer ze tegen te houden, maar ze weigeren te luisteren.' Het antwoord luidt: 'Het is toegestaan voor je dochters om hun hidjab af te doen voor hun oom uit zoogmoederschap.' In het antwoord op een andere vraag wordt gewaarschuwd tegen het afsnijden van de penis: 'De islamitische besnijdenis is als volgt – het verwijderen van alleen de voorhuid die de eikel van de penis bedekt. In sommige barbaarse landen is het gebruikelijk om de huid weg te halen die de hele penis bedekt of om de penis in zijn geheel af te snijden. Onwetend dat ze zijn, beweren ze dat dat de voorgeschreven manier van besnijden is. Dit is slechts een voorschrift van de duivel die dit gebruik aantrekkelijk heeft weten te maken voor de onwetenden.'

Voor ouwe snoepers, en daar hoor ik zelf ook een beetje bij, is er *Polygamie in de islam*, een uitgave van het Nederlands Islamitisch Boekhuis te Kerkrade. De auteur of auteurs – er worden op de kaft geen namen genoemd – schrijven in het voorwoord: 'Nadat u dit werk heeft gelezen zult u insh'allah minder bevooroordeeld zijn en inzien dat polygamie lang niet zo barbaars is als velen denken.' Nu lijkt polygamie een redelijk eenvoudige institutie. Zolang je je vrouwen maar gelijk behandelt, is eigenlijk alles in orde. Maar in feite zijn er allerlei haken en ogen waar je niet direct aan denkt. Stel, u gaat op reis. U hebt vier vrouwen en ze passen niet allemaal in de auto. Ah, daar had u nog nooit aan gedacht. *Polygamie in de islam* komt met de oplossing: 'Als de man op reis wil gaan en een vrouw kan en wil meenemen, dan moet hij tussen hen kiezen door lootjes te trekken omdat ze allemaal evenveel rechten hebben om met hem te reizen als ze dat willen. De man is niet verplicht de tijd die hij tijdens zijn reis heeft besteed in te halen met zijn andere vrouwen, ongeacht de lengte van zijn reis.'

Perikelen rond de tijdsverdeling kunnen ook ontstaan bij een nieuw, aanvullend huwelijk. In het boek worden die omschreven als 'de tijdsrechten van de nieuwe vrouw'. Het advies terzake luidt: 'Wanneer een reeds getrouwde man een nieuwe vrouw trouwt wordt hem door de wet een kennismakingsperiode gegund van zeven dagen als ze een maagd is en drie dagen als ze al eerder getrouwd was. Hij hoeft deze dagen niet in te halen bij zijn andere vrouw(en). Zodra de nieuwe vrouw haar tijdsrechten heeft gehad, moet de man beginnen zijn tijd eerlijk te verdelen onder zijn andere vrouwen door lootjes te trekken om te bepalen met wie hij zal beginnen.'

Helaas kom je maar weinig over polygamie te weten via moslims die zelf proactief en enthousiast polygaam zijn. Het is een terrein waar discretie de rigueur is. Uit het leven gegrepen verhalen krijg je zelden of nooit te horen. En toch is het me een keer overkomen. Dat kwam zo. In 2006, toen ik in Soedan werkte, zat ik op een dag thee te drinken bij een sitalchai in Nyala, een stad in Darfur. Sitalchai's zijn theeverkoopsters zoals je die op heel veel plekken in Soedan tegenkomt. Je zit op straat op lage krukjes rond een komfoor waarop de hele dag ketels water staan te pruttelen. De sitalchai, die soms ook prostituee is, zit half verschanst achter een indrukwekkende rij glazen potten met verschillende soorten thee, kaneelstokken, hibiscusblaadjes, kruiden en mysterieuze, nogal eng uitziende ingrediënten. Het is een plek waar bijna altijd vrolijkheid heerst en waar de mannen uit de buurt – het zijn uitsluitend mannen die bij de sitalchai komen – de verhalen van de dag uitwisselen.

Enfin, bij die sitalchai in de buurt van de grote markt van Nyala raakte ik aan de praat met een zekere Saddiq. En die maakte daar een beetje misbruik van om – zo gaf hij ruiterlijk toe – zijn Engels te oefenen. Terwijl hij met mij sprak, keek hij zo nu en dan schalks rond om te zien of zijn talenkennis door de andere theedrinkers wel voldoende werd bewonderd. Saddiq, zo bleek, was onderwijzer. Naast hem zat zijn vriend Fadul. Fadul was overgekomen uit het verre Khartoem. Hij was gekleed in een prachtige, strak gestreken djellaba en was veel dikker dan Saddiq – in ieder geval te dik voor een schamel onderwijzerssalaris. Via Saddiq vroeg ik Fadul of hij misschien koopman was. Nee. Had hij misschien een vrachtauto en was hij naar Nyala gekomen om spullen op te halen? Nee. Wat bracht hem dan naar Darfur? Had hij hier soms familie? Nee, ook niet. Hij was toch zeker geen toerist – nota bene in Darfur! Nee, natuurlijk niet. Even lachte hij verlegen en toen kwam het eruit: hij was herenboer en was naar Nyala gekomen voor een nieuwe vrouw. Hij had al twee vrouwen, maar wilde er een nieuwe bij.

Ook de andere mannen waren nu opeens een en al oor. Fadul was eenenvijftig jaar en de tijd was rijp voor een extra vrouw. Zijn eerste vrouw was vijfenveertig, zijn tweede vrouw vierendertig en nu was hij op zoek naar een meisje van zo'n jaar of zestien. Maar het ging niet zomaar om een jong kippetje. Nee. Ze moest lang zijn. En belangrijker nog, ze moest elegant zijn en gracieus als een dadelpalm. Met zijn hand tekende hij in de lucht een ranke palmboom.

Om mij heen begonnen de andere mannen begrijpend te knikken en met de tong te klikken. Ze wisten dat ze hier van doen hadden met een man van de wereld. Liep hij nu door Nyala op zoek naar leuke meisjes, vroeg ik. Hij keek mij geschrokken aan. 'O nee, helemaal niet, wat denk je wel. Ik zoek een meisje dat haar huis nog niet uit is geweest. Meisjes die hier rond de markt lopen, zijn al verprutst, zelfs als ze verder van onberispelijk gedrag zijn. Ik wil een jonge vrouw die van wanten weet in het huishouden en die nog niemand heeft leren kennen buiten haar eigen huiselijke kring. Kijk, dat is nou het probleem met meisjes in Khartoem. Die zijn naar school geweest, die hebben allerlei verwachtigen, beginnen meteen te zeuren en krijgen allerlei streken. Maar vooral haar leeftijd – zo'n zestien, zeventien jaar – blijft voor mij een sleutelgegeven. In de Koran heeft Allah de mannen aanbevolen jonge meisjes te huwen, opdat zij, de mannen, kunnen genieten.'

En hoe moest dat nou met die vrouw nummer één en die vrouw nummer twee, vroeg ik voorzichtig. Geeft zoiets geen problemen? Worden die dan niet jaloers? 'Ha, ja', reageerde Fadul, 'dat kan inderdaad een probleem zijn. Natuurlijk worden zij heel kwaad en jaloers. Maar daar heb ik een oplossing voor. Ook toen ik met mijn tweede vrouw trouwde, was nummer één natuurlijk ontzettend boos. Maar dat heb ik toen opgelost door haar parfum te geven en een heleboel kleren en cadeautjes en geld. En die aanpak ga ik bij mijn derde huwelijk opnieuw volgen.' In de kring van theedrinkers klonk bewonderdend gemompel. Mijn buurman stootte me aan en zei: 'Kijk, die Fadul, dat is nu echt een slimme vos. Die weet tenminste hoe je met vrouwen om moet gaan!'

Fadul had vanuit Khartoem al via via contacten gelegd met een aantal vaders met dochters. Hij zocht een meisje van de Beni Hillal, een kleine Arabische stam in Zuid-Darfur. Eigenlijk had hij nog liever een meisje diep uit het binnenland. Een meisje uit een ver dorp. Zo'n meisje was namelijk bij uitstek meegaand. Op het platteland lag ook de prijs weer beter. In Khartoem was je toch al gauw vierduizend Soedanese pond kwijt, en als het om een bijzondere vrouw ging, kon de prijs zo oplopen tot dertigduizend. In de buurt van Nyala daarentegen kwam je met tweeduizend pond al een heel eind.

'Maar, Fadul, zo'n meisje moet toch instemmen met het huwelijk? Denk je dat dat zomaar gaat lukken?' Even liet hij nadenkend de kralen van zijn gebedskrans een voor een door zijn dikke vingers glijden. 'Ja, dat gaat wel lukken. Natuurlijk moet het meisje ermee instemmen. Maar, weet je, bij families van de Ben Hillal hebben de vaders een scherpe stem. Een meisje zal daar niet gauw tegenstribbelen.'

Op de terugweg naar Khartoem zat ik in het vn-vliegtuig naast een modern geklede moslima. Ze bleek een Pakistaanse vn-expert te zijn. Haar familie woonde in Engeland en zij was er zelf ook opgegroeid. Toen ik haar vertelde over dat gesprek met Fadul, reageerde ze niet echt verbaasd. 'O, maar bij ons in Bradford komt het ook heel vaak voor dat een man meerdere vrouwen heeft. Dat is ook een van de redenen waarom er nu in Engeland een discussie gaande is over de sharia. Met name speelt de vraag of op het vlak van het familierecht de regels van de sharia kunnen worden gevolgd.'

Onlangs stond ik weer eens bij Al-Maktabah discreet in *Polygamie in de islam* te snuffelen, toen er opeens twee leuke moslima's naast mij stonden. 'Dit is pas een ontzettend goed boek', zegt het ene meisje enthousiast tegen het andere. Voorzichtig kijk ik op-zij en ik zie dat zij *Fouten van de echtgenote en hoe ze te verbeteren* in haar hand heeft. Het is een heel mooi meisje. Ik smelt hele-maal. Ze heeft een lief gezicht en een zachte, olijfkleurige huid, en even overweeg ik om haar *Polygamie in de islam* aan te beve-len. Maar met zoiets moet je altijd heel snel en kordaat zijn. Het andere meisje zegt: 'Goh, ze hebben nieuwe hoofddoeken!' en sa-men schrijden ze naar de toonkast met de vaal gekleurde hidjabs. Mijn gouden kans is voorbij. Na een minuut of tien zie ik ze weg-lopen. Ze hebben niets gekocht. Als ze de winkel uitstappen, zegt het apparaatje aan de deurpost in het Arabisch: 'Bismillah, ver-geet niet tot Allah te bidden!'

George Vogel, die vroeger in een slachthuis werkte, is een van de weinige autochtonen voor wie de omgang met allochtonen iets totaal natuurlijks heeft. Allemaal gaan we natuurlijk om met allochtonen. Op het werk. Of even een pizza of een kapsalon halen bij de Turkse pizzeria. Dat soort momenten. Wat een kapsalon is? Een kapsalon is een nieuw culinair hoogtepunt uit het andere Nederland. Voor de oudere lezers: het gaat om een elegant gekarteld aluminiumfolie bakje met een bodempje krokante frietjes, daarop een bedje fijngehakt shoarmavlees dat liefdevol wordt afgedekt met een dun gulden vlies van gesmolten kaas, en daar overheen een royale kwak knoflookmayonaise waarin een paar schalkse, net gesneden, nog natte komkommerschijfjes steken. Zelf eet ik de kapsalon meestal in combinatie met een glas koude chocomel. Op die manier heb je in één ruk alle zes essentiële voedselgroepen tot je genomen. De rest van de dag mag je dan junkfood eten.

Waar was ik? O ja, bij onze contacten met allochtonen. Die houden vaak toch iets gekunstelds. We doen extra ons best om alles heel normaal en leuk te laten lijken. Maar we voelen *deep down* dat het niet helemaal 'echt' is. George daarentegen lijkt wrijvingsloos in en uit de wereld der allochtonen te glijden. Ik leerde hem kennen na de try-out voor het toneelstuk *In de naam van de vaders*, waarin hij samen met twee andere Hollanders op het podium stond met elf allochtonen. Dertien autobiografische schetsen die in flarden zijn opgesplitst, maar uiteindelijk toch een fascinerend, min of meer samenhangend geheel vormen.

In het zaaltje van buurttheater Pierrot zit een gemêleerd publiek, dat toch vooral afkomstig is uit het Laakkwartier, waar ook de acteurs wonen. Het is maar een try-out, dus we zijn vergevensgezind. We gaan er echt voor zitten. Dertien keer een beknopt *Terug naar Oegstgeest*. Maar dan bijvoorbeeld in een Afghaanse, of een Iraakse, of een Marokkaanse setting. Professor Taky uit Irak, die ook meedeed, vertelde hoe hij in zijn jeugd ruzie met zijn vader kreeg over water. Op school had hij geleerd dat water is samengesteld uit waterstof en zuurstof. Nee, zei zijn vader, water komt van Allah. En het zijn zijn engelen die het naar de aarde brengen. Alatin, een Turk, had het over de koe die hij als jochie in de Anatolische bergen was kwijtgeraakt, en wat zijn vader deed toen die dat hoorde. Wij allemaal vrolijk lachen om al die toestanden. Wat zijn dat toch gekke, idiote landen.

Maar opeens slaat de sfeer in de zaal om. Het publiek wordt muisstil. Dat gebeurt als George begint te vertellen over zíjn vader. En wat zijn vader met zijn zusjes, Georges zusjes, had gedaan. We luisteren verbluft. Iemand die op het toneel, nota bene tegenover zijn eigen buurtbewoners, vertelt over de incest van zijn vader. Het verhaal begint nogal onschuldig in een dialoog tussen George en een andere speler, Hainly. Ik neem letterlijk de tekst van toneelschrijver Jos Bours over, want parafraseren zou zonde zijn.

George:
Ik heb bijna veertig jaar gewerkt.
Sterk als een beer, want ik liep zo met hondertwintig kilo op mijn rug in de slachterij.
Altijd alles zelf gedaan, klussen, totale verbouwingen, muren weggebroken.
En dan in één keer ken je nog geen schroefje in de muur krijgen.

Van het ene op het andere moment krijg ik mijn linkerarm
niet meer omhoog.

Nekhernia.

Daar is een heel stuk weggehaald, dat krijg je nooit meer terug.

Die spieren, dat ben je kwijt.

Ik kan alles nog wel bewegen, maar daar zit helemaal geen
kracht meer in.

Volledig afgekeurd.

Na veertig jaar werken.

Hainly:
Dat is hard, ja.

George:
Ja, daar ben ik een hele tijd kapot van geweest.
Maar daar kom je uiteindelijk wel overheen...
(stilte, kijkt Hainly aan)
Gek hè..., ik vind je een aardige kerel... zo op het eerste gezicht, maar ja, als man ga je niet zomaar...
(maakt een gebaar van praten)

*(George staat op en loopt met zijn handen in de zakken naar
het midden van het toneel)*

George (strak voor zich uit):
Hij maakte asbakken schoon.

Hainly:
Wie?

George:
Mijn vader.

Hainly:
Asbakken?

George:
Ja, van die asmemmers van vroeger. Vuilnisbakken. Dan liep hij achter de vuilnisman en dan pakte – zulke klauwen had ie – dan pakte hij de asbakken, asemmers waren dat toen, die maakte hij schoon en dan werden ze op de kop gezet.

Hainly:
Oké.

George:
En mijn zussen heeft ie ook gepakt.
(stilte; Hainly staat langzaam op, kijkt hem geschrokken aan)
Maar toen heb ik hém gepakt.
(richting publiek, in zichzelf)
Ik ben zestien.
Ik heb die ouwe bij de strot.
Ik werk op het slachthuis, dus heb ik mijn messen binnen handbereik.
Met mijn uitbener sta ik voor hem.
Ik prik hem vast aan de deur.
Mijn moeder springt ertussen.
(kijkt voor het eerst Hainly aan)
Snap je?
Het is dat mijn moeder ertussen sprong...
Kijk, dat was nou mijn vader.

En als het nou zo was dat je het allemaal zo mooi kon weg-
bergen en afsluiten.

Nee, niks is wat het lijkt.

Die dag heb ik me ingeschreven om te gaan varen.

Ik moest weg daar!.

We hebben de politie er wel bij gehaald, maar een paar uur
later zat ie weer aan de keukentafel.

Vroeger kwamen ze ermee weg.

Die George fascineerde me. Al meteen toen hij op de planken
stond, maar meer nog toen ik hem na afloop in de kantine van
het buurttheater bij de mouw kon grijpen. Met Jos Bours en enkele spelers zat hij na te praten, nog half gestrest van het acteren.
Maar hij was vooral blij, want de try-out was een daverend succes. Hij gaf me zijn telefoonnummer en enkele weken later zitten we samen in de ontvangstruimte van het Vadercentrum in
het Laakkwartier, een vrouwencentrum, maar dan voor mannen.
Hij koffie, ik weer chocomel. Sommige mannen in het centrum
herken ik van het toneelstuk. Ik kan het niet laten om George te
vragen naar dat fragment over incest.

George: 'Jos en z'n vrouw kwamen me interviewen. Alles kwam
op de band. Daarna kwam hij met het script en ik heb toen meteen gezegd: Daar sta ik helemaal achter. Maar na die eerste try-
out was ik helemaal leeg. Toen kwamen al die beelden weer naar
voren van vroeger. Mijn vader is al vijftien jaar dood. Tegen het
einde van zijn leven heb ik hem nog wel eens gesproken. Maar dat
ene thema kwam niet ter sprake. Mijn zussen heb ik al zo'n zeventien jaar niet meer gezien. Behalve mijn zussen weet mijn familie verder van die hele situatie niets af. Zij zoeken geen contact
met mij en ik niet met hen. Geen ruzie of zo. Maar bij familie loop
ik de deur niet plat. Ik heb dat hele verhaal nu al vijf of zes keer

op de planken verteld. En iedere keer gaat mijn hart nog als een gek tekeer. Er zijn genoeg mannen naar me toe gekomen. Vrouwen ook. Die willen na afloop praten. Ik vind het ontzettend goed dat je dat zo op het toneel durft te zeggen, zeggen ze dan. Trouwens ook allochtone mannen komen naar me toe om te zeggen dat ze het zo goed vinden dat ik erover praat. Maar nog geen enkele allochtone man die me heeft gezegd dat ie binnen zijn eigen familie ook zoiets heeft gehoord of meegemaakt.'

Ik vraag George of het niet vreemd aanvoelt om zo in het openbaar over je eigen leven te praten, en dan nog wel in een gezelschap dat hoofdzakelijk uit allochtonen bestaat. George: 'Nee, eigenlijk niet. Weet je, ik heb vroeger al veel met Marokkanen gewerkt. Op het slachthuis hier in Den Haag. Toen ik begon, veertig jaar geleden, werkten er nog heel veel Turken en Marokkanen. Die zaten vooral op de darmenwasserij. Vroeger zaten alle worsten nog in darmen. Nu wordt darm alleen nog door hele goeie slagers gebruikt. Op de darmenwasserij werkten oorspronklijk vooral vrouwen. Hollandse vrouwen dus. Maar die werden eruit gebonjourd. Die Marokkanen waren veel goedkoper. Die darmen werden opgeblazen om te zien of er gaatjes in zaten. De delen met gaatjes moesten worden weggesneden. Vrouwen waren daar heel behendig en snel in. Maar op een gegeven moment ging het slachthuis dicht.'

'Daarna ben ik op de vrachtwagen gegaan. Jarenlang puincontainers gereden. Ook met collega's uit Turkije en Irak. En hun vrouwen, tien, twintig jaar geleden, die keken je gewoon aan. Mijn onderbuurman vroeger, zijn vrouw rookte ook en daar stond ik gewoon mee te praten. Maar als haar ouders uit Turkije overkwamen, deed ze een hoofddoekje om. Met zo'n knoopje onder de kin. Vroeger kwamen die Turken en Marokkanen allemaal gewoon over de vloer. Lol trappen. Vissen. Pilsje drinken. Op de za-

terdag een roeibootje huren op de Kaagse Plassen. Vroeger woonde ik in de Schilderswijk. Maar in de straat waar ik nu woon, zijn
allemaal koopwoningen. En die zijn nogal klein. Te klein voor Marokkaanse gezinnen.'

George roert wat in zijn inmiddels koude koffie. Met een enorme hand, meer een klauw eigenlijk, zoals zijn vader ook had,
brengt hij het kopje naar zijn mond. Hij oogt als een vriendelijke, haast wat verlegen man. Maar ik zou niet graag ruzie met hem
krijgen. We komen opnieuw over het slachthuis te praten. 'Het
was keihard werken', zegt hij. 'Je kreeg zoveel of zoveel koeien
aangeleverd. En die moesten allemaal dood. Er was eigenlijk geen
schafttijd. De koffie moest je halen. Als de kopjes maar half vol
zaten, werden ze gewoon met de waterslang aangelengd. Het was
altijd gejakker. En als er iets fout ging, dan kwamen we in de Ur-
sulakliniek terecht. Het was daar echt katholiek – boven iedere
deur hing een kruis. Dan zeiden we tegen die Marokkanen: Als
je door die deur gaat, is het helemaal afgelopen met je! Daar konden we gewoon grappen over maken.'

'Dat waren toen allemaal van die jongens van een jaar of acht-
tien. Op het einde van de dag zat je helemaal onder de stront.
Dan gingen we met z'n allen onder de douche. Geen probleem.
Zo'n lange douchelijn met een rij koppen. Net als op een voet-
balclub of in de mijnen in Limburg. Dan zeiden we tegen ze: Jongens, maak je niet ongerust, de grootte maakt niets uit! Die zegt
niets! En zij deden even hard mee met dat soort grapjes. Wat heb
jij een lekker kontje! zei dan zo'n Marokkaan. Nu is er in de slacht-
huizen geen gezelligheid meer. Het is allemaal lopende band geworden. Niemand weet meer hoe je op de grond een koe moet
slachten. Vroeger werden ze geschokt en dan werd de luchtpijp
doorgesneden. Als ie was uitgebloed, werd de kop gevild. Dan

werd ie in stalen beugels omhooggetrokken en dan kon het uitsnijden beginnen. Dat was speciaal werk.'

'Er werden voor de gein wel eens wat stukken rondgegooid. Een uier of zo. Er vloog ook wel eens een oog door de lucht. Soms ook een mes. Dan hadden er een paar ruzie. Het was wel een ruw en hard volkje. Het was een keiharde wereld. Ik kwam erin terecht als jochie van veertien jaar. Als je wat verkeerds zei tegen iemand die er al langer werkte, dan kreeg je een hoek van hem en een dreun. Dan lag je meteen in de bloedgoot te spartelen. Ouderen behandelde je met respect. Veel mensen hielden het maar een half uur vol. Al dat opensnijden, daar konden ze gewoon niet tegen. Maar die Turken en Marokkanen, die hadden dat allang eerder gezien bij die offerfeesten. Alleen dat halal slachten, dat mocht hier in ons land niet. Maar stiekem deden ze het toch. Dan hadden ze een koe gekocht en kwamen ze met een broodmes aanzetten. Maar juist bij de nek is de huid op z'n dikst. Dat werd dan een enorm akelig, bloederig gedoe. In het slachthuis werden de dieren altijd eerst geschokt. Dus dat is al niet halal.'

'Trouwens, die jongens deden gewoon mee met varkens slachten. Dat was toen geen enkel probleem. Stonden ze gewoon die varkensbuiken uit te benen en zo, en ook de ribben. Als we daar opmerkingen over maakten, zeiden ze: Ach, Allah ziet echt niet dat we met varkensvlees bezig zijn. Allah slaapt...!'

In Amsterdam opereert sinds enkele jaren de Formulierenbrigade. Even uitleggen. Heel veel mensen hebben net als ik moeite met het invullen van formulieren. En onder nieuwe allochtonen heerst een ware formulierenvrees. Als je iets verkeerd invult, ook al is het per ongeluk, word je dan niet van fraude beschuldigd? Moet je dan niet het land uit? Welnu, de Amsterdamse Formulierenbrigade biedt soelaas.

Voor sommigen – dat heb ik wel gemerkt – heeft het woord Formulierenbrigade iets engs. Ze schrikken even. Past het in het rijtje Rote Armee Fraktion en Brigate Rosse? Is er in Amsterdam een groep veganistische extremisten actief die archiefkasten opblaast? Nee, het gaat om een groep heel erg aardige mensen die anderen helpen bij het invullen van overheidsformulieren. En als je dat eenmaal weet, vind je het opeens een ontzettend leuk woord – een echte trouvaille. Zoiets als 'groentejuwelier' of 'heimweemoskee'. Ik ben er wel een beetje jaloers op als mensen dit soort woorden weten te smeden. In wezen is een ploegje figuren dat zich toelegt op het invullen van formulieren haast per definitie oersaai. Maar dankzij die schitterende benaming krijgt het toch iets swingends. En het heeft als samengesteld woord ook een prachtige interne spanning: 'brigade' is duidelijk macho, terwijl dat 'formulieren', zeker als je het zorgvuldig uitspreekt, juist iets homoachtigs heeft.

De brigade is gehuisvest op de tweede etage van de DWI-kantoorkolos aan de Jan van Galenstraat. DWI staat voor Dienst Werk en Inkomen van de gemeente Amsterdam. Het meeste werk gebeurt gewoon in een kantoorsetting. Maar soms rukken brigadeleden op de fiets uit naar een portiekwoning in Bos en Lommer of een galerijflat in de Westelijke Tuinsteden. Dit als speciale dienstverlening aan mensen die niet goed meer ter been zijn of die, erger nog, niet meer kunnen zien.

In het DWI-gebouw heerst een strenge discipline. Zo mag je er als bezoeker geen mobiele telefoon gebruiken. Als je het toch doet, staat er meteen iemand naast je met een donker pak en een oordopje met zo'n eng vleeskleurig draadje dat onder de kraag verdwijnt. 'Meneer, er mag hier niet mobiel gebeld worden.' Beschaamd stop je je mobieltje weer weg. Je denkt: Amsterdam is leuk, in Amsterdam mag alles – blowen, xtc, je als masochist in een glimmend leren pak laten martelen. Maar even mobiel bellen bij de DWI – *no way*. In de hal beneden en in de gangen hangen overal plakkaten met 'Onze huisregels'. 'Het is niet toegestaan te schelden, te dreigen, geweld te gebruiken. Ook is het verboden spullen stuk te maken of te beschadigen.'

Als ik het sta over te schrijven, staat er meteen weer iemand met een oordopje naast me. 'Zo, u schrijft onze huisregels op?' Gelukkig is er geen huisregel die het verbiedt om huisregels op te schrijven. Hij blijft naast me staan, terwijl ik doorga met schrijven. Regel 6: 'Ook mag u geen muziekinstrumenten gebruiken of lawaai maken.' Dat van die muziekinstrumenten intrigeert me en ik vraag aan de meneer met het oordopje of het inderdaad wel eens voorkomt dat er iemand met bijvoorbeeld een harp het gebouw binnenkomt. 'Nou nee', zegt hij, 'het staat er meer als preventieve maatregel.'

Niettegenstaande het hardvochtige regime in de rest van het gebouw is het op de tweede etage, in de zaal van de Formulierenbrigade, gewoon gezellig. Niet dat er niet gewerkt wordt. Al zou de term 'noeste arbeid' te ver gaan, toch wordt er aangepakt. Het gaat meer in golven. Soms zitten alle tien à twaalf medewerkers ijverig achter hun terminal aan de hand van salarisstrookjes,ontslagbrieven, doktersverklaringen en bankafschriften allerlei formulieren in te tikken. Maar zodra er iemand iets zegt of als er iemand binnenkomt, is de concentratie weg. Bijvoorbeeld als Erwin, een lange knappe Surinamer, samen met Alice, ook een medewerker uit Suriname, terugkeert van een huisbezoekje aan de Postjesweg.

Alice, terwijl ze nog een beetje puffend haar handtas op haar werktafel neerzet: 'We bellen aan en er maakt een Mister Chagrijnig open. Die gozer staat in z'n onderbroek in de deur! Gewoon echt een randdebiel.' Nadesjda kijkt meteen op van haar computerscherm en zegt: 'Nee joh, dat noemen we tegenwoordig *mentally challenged*.' Erwin, verbaasd: 'Alice, weet je, ik heb toen net echt helemaal niet gezien dat die man in onderbroek stond! Misschien omdat hij ook zo'n lang onderhemd aanhad.' Iemand anders: 'Nou, Erwin, als er een vrouw in onderbroek had opengedaan, dan had je het absoluut wel gezien – zeker weten!' We lachten allemaal – ook Erwin.

Dan is het weer een tijdje rustig. Je hoort alleen het gezoem van de airconditioning en het zachte getik op de toetsenborden. Dan opeens: 'Jongens, daar gaat de telefoon van Abdul!' We kijken allemaal in de richting van Abduls werkplek. Maar die is leeg. Waar is Abdul? Niemand die het weet. 'Was die niet naar de tiende etage?' probeert iemand voorzichtig. Op de tiende etage zit het management van de DWI. Na een paar keer houdt het rinkelen op.

De leden van de Formulierenbrigade helpen andere mensen, maar worden in één moeite door ook zelf geholpen. Een plaatsing bij de Formulierenbrigade heeft mede als doel om de eigen medewerkers te helpen terug te keren in een normale arbeidssituatie. Het gaat om mensen die langdurig werkloos zijn geweest of in een dip zijn geraakt. Ze zitten, zoals dat heet, in een re-integratiecircuit. Daarom mogen de meesten er in beginsel ook maar twee jaar blijven. De Formulierenbrigade is voor hen de draaideur naar een normaal leven.

In het verleden kregen de medewerkers het minimumloon. Maar dat bleek, omdat het niet om een gewone werkrelatie ging, in strijd met de Europese regelgeving. Daarom krijgen ze voortaan een bijstandsuitkering aangevuld met stagevergoeding. Dat is een *loophole* waar de heren in Brussel kennelijk even niet aan hadden gedacht. Bijstand met stagevergoeding is trouwens een kreet die je op de werkvloer bij de Formulierenbrigade vaak hoort vallen. En het is daardoor eigenlijk één woord geworden: 'bijstandmetstagevergoeding'. Ik mag die mensen van de Formulierenbrigade wel.

Op een middag loop ik met Edmee, een bebrilde, wat oudere mevrouw met een lief, zorgzaam gezicht, naar een ander deel van de tweede etage, waar zich een grote ruimte met loketten bevindt. Edmee moet een lijstje klanten afwerken. Klanten die bij de DWI binnenkomen, moeten zich eerst op de begane grond melden bij de balie. Het management van de DWI heeft bedacht dat de baliemedewerkers daar 'stewards' heten. Ook de dames. Die heten dus niet stewardessen, maar stewards. Een Anatolische herdersvrouw die net op haar inburgeringscursus met veel gegiechel het moeilijke, maar essentiële woord 'ba-lie-me-de-wer-ker' onder de knie heeft gekregen, kan dit allemaal natuurlijk niet meer volgen.

Enfin, een steward heeft net naar Edmee gebeld om te zeggen dat Firouze voor haar afspraak is gearriveerd. Terwijl Firouze zich onder begeleiding naar de loketruimte begeeft, neemt Edmee mij mee naar de overkant van de etage. We passeren een witgelakte vakjeskast waar alle formulieren en informatieblaadjes liggen. Althans die waar de brigade veel mee te maken krijgt. Ik mag snel het een en ander meenemen. Er is een tijd geweest dat overheidsformulieren in andere talen werden vertaald. Om de integratie een extra impuls te geven is daar een einde aan gemaakt. Maar daardoor ontstond meteen een nieuw probleeem, omdat veel allochtonen gewoon geen Nederlands begrijpen. En hier kan opnieuw de overheid – via de Formulierenbrigade – soelaas bieden.

Ook beneden in de hal van de DWI staan rekken met formulieren. Daar sluipt nog wel eens een formulier tussen dat toch diverse talen bevat. Dat is dan van een gesubsidieerde niet-overheidsinstantie. Bijvoorbeeld van de ZABzorg. ZAB staat voor Zorg Advies Bureau. De folder daarvan is in drie talen: Nederlands, Turks en Arabisch. ZABzorg licht toe dat het zich specialiseert in belevingsgerichte 'transculturele zorg', waarbij de cliënt de regie in handen houdt. Mocht dat precies zijn wat je al tijdenlang zoekt, dan kun je bij ZAB aankloppen. 'Dan bent u bij ons aan het goede adres!' zegt de folder. 'Buyrun kapimiz herkese acikir!' ZAB doet onder meer aan 'activerende begeleiding'- 'hareket aktif yonlendirme' – en 'ondersteunende begeleiding' – 'desteksel yonlendirme'.

Wat is nou weer activerende begeleiding? Een Turkse importbruid moet bij dat 'aktif yonlendirme' toch ook raar opkijken? En dan hebben we het nog niet over haar neef, met wie ze net getrouwd is. Die zegt tegen haar: 'Wat moet die folder hier? Ga jij op aktiv yonlendirme? Ga jij met Hollandse mannen op aktiv yonlendirme? Daar komt niets van in. Jij blijft gewoon thuis!'

In het rek beneden staan trouwens ook enkele folders van de DWI zelf. Een van die folders heet 'Vakantieregels'. Die gaat over vakantieregels als je een bijstandsuitkering hebt. 'Kan ik naar het buitenland én in Nederland op vakantie?' Antwoord: 'Ja, u mag uw vakantiedagen verdelen over verblijf in het buitenland en vakantie in Nederland. Zo kunt u bijvoorbeeld twee weken naar het buitenland en twee weken in Nederland op vakantie.' Voor kunstenaars met een wwik-uitkering gelden ruimere regels voor verblijf in het buitenland. Dat blijkt uit de dwi-folder 'Kunstenaars'. Het kan namelijk zijn dat een kunstenaar zich toelegt op het schilderen van palmenstranden. 'Is uw verblijf in het buitenland nodig voor uw beroep, dan gelden andere regels. Stuur dan kopieën van alle bewijzen voor uw reis naar ons toe. Bij twijfel over de beroepsmatige noodzaak van een langer verblijf in het buitenland vragen we Kunstenaars&Co om advies.'

Naderhand heb ik de website van Kunstenaars&Co eens bekeken en toen zag ik dat dat gewoon een hele leuke, best wel gekke club is. Die zal, als je met een beetje artistiek verhaal komt, denk ik niet gauw nee zeggen. Maar als je verstandig bent, moet je in de aanvraag natuurlijk wel duidelijk maken dat het verblijf in zo'n exotisch oord ook veel pijn teweeg kan brengen en soms zelfs een verschrikkelijke, existentiële *angst* in je oproept ('De gitzwarte silouetten van de palmen tegen de donkerpaarse avondlucht herinneren me aan de onherroepelijkheid des doods...'). Je kunt op het formulier natuurlijk ook altijd appelleren aan de empathie van de jongens en meisjes bij Kunstenaars&Co: 'Mijn beeldenserie "Pattaya!" zal bovenal een *hommage* worden aan de moedige Thai die na de tsunami een nieuw leven proberen op te bouwen'.

Edmee en ik zijn bij loket nummer 12 aangekomen. We gaan samen aan de lokettistenkant zitten. Als je 'achter' een loket zit, ziet de wereld er plotseling heel anders uit. Veel vrolijker. Opeens voel je dat je *power* hebt. Firouze is er nog niet en ik blader snel door de informatiefolders die ik uit de witgelakte vakjeskast heb meegegrist. 'Kindgebonden Budget/ aanvraag of wijziging', 'Aanvraag Plusvoorziening 65+', 'Voorlopige Aanslag/Alle heffingskortingen 2009/ aanvraag of wijziging', 'Langdurigheidstoeslag', 'PC-voorziening', 'Aanvraag WWB/IOAW', 'Aanvraag kwijtschelding gemeentebelasting'. 'Scholierenvergoeding 2009/2010'.

Edmee werkt snel en efficient. Voor het formulier van Firouze heeft ze maar enkele minuten nodig. Daarna volgen er allerlei andere mensen en formulieren. Edmee beschikt over een perfecte mix van zakelijkheid en inlevingsvermogen. Telkens als je denkt: Nou Edmee, zou het niet eens tijd worden voor een meelevende blik, komt ze met een meelevende blik. De laatste op de klantenlijst is een Marokkaanse meneer. Hij heeft vierentwintig jaar in de bloemen in Aalsmeer gezeten. Werkte er op de expeditieafdeling.

'Kom ik terug van vakantie en is die hele expeditieafdeling opgeheven! Nou ja, die afdeling bestaat nog wel, maar niet meer voor ons. Wij zijn eruit gezet en er zijn allemaal Polen voor in de plaats gekomen. Zestig Polen! Die zijn zeker goedkoper. Vorig jaar kreeg ik nog een speciaal certificaat als blijk van waardering. Weet je wat erop stond? Ahmed is de Topper van 2008!' Hij vraagt aan Edmee hoe lang het gaat duren voordat de werkloosheidsuitkering rond is. Edmee legt met meelevende blik uit dat ze het formulier met voorrang zal invullen, maar dat het nog wel ter controle een sociaal raadsman moet passeren, voordat hij, Ahmed, het ingevuld terugkrijgt. En dan moet het nog helemaal door de ambtelijke molen.

'Ik ga wel vechten voor mijn twee kinderen', zegt Ahmed. 'Als ik die uitkering niet snel krijg, ga ik zelf wel mooi eten halen bij de Van den Broek of de Albert Heijn.' Met een snel, wanhopig gebaar maakt hij duidelijk dat dat eten halen in die situatie buiten de caissières om zal geschieden. Dan, met stemverhoging: 'Mevrouw, ik ga vechten voor die twee kleintjes. Ik woon hier al tweeëndertig jaar. Ik heb altijd gewerkt en nooit heb ik een uitkering gehad. En let erop, als ik boos ben, word ik een heel moeilijk mannetje!' Achter hem verschijnt vanuit het niets een meneer met een oordopje. Niets bedreigends, gewoon even kijken of alles nog lekker oké is.

Aanbeveling op Hondenpage.com voor het nieuwe boek van Betty Heideman, *Allochtone Viervoeters*:

'Het boek Allochtone Viervoeters is een boek van deze tijd. Het naar Nederland halen van honden en katten uit het buitenland staat steeds vaker ter discussie. Het probleem van de zwerfdieren in de wereld wordt alleen maar groter. Het boek (370 pag.) biedt behalve 60 prachtige verhalen van Allochtone Viervoeters ook adviezen voor wie een hond of kat uit het buitenland wil adopteren. Van elk boek gaat 1 euro naar de Stichting No Kill Europe en een deel van de opbrengst gaat naar 'vergeten' opvangcentra. Het boek Allochtone Viervoeters kost 17,95 euro. Tevens krijgt iedereen die via de site bestelt een gratis Red Mijn Huisdier bij Brand sticker ter waarde van 2 euro.'

Op de homepage haar eigen website www.bettyheideman.com vermeldt Betty Heideman voor haar fans:

'*Nu* te bestellen: Asielzoekers deel 1, het lang verwachte vervolg op Allochtone Viervoeters!

Op een regenachtige maandagavond zit ik bij Chris en Tine. Chris ken ik van het semigemeentelijke Team Transvaal, dat toezicht houdt in de Haagse wijk Tranvaal. Chris heeft een taakstraf – iets met heling – en moet een aantal weken meedoen met de pleindienst. Tine is bijna blind. Ze had een of andere infectieziekte en haast van de ene op de andere dag kon ze bijna niets meer zien. Ze hebben een bovenwoning aan de Goeverneurlaan vlak bij het Jonckbloetplein.

In de buurt, hartje Laakkwartier, staat veel te koop. De autochtonen trekken weg. Als je bij Chris en Tine aanbelt, zie je ingebouwd in de deur een kleine camera. Chris is er trots op. Het is een camera met infrarood en ook 's nachts kan kun je precies zien wie er beneden staat. Volgens Chris hebben steeds meer mensen zo'n systeem. 'De buurvrouw niet. Maar als je daar aanbelt, hoor je eerst klik, klik, klak, klak, klik van alle pensloten voordat ze de deur kan openmaken.' Schuin beneden, bij reisbureau Lina, merk je al iets van de demografische wijzigingen. Voor de etalageruit hangt een reclame van Afriquiah Airways. 'Afriquiah Airways – your partner to Africa!' Er hangt ook een groot affiche van Afriquiah Airways met de Libische hoofdstad Tripoli als centrum van de wereld. Vanuit Tripoli zie je dikke rode pijlen richting Benghazi, Bamako, Khartoem, Ouagadougou, Brussel en Parijs lopen.

Het Laakkwartier is een nette, grootstedelijke wijk. Ruim opgezette vier- en vijflaags flatgebouwen, gebouwd in de jaren dertig. Het is er ook een beetje saai. Niet ver van het Jonckbloetplein is stomerij Zakho. Op de deur hangt een lijst met tarieven. Mantel 14 euro, mantel (kort) 13 euro, japon 8 euro, skipantalon 10 euro, skipak 13 euro. Een buurt waar nog steeds mensen wonen die op wintersport gaan. Maar er zijn ook straten met armoede.

Als je bij Chris en Tine binnenkomt, ga je eerst door een halletje en dan stuit je meteen op een open keuken. De keuken is in feite aangelegd in wat vroeger de achterkamer was van de kamers en suite. Het is een dure, prachtige keuken. Duits, zo op het oog. Ook in de doorgebroken zitkamer ziet alles er fraai uit. Halogeenlampen, dimmers, witgelakte lambrizeringen, laminaatvloer. Chris had vroeger een onderhoudsbedrijf. Dat kun je wel zien. Het interieur is vakwerk. In de flat woont ook zoon Willem. Hij werkt bij een autoschadebedrijf. En dan zijn er nog twee papegaaien. 'Edelpapegaaien', corrigeerde Chris me. Een mannetjespapegaai, Coco genaamd, die zo nu en dan hinderlijk door de kamer fladdert. En een vrouwtjespapegaai die statig over het laminaat trippelt. Ze heet Madame.

Aan Tine merk je niet dat ze haast niets kan zien. In de zitkamer staat een ingewikkelde koffietafel die is samengesteld uit grote ronde glazen platen op verschillende niveaus. Tine laveert er probleemloos omheen. Als ik Tine daarover een compliment maak, legt ze uit dat ze in huis bij alles precies weet hoe het staat. 'Maar als we op de camping staan, moet ik iedere keer opnieuw de weg leren. De eerste dagen zit ik dan helemaal onder de blauwe plekken.' Tine is op een aantrekkelijke manier tenger. Chris is groot en nogal vlezig. Hij heeft iets intimiderends. Als hij het over situaties in de wijk heeft, gebruikt hij vaak de zinswending: zoiets zou ik niet over m'n kant laten gaan. Je weet meteen dat hij dan niet denkt aan het schrijven van een boze brief. Als je het mij vraagt, kan hij iedereen moeiteloos in elkaar timmeren.

Voor Tine is het moeilijker geworden in het Laakkwartier. 'De Hollandse slager is twee jaar geleden vertrokken. Nu zit er zo'n islamitische slager. Daar vliegen veel te veel vliegen rond. De stank van bedorven vlees komt je bij de voordeur zo tegemoet. De bakker is in 2004 vertrokken. Er is een Turkse bakker voor in de plaats gekomen. Maar dat Turkse brood is niets, hoor. Dat is waterbrood. Op het eind van de dag is dat oud. Hij verkoopt gelukkig ook melkbrood. De snackbar is overgenomen door een Chinees echtpaar. Als je in het Nederlands bestelt, kan zij je aardig volgen. Maar die vent is een mongool. Die begrijpt niets. Het menu is onveranderd gebleven, patat, hamburgers, satékroket. Maar het smaakt nu toch minder lekker.'

'Kijk, de Nederlanders kunnen het niet redden. Wat er aan blank uitgaat, daar komt bruin voor terug. Die allochtonen zijn van 's ochtends vroeg tot 's avonds laat open. En ze zitten ook nog onder de prijs. Daar kunnen wij niet tegenop. In de Turkse supermarkt hier op de hoek koop ik een plateau eieren voor 2 euro. In een gewone supermarkt betaal je er toch gauw bijna 6 euro voor. Ik ga tegenwoordig inkopen doen in de Boogaard of in Rijswijk. Ik ben de afgelopen jaren nauwelijks nog in de binnenstad geweest. En zo denken veel mensen erover. Trouwens, op de Haagse markt kom ik al helemaal niet meer. Daar lopen alleen nog maar buitenlanders.'

Chris: 'Toen wij hier vijfentwintig jaar geleden kwamen wonen, was het nog een gewone volksbuurt. Er liep wel eens een bruine of een neger, maar daar had je helemaal geen last van. Alhoewel, die bruinen brachten wel ongedierte met zich mee. Herinner je je dat nog, Tine, bij de overburen, toen met die kakkerlakkenplaag? Ach, toen we hier aankwamen, was het allemaal nog geen echt probleem. Want we hadden de overhand. We waren de meerderheid. Maar het gaat nu hard achteruit. Voorbeeldje. Willems vriend zat op zo'n pizzabrommer in de De Genestetlaan. Dat was anderhalve maand geleden. Rijden er twee van die Marokkanen achter hem aan: Jij moet je geld aan ons geven! Toen laadde er een zijn pistool door. Nou, toen heeft ie dat geld dus maar afgegeven.'

'Als je één Marokkaan ziet lopen, is er geen enkel probleem. Maar als ze met z'n tweeën of drieën zijn, moet je oppassen. Toen Willem vijftien jaar was, werd hij gedwongen om voor een Turkse bende te werken. Moest hij scooters stelen. Als hij het niet deed, zouden hem in elkaar slaan. Toen heeft hij inderdaad, nou ja, een paar scooters gejat. Maar ik heb hem er gelukkig uit kunnen halen. Over tien jaar is het Laakkwartier precies zoals Transvaal of de Schilderswijk.'

Tine: 'Nederlandse vrouwen zie je niet meer met hun kinderen in de parken. Toen Willem kleiner was, nam ik hem nog wel eens mee. Maar alle bankjes waren dan al bezet door die wijven met hoofddoekjes. Als je iets over het gedrag van hun kinderen zei, kreeg je meteen rotzooi.' Chris: 'De meeste Turken zijn netjes en beleefd. Marokkanen zijn veel viezer. Die zeggen ook over ons dat wij vieze varkens zijn. Laat ze toch gewoon oprotten naar hun eigen land!' Tine: 'Weet je wat die Marokkaanse jongens over onze meisjes zeggen? Die zeggen: Er zit een gat in. Dus daar kun je het goed op leren! Nou, gelukkig dat ik geen dochters heb!' Zoon Willem: 'Laatst zag ik een heel mooi Nederlands meisje dat voor zo'n stinkmarokkaan uit liep. Je zag gewoon dat ze door hem gedwongen werd.'

Ik vraag of hij wel eens met een Marokkaans meisje is wezen stappen. 'Nee, nog nooit. Ik heb er ook nog nooit aan gedacht. Ze zijn gewoon vies. Ik heb nog nooit een Nederlandse jongen met een Marokkaans of Turks meisje gezien. Je blijft bij je eigen soort. Als we uitgaan, zijn we met een groep van vijftien. Er zit ook een Turkse jongen bij. Een goeie gozer. Hij spreekt goed Nederlands en doet normaal. Maar een 'normale' Marokkaan, die kom je gewoon niet tegen. Als je naar ze kijkt, beginnen ze al met: Hé, kankerkaaskop! Als je ze op straat tegenkomt, moet je echt oppassen. Vorige week moest ik nog een huis binnenvluchten. Dat was in de Antheunisstraat. Gewoon een huis binnengevlucht bij mensen die ik niet eens ken. Komt wel vaker voor, dat vluchten. Dan moet je in paniek aanbellen bij onbekenden. Als je in de disco bent, waak je ook over je eigen groep.'

Chris: 'De politiek trekt zich niet veel aan van wat hier gebeurt. In de verkiezingstijd is Wouter Bos wel twee keer hier vlakbij in koffietent De Aanloop geweest. Dan werd er van tevoren opgebeld dat ie zou komen. Om met gewone werklui te praten, heette dat. Weet je, de regering doet toch alleen maar dingen om de allochtonen te helpen. Ali B. kreeg een of andere muziek-*award* omdat ie zoveel had betekend voor alle Nederlanders! Ach, schei toch uit! Ik heb een Antilliaanse vriend. Die vertelde me laatst: Jullie Nederlanders begrijpen niet wat er speelt. Jullie begrijpen er totaal helemaal geen zak van. Maar let op, want het wordt oorlog!'

'Wat moet je hier?' vraagt de oude mevrouw. Ze heeft bloeddoorlopen ogen. In haar hand heeft ze een machete. De punt wijst
onmiskenbaar naar mijn onderbuik. Naast haar staat Sabina. Sabina is haar dochter. Die heb ik vijf minuten eerder leren kennen. We kwamen elkaar tegen op het zandpad tussen de miraatuinen. Sabina beloofde dat ze mij haar miraatuin zou tonen. Haar
tuin en die van haar moeder liggen naast elkaar. Sabina is tussen
de dertig en vijfenveertig. Onder haar halfopen bloemetjesblou-
se hangen lange, uitgeputte borsten.

'Wat moet je hier?' vraagt Sabina's moeder opnieuw, terwijl ze
een stap dichterbij zet. Met haar mes zou ze me met één venijni-
ge haal kunnen ontmannen. Ik zoek naarstig naar een goed antwoord. Er staan intussen ook twee andere mensen met machetes
om ons heen. Oef, als ik haar vertel dat ik een verhaal wil schrijven over miraa, denkt ze vast dat ik van Interpol ben. In Nederland en Engeland is de import van miraa toegestaan. Maar in alle andere Europese landen is het een verboden drug en potten-
kijkers zijn hier niet echt welkom. Ik doe een gok. Ik leg mijn
hand op Sabina's schouder en vertel haar moeder dat ik in feite
gekomen ben om met Sabina te trouwen. Even kijkt de oude mevrouw Sabina vertwijfeld aan. Dan schiet ze in de lach. In haar
mond zie ik een kleffe prop half vermalen miraablaadjes. Ze laat
haar mes zakken en loopt terug naar haar eigen tuin.

Sabina neemt me mee. Op haar erf staat een kleine, morsige
hut. 'Dit is dus mijn huis', zegt Sabina tevreden. Het stukje land

staat vol eucalyptusbomen. Daaronder, gemengd, groeien maïs en miraastruiken. De wind ritselt door de eucalyptusbomen en het klimaat is mediterraan. Dit is Kenia en de evenaar ligt vlakbij, maar de miraatuinen liggen op zo'n vijftienhonderd meter hoogte. Als miraastruiken oud zijn, zien ze eruit als kleine, knoestige olijfbomen. 'Kijk', zegt Sabina, 'hier gaat het om. Zie je die knoesten? Daaruit groeien de miraatwijgen. De grotere bladeren aan het uiteinde van de takken zijn niet bruikbaar. Alleen die kleine twijgjes die vanuit de knoesten groeien, tellen mee. Trouwens, wat ik hier op mijn land heb, heet *asili*. Dat is misschien wel de beste miraa van de wereld. Die is speciaal voor rijke Somalische kooplieden in Mombassa en Nairobi. Er is maar heel weinig van. Daarom kan het niet worden geëxporteerd naar Europa. In het droge seizoen loopt onze productie terug en dan wordt *asili* echt haast onbetaalbaar.'

Met haar hand wrijft ze tevreden over een paar knoesten. Uit elke knoest komen een stuk of tien twijgen met roestkleurige blaadjes. Sabina heeft een stuk of tachtig miraastruiken. Het duurt vijf jaar voordat een struik goede twijgen geeft. In een deel van de tuin zie ik alleen maïs. 'Waarom gebruik je eigenlijk niet je hele tuin voor miraa?' vraag ik Sabina. 'Is het niet zonde om een deel alleen voor mais te gebruiken?' Sabina lacht. Ze buigt enkele maïsstengels uit elkaar en ik zie vlak bij de grond een klein miraaplantje. 'Ik ben aan het uitbreiden. Het gaat goed met de miraahandel. Er wordt steeds meer gekauwd. En er zijn steeds meer rijke mensen in Nairobi.'

De grondprijs voor de miraatuinen schiet omhoog. 'Een halve hectare hier in de directe omgeving gaat nu van de hand voor een miljoen Keniaanse shilling', zegt Sabina, 'maar niemand wil verkopen.' Een miljoen Keniaanse shilling is tienduizend euro. Maar goed, dat is dus de prijs voor grond waarop je *asili* kunt planten, kennelijk de Château d'Yquem onder de miraasoorten. Ik loop met Sabina terug naar de taxi die ik eerder op de dag heb gehuurd in Meru, de hoofdstad van het district. Meru ligt op de oostelijke helling van Mount Kenya. Langs het zandpad staan kleine huisjes en winkeltjes. Bijna alles is dicht. De mensen zitten buiten. Ze zitten op krukjes, ieder in het midden van een klein, rond tapijtje van afgekoven miraatwijgjes. Ze kijken lodderig uit hun ogen. De helft van de bevolking hier leeft in een permanente miraaroes.

Mijn taxichauffeur, James, wil zo gauw mogelijk weg. Hij heeft vanuit de verte mijn ontmoeting met Sabina's moeder gezien en voelt zich niet op zijn gemak. Hij voelt zich ook een beetje verntwoordelijk voor mij. Het zandpad slingert tussen de miraatuinen. We rijden door een landschap dat doet denken aan Toscane. Maar tussen de heuvels door is, veel lager, misschien wel duizend meter lager, de bruine, stoffige steppe te zien die doorloopt tot aan Mogadishu, met als enige onderbreking, al binnen Somalië, de weelderige bananenplantages aan de oevers van de Shebele-rivier. Ik zoek de plek van waaruit de miraa naar Nederland gaat.

Wie miraa zegt, zegt logistiek. Zodra de miraatwijgen van de struik worden afgesneden, begint de aftakeling van de chemicaliën die miraa tot miraa maken. Dus alles moet snel gebeuren. De twijgen zijn maar drie dagen houdbaar. Daarom zorgt het miraacircuit ervoor dat de in de Nyambere-heuvels geoogste twijgen binnen *anderhalve* dag – om maar wat te noemen – op de vloer kunnen liggen van een aan Somalische vluchtelingen ter beschikking gestelde doorzonwoning in Abcoude of Ommen. Op de vloer, want miraa, of qat zoals het ook wel genoemd wordt, eet je niet aan tafel. Je zit in een kring op de vloer met in het midden een stapeltje bundels miraa. Verder zijn er thee en flessen Spa Blauw, want miraa geeft verschrikkelijke dorst.

In de Nyambere-heuvels heeft elk dorp wel een marktje waar de miraa wordt verpakt. De oogst wordt in bundeltjes aangeleverd vanuit de omliggende tuinen. De bundeltjes worden op de markt aan lange tafels zorgvuldig in bananenbladeren gewikkeld. Dat is mannenwerk. Op de grond achter hen zitten vrouwen die de bananenbladeren verkopen. Dat is weer iets wat alleen vrouwen doen. De pakketjes worden in grote zakken gestopt voor verder transport.

Als ik met James ergens stop, drommen er meteen mensen om ons heen. Opnieuw overal bloeddoorlopen ogen. En wangen die bol staan van grote miraaproppen. De sfeer is agressief en opgefokt. Ik vraag of hun miraa naar Nederland gaat. Ik noem zekerheidshalve in één moeite door enkele Hollandse voetballers om de sfeer wat te ontspannen. Maar het antwoord is telkens nee. Dan, eindelijk, is het raak. Het dorpje heet Kaelo. Op het marktje loopt een oude, rijzige Somali. Uit zijn gebaren is meteen duidelijk dat hij hier de baas is. Ik stap op hem af. Hij stelt zich voor als Abdi. En ja, de miraa uit Kaelo wordt inderdaad naar Engeland en Nederland geëxporteerd.

Abdi draagt een witte ijsmuts en een prachtig gesneden, maar te ruim streepjesjasje. Duidelijk batumba, dat jasje. Batumba is Swahili en betekent tweedehandskleding. Heel Afrika loopt erin rond. Een Amerikaanse collega vertelde me ooit dat veruit de belangrijkste export van zijn land naar het Afrikaanse continent niet uit laptops of iPods bestaat, maar uit tweedehandskleding. Het merendeel daarvan ziet er versleten uit. Maar er kunnen ook ook prachtige dingen tussen zitten. Een duur maatpak van een ontslagen handelaar in *pork belly futures* – de broek eindigt ergens in Zambia en het jasje fladdert nu om de schonkige schouders van mijn Abdi.

Abdi loopt geconcentreerd tussen de zeven Toyota-pick-ups die worden geladen. Hij heeft het eigenlijk te druk voor mij. In een groot opschrijfboek houdt hij het aantal zakken bij dat op de laadbakken wordt gehesen. 'Uiterlijk om twaalf uur moeten ze op weg. Ze doen drie uur over de rit naar Nairobi. Daar wordt de boel met een extra laag bananenbladeren en krantenpapier in kisten verpakt. Die gaan snel, snel door naar Jomo Kenyatta Airport. En daar worden ze op de nachtvlucht van de KLM naar Nederland geladen of op die van British Airways naar Londen. Iedere dag hetzelfde.'

Bij een van de Toyota's gaat zijn blik over een stapel zakken en hij krabbelt vlug een nieuw cijfer in zijn boek. 'Korte twijgen, *kisaa*, gaan naar Somalië en naar Mombassa. En de lange twijgen, *kangetta*, verschepen we naar Europa. In *kangetta* zit meer vocht, daardoor blijft het wat langer goed. Als je het goed verpakt in de ijskast legt, zou je het in Nederland misschien nog wel twee of drie dagen extra kunnen bewaren. Maar *kisaa* werkt sneller. En heeft bovendien bij sommigen een erotisch effect!'

Dat laatste wordt me korte tijd later bevestigd door een kwabberige patissier in de oude binnenstad van Mombassa. 'Jullie denken dat viagra een wondermiddel is? Ach, kom nou toch! Geef mij maar *kisaa*. Als ik dat kauw, komt ie omhoog en blijft ie omhoog.' Met pretogen wijst hij tussen zijn benen. Helaas zit hij in een wijde soepjurk op een krukje en tussen de losse vouwen kan ik het bewijs niet echt zien. 'Ik zie gewoon aan je dat je me niet gelooft. Nou, je mag wel even voelen!' Terwijl ik aarzel, schateren de bakkersknechten van het lachen.

Het vertrek van de Toyota's naar Nairobi is nu dichtbij. Abdi: 'Wij hebben hier alleen topchauffeurs. Het zijn echt kunstenaars. Maar we moeten ze wel betalen. Vijfduizend shilling voor een rit naar Nairobi. Soms halen ze honderddertig, honderdveertig kilometer per uur.' Toen ik daags daarvoor in de oude, krakerige bus van Sunbird Lines van Nairobi naar Meru zat, zag ik ze inderdaad voorbijvliegen. In mijn notitieboekje krabbelde ik: snelheidsduivels! Aan de achterbak van elke Toyota zijn twee extra reservebanden bevestigd. De weg tussen Meru en Nairobi is keurig geasfalteerd, maar miraahandelaars nemen op dat punt duidelijk geen enkel risico.

Als de pick-ups geladen zijn, wordt er onder Abdi's toeziend oog zorgvuldig een dikke laag banenenbladeren over de zakken gedrapeerd. Daarna wordt alles met dikke touwen vastgesjord, terwijl de chauffeurs en hun bijrijders, agressief, de aderen vol testosteron, hun ongeduld nauwelijk nog kunnen bedwingen.

Een deel van de oogst gaat vanuit Kaelo niet naar Nairobi, maar naar Waua. Dat zijn de zakken met de erotiserende *kisaa*. Waua, dat op een paar kilometer van Kaelo ligt, is het startpunt van een zeshonderd kilometer lang zandpad naar Somalië. Toen ik tegen James zei dat ik een volgende keer wel met zo'n vracht mee wilde reizen, keek hij me verbaasd aan. 'O nee, dat moet je zeker niet doen! Dat is echt een heel gevaarlijke route. Ook al hier binnen Kenia is het niet pluis. In Waua stoppen de chauffeurs hun wapens al onder de voorbank.'

Als we door Waua rijden, wijst James de pick-ups aan. Het zijn opnieuw Toyota's, maar ze zijn een maat groter en zien er intimiderend uit. Tussen de laadbak en de cabine zijn zware rekken aangebracht om te voorkomen dat de lading op de wilde tocht naar Somalië door de achterruit naar binnen schuift.

Veel miraa wordt niet over de weg naar Somalië gebracht, maar door de lucht. Dat gebeurt vanuit Nairobi's Wilson Airport, een kleine luchthaven uit de Britse koloniale tijd. Russische en Oekraïense piloten vliegen de balen in oude Antonovs naar Mogadishu en Kismayo en Beletweyn en naar allerlei landingstrips diep in de bush. Daar wordt de waar opgehaald en – alweer snel, snel – over het land gedistribueerd. Somalië is een droog, heet land en de miraa moet dan ook zo gauw mogelijk bij de consument zijn. Soms moet de vracht op de scheidslijn tussen clangebieden worden overgeladen, want een chauffeur of een auto van een vijandige clan levert risico op. Maar wat er ook gebeurt, de miraa arriveert iedere dag overal – en op tijd.

Der Spiegel berichtte onlangs dat Somalische piraten zelfs midden op zee op tijd van miraa worden voorzien. Zo kwam een motorsloep iedere dag twee balen afleveren bij het gekaapte Duitse vrachtschip Hansa Stavanger. Cholera, oorlog, frontlijnen, gevechten tussen clans, gevechten binnen clans, stromen ontheemden, terroristische aanslagen, hongersnood – het doet er niet toe, rond een uur of twee moet er miraa zijn. De prijs wordt door al die complicaties wel opgedreven. Maar Somaliërs hebben veel voor hun miraa over. En een deel van het geld komt trouwens weer uit Nederland.

Dat zit als volgt. De aankomst van een Somaliër in ons land is vaak het resultaat van een gemeenschappelijke investering, een *business venture*. Een individu heeft meestal geen geld voor die reis, maar een familie wel. De hele familie legt dus geld in, zodat een van hen naar ons land kan reizen om hier vluchteling te worden. Maar onderdeel van de *deal* is dat betrokkene een deel van zijn uitkering overmaakt aan de achterblijvers. En die zetten dat geld, of althans een deel ervan, weer om in miraa. Zo maakt ons kleine Nederland – ik wil dat toch wel met een zekere trots stellen – niet alleen als consument, maar ook als geldschieter deel uit van het Grote Miraa Circuit.

Enkele weken later eet ik een driehoekige sandwich bacon met ei in het Shell benzinestation aan de Breguetlaan in Oude Meer. Ik heb uitzicht op het bedrijventerrein aan de andere kant van de weg. Er staan iets van dertig vrijwel identieke loodsen. Het is een zaterdag en de parkeerplaatsen rond de loodsen zijn leeg. Het lelijke bedrijventerrein is door de projectontwikkelaar, iemand met grootheidswaanzin, Skypark genoemd. Een van de loodsen, nummer 15, is van Progress Air BV. Progress Air doet de inklaring van de miraa en heeft op dat punt een informele monopoliepositie. Tussen de gebouwen door zie je de Alsmeerbaan van Schiphol. Om de paar minuten landt er een vliegtuig. Iets verderop ligt het grimmige Justitieel Complex Schiphol. Ik kan u wel vertellen dat Schiphol vanaf de Breguetlaan beslist heel anders aanvoelt dan wanneer je in vertrekhal 3 op je charter naar Mallorca staat te wachten.

Gelukkig is niemand op Justitie op de gedachte gekomen om het Justitieel Complex ook een fancy, door luchtvaart of reislust geïnspireerde naam te geven. Het lijkt met zijn wirwar aan aluminiumkleurige afrasteringen en elektronische poorten sprekend op Guantánamo Bay. Alleen zie je er niet van die de oranje overalls. Het complex telt onder meer een detentieblok voor afgewezen asielzoekers. Toen er brand uitbrak, werd dat wereldnieuws.

Het is elf uur en de witte vrachtauto met in forse letters Progress Air BV op de zijkant is net naar de luchthaven vertrokken om de miraa op te halen. Enkele Somaliërs arriveren op het benzinestation. Het is ramadan, maar ze komen er koffie halen en flessen water. Ze maken een boel lawaai. Het is lastig volk. Eerder had Ans, een van de caissières, me er al voor gewaarschuwd. 'Het zijn niet echt leuke mensen, hoor. Je hebt gauw ruzie met ze. Dan geef je ze hun wisselgeld terug en dan zeggen ze: Je hebt me tien cent te weinig teruggegeven! En dan zeg ik: Je krijgt helemaal niets meer, want ik heb goed afgerekend. Nou, dan word je dus meteen uitgemaakt voor *fucking bitch*. Nee, we zijn er niet zo blij mee.'

Ik steek de Breguetlaan over en loop het Skypark op. Bij loods 15 drentelen een stuk of twintig Somaliërs onrustig heen en weer. Direct om de hoek staat een groepje autochtonen. Het zijn vliegtuigspotters. Ze hebben camera's met telelenzen. 'Staan jullie hier de hele dag?' vraag ik aan een van hen. 'Nee, straks draait de wind en dan gaan we naar de 06 centerbaan. Maar nu waait het precies uit het noorden en dan landen alle vliegtuigen hier op de 36 rechts.' 36 rechts? Ik durf niet te vragen wat dat is. Ze zijn niet erg spraakzaam. Ook onder elkaar alleen korte, zakelijke mededelingen: 'Alweer een Bussjet.' 'Ja.' 'Nee, wacht 'ns even, het is een Netjet.' 'O ja, inderdaad.' Ik denk dat ze een beetje jaloers zijn op dat machotaalgebruik van de verkeerstoren. 'Good morning, Cathay Pacific…you have entered Netherlands airspace… and you may descend to two-five-five. Do you copy?' Even van dat gekraak en dan: 'This is Cathay Pacific – a good morning to you, too! Yes, we copied and will now start our descent to two-five-five.'

De spotters hebben vandaag nog niets interessants gezien. Zo nu en dan nemen ze een foto van een dalend vliegtuig. Maar het maakt een routineuze indruk. Echt enthousiast zijn ze niet. Ik begin te vertellen over mijn onlangs afgesloten verblijf van zes maanden in Oost-Congo. Op de luchthaven daar is het de hele dag door een komen en gaan van vreemde vliegtuigen. Vooral oude Russische toestellen, die op landingsstrips diep in het oerwoud vrachten bloedmineralen als kassiteriet en wolfraam en coltan ophalen. De piloten komen uit de voormalige Sovjet-Unie. Ze lopen op sandalen en hebben te korte korte broeken aan, vertel ik.

Maar de vliegtuigspotters zijn niet geïnteresseerd. Ze turen naar de horizon.

Om half twaalf zwaait de vrachtauto van Progress Air het Skyparkop. Aan het stuur zit Martin, een van de eigenaren van het bedrijf. Hij parkeert de wagen met de achterzijde naar de loods. Het grote elektronische rolluik gaat omhoog en een van de medewerkers komt op een heftruck naar buiten. Uit de vrachtauto komen vier pallets met hoog opgestapelde dozen miraa. De Somaliërs beginnen opgewonden te raken. Martin zegt hun dat de zending eerst even gesorteerd moet worden en dat ze buiten moeten wachten. Het rolluik komt langzaam naar beneden – kablonk, kablonk, kablonk. Maar sommige Somaliërs willen al meteen naar binnen en een van hen houdt het rolluik tegen. Het elektromotortje maakt een vreemd, hoog geluid. Drie Somaliërs glippen naar binnen.

Martin wordt boos. 'Jongens, als die deur kapotgaat, kost me dat tweehonderd euro. Vorige week ging het ook al mis.' Hij drukt binnen op een knop, maar het luik beweegt niet meer. 'Wie heeft het gedaan?' vraagt hij, terwijl hij rondkijkt. Een van de Somaliërs steekt zijn vinger op. 'Wil je dat nooit, maar dan ook helemaal mooit meer doen!' Hij friemelt een tijdje aan het mechaniek en dan – blink, blink, blink – gaat het luik een beetje haperend naar boven. Even later, terwijl we allemaal opgelucht toekijken, komt het kablonk, kablonk, helemaal naar beneden.

Buiten wachten inmiddels zo'n zeventig man. Als het geen ramadan is, zijn het er soms twee keer zoveel. Op de parkeerplaats van Progress Air staan nu auto's en bestelwagentjes kriskras door elkaar. Uit een oude Mazda klinkt door het open raam Somalische muziek. Ik probeer hier en daar een praatje te raken. Maar het gaat niet goed. Ik word met wantrouwen bekeken. Iedere keer als ik iemand aanspreek, wordt hij door anderen gewaarschuwd of aan een mouw weggetrokken.

Na een half uur gaat het rolluik weer open. Met een brede grijns nodigt Martin het gezelschap uit om binnen te komen. Hij doet dit al zeven jaar. Hij vertelt me dat op werkdagen de loods van Progress Air op het industrieterrein in Uithoorn wordt gebruikt. Maar de gemeente daar wil dat gedoe op zaterdagen niet hebben. Vandaar dat er dan vanuit het Skypark wordt afgeleverd. 'Vandaag zijn het vijfhonderd dozen. Er stonden ook nog pallets van gisteren. Maar normaliter halen we duizend dozen op een dag.'

In de loods is het een hels kabaal. Er wordt geschreeuwd en ruzie gemaakt. Een bestelauto wil naar binnen rijden, terwijl een andere juist naar buiten wil. Geen van beide chauffeurs – Somaliërs zijn trotse mensen – wil wijken. Martin en ik kijken elkaar even geamuseerd aan. Langs de muren van de loods staan de stapels dozen uitgesorteerd per handelaar. In Nairobi zijn de namen van de afnemers met viltstift op de dozen geschreven. Net als op een beurs heeft iedereen zijn vaste plek. Een van de groothandelaren heeft een hoek van de loods met opstaande pallets afgeschermd. Achter de pallets worden bundeltjes miraa uit de dozen gehaald en in jutezakken gestopt. De zakken gaan vervolgens in een kofferbak.

Ik loop wat rond. Ik koop voor drie euro een bundeltje, pluk de roestbruine blaadjes af en begin te kauwen. Opeens wordt alles anders. 'Ah', roept een Somaliër enthousiast, 'jij kauwt dus ook.' Ik krijg overal schouderklopjes en ze willen allemaal weten of het lekker is. In feite is het niet erg lekker. Maar het idee dat de takjes die ik eet iets meer dan vierentwintig uur geleden misschien wel door Sabina in haar miraatuin in de Nyambere-heuvels zijn geoogst, vervult me met een fluwelen weemoed.

Jan is buurtregisseur in Uithoorn. Hij covert de woonwijk Thamerdal langs de Provinciale Weg en ook het industrieterrein. Op werkdagen wordt de miraa- of qatmarkt – in Nederland wordt meestal van qat gesproken – gehouden in een oud opslagmagazijn aan de Anthony Fokkerweg midden op dat industrieterrein. 'Wij hebben het altijd over de qatschuur', zegt Jan, als we op een woensdagochtend, kort voor mijn bezoek aan het Skypark, met een beker koffie uit de automaat zitten te praten op het politiebureau aan de Laan van Meerwijk. 'Ja, we beginnen hier in Uithoorn best internationaal beroemd te worden. Laatst was er nog een delegatie uit San Diego in Californië bij ons op bezoek. Jongens van de FBI. In Amerika zijn ze bang dat er geld uit die qathandel hier bij ons naar van die terroristencircuits vloeit.'

Ik werp tegen dat er echt niet zo veel geld in omgaat. Misschien één of twee miljoen euro per maand. 'Nou, daar vergis je je dan in. Hier in Uithoorn hebben wij het over het Groene Goud. Binnen Nederland levert het inderdaad niet zoveel op. Een bundeltje koop je al voor een paar euro. Hier is het legaal. Maar als het naar Zweden gaat, gaat het meer dan tien keer over de kop. In Malmö is de straatprijs zo'n 35 euro. En in Amerika wordt het helemaal te gek. Daar doet het 75 tot 100 dollar. Soms zie je op het industrieterrein auto's uit Oostenrijk en Denemarken en Zweden geparkeerd staan. Laatst nog, zo'n oude Volvo met Zweedse nummerplaten. Zit er een Somalische jongen in in een T-shirt. Helemaal zonder bagage. Ja, dan weet je wel hoe laat het is. Maar wat er allemaal gebeurt, is moeilijk te controleren. Voor de Duitse grensovergang wordt er vaak overgeladen. De Zweedse douane is van hieruit ooit eens achter een busje aangereden. Maar de Somaliërs waren die Zweden te snel af. Al voor de grens waren ze het spoor kwijt. Het spul gaat vanuit Uithoorn zo'n beetje heel Europa door, tot en met Spanje.'

'Wel eens rotzooi bij de qatschuur?' vraag ik. 'Ja hoor', zegt Jan. 'Er worden regelmatig klappen uitgedeeld. Maar dan worden we meestal al snel gebeld door de Opelgarage. Die ligt ernaast. Dan gaat het om geld of om een bestelling die niet klopt.' De illegale uitvoer naar Duitsland en Scandinavië heeft een hoge vlucht genomen. Hoeveel dozen er dagelijks die kant uit gaan, is natuurlijk niet bekend, maar Jan houdt wel internationaal contact met collega's van de douane. Hij tikt even op zijn keyboard. Hij draait het scherm naar me toe en toont een recent staatje.

21 oktober
Zweedse douane/ 88 kilo/ bij de brug tussen Denemarken en Zweden/ Deens voertuig
22 oktober
Deense grenspolitie/ 160 kilo/ bij de grens tussen Duitsland en Denemarken/ Zweeds voertuig/ Nederlandse chauffeur
24 oktober
Zweedse douane/ 123 kilo/ bij de brug tussen Denemarken en Zweden/ Zweeds voertuig
24 oktober
Duitse douane/ 200 kilo/ Autobahn tussen Nederland en Denemarken/ Nederlands voertuig
24 oktober
Duitse douane/ 425 kilo/ Autobahn tussen Nederland en Denemarken/ Nederlands voertuig
26 oktober
Deense grenspolitie/ 900 kilo/ grens tussen Duitsland en Denermarken.

Dat is dus bijna twee ton qat binnen één gewone week in het najaar. En je weet natuurlijk niet wat er in die week wel door de mazen is gekomen. Als je in Zweden wordt gepakt met tweehonderd kilo, ga je voor twee jaar achter de tralies. In Duitsland en Denemarken is de straf een stuk lager. Het zijn vooral Somaliërs die zich met de smokkel bezighouden. Maar soms pikken ook autochtone Hollanders en Scandinaviërs een graantje mee. Soms ook mensen uit Polen en Litouwen en Roemenië. Somaliërs hebben van die markante koppen en worden er meteen uitgepikt door de Zweedse douaniers die staan te posten aan het Zweedse einde van de brug tussen Kopenhagen en Malmö. Als gewone Hollander word je er vrijwel altijd doorgewuifd.

De miraablaadjes in het Skypark hebben me een stoot energie gegeven en mijn zelfvertouwen is fors toegenomen. Al die schouderklopjes maken het opeens ook een stuk gemakkelijker om aan de praat te raken. Ik probeer uitgenodigd te worden voor een qatsessie. Eerst bij Gouled. Hij werkt op een fabriek en woont aan de zuidkant van Tilburg. Maar hij zegt dat hij al over enkele dagen afreist naar Ethiopië. Daarna probeer ik het bij een zekere Hassan. Hij vertelt dat hij zelfstandig zakenman in Haarlem is. Op zaterdagen koopt hij in Oude Meer een paar bundeltjes voor zichzelf en wat vrienden. Hij ziet zichzelf als recreatief gebruiker.

Dat klinkt allemaal veelbelovend. Ik wil niet zo'n hele avond doorbrengen met van die doorgewinterde, opgefokte kauwers met bloeddoorlopen ogen. We spreken af voor de eerstvolgende zaterdag bij hem thuis. Ik raak ook in gesprek met Abdul, een oude, melancholieke man. Vroeger was hij onderwijzer uit Djibouti. Via omzwervingen in Somalië en Frankrijk ariveerde hij in Nederland. Hij werkt nu als straatveger bij een knijpteam in het centrum van Den Haag. 'De straten rond het Binnenhof', zegt hij met een zekere trots. Hij is met een van de handelaren meegereden naar Oude Meer en zijn rol is me niet helemaal duidelijk. Veel geld om zelf miraa te kopen zal hij niet hebben. Abdul wordt mijn plan B voor het geval dat het met Hassan misgaat. We spreken af dat we binnenkort koffie gaan drinken in café Mogadishu aan de Hoefkade en dat we dan een afspraak maken voor een qatsessie bij hem in de buurt.

Enkele dagen later bel ik Hassan. 'Nee', zegt die kortaf, 'die afspraak voor zaterdag kan niet doorgaan. Ik moet naar Groningen.' Evenmin volgt er een aanbod voor de zaterdag daarop of een van de zaterdagen daarna. Ik hoor aan zijn stem dat hij niet wil dat ik hem opnieuw bel. Dan wordt het Abdul.

We maken een afspraak en ik wacht op hem bij de voordeur van café Mogadishu. Zeker een half uur. Maar hij komt niet opdagen. Gelukkig heb ik nog één troefkaart. Een tijd geleden ben ik eens met wat rauwe jongens uit café Mogadishu miraa gaan kopen in Uithoorn. De qatsessie begon toen al meteen in mijn auto. Ik kauwde enthousiast mee. Ter hoogte van Delft begon ik te merken dat autorijden en kauwen in mijn geval geen gelukkige mix was. Op mij heeft miraa een beetje een hallucinerend effect en ik kan me nog vaag herinneren hoe ik bij de binnenkomst in Den Haag telkens angstig wegdook als we de tunnels onder die kantoorgebouwen aan de Utrechtse Baan in reden.

Ik stap café Mogadishu binnen en leg mijn probleem voor aan Mohammed, die met een droogdoek achter de toog staat. 'Mohammed, zie jij die jongens nog wel eens met wie ik destijds naar Uithoorn ben geweest?' 'Nee', zegt Mohammed, 'die zijn allemaal naar Engeland vertrokken.' En zo is het. Van de Somalische gemeenschap in Nederland is weinig meer over. Het merendeel van de Somalische vluchtelingen en de later overgekomen familieleden die we in ons land hebben opgevangen, zit nu aan de overkant van de Noordzee. Wat wij destijds niet beseften, is dat ze daarvoor hier gekomen waren: om naar Engeland te gaan. Nederland was voor hen slechts een draaideur. Bij ons was het toevallig gemakkelijker om een paspoort te krijgen.

Nu telt het Verenigd Koninkrijk zo'n vijfendertigduizend Somalische Nederlanders. Ze wonen vooral in en rond Manchester en Bradford. Zodra ze hier na een jaar of zes, zeven hun paspoort ontvingen, vertrokken ze – zoef! – naar Engeland. Soms ging het zo snel dat ze vergaten zich in Nederland uit te schrijven. Daardoor liep dan bijvoorbeeld de kinderbijslag gewoon door. Dan kwamen ze – zoef! – gauw op en neer om die bijslag op te halen. In 2003 schreef toen nog staatssecretaris van Sociale Zaken Rutte aan alle gemeenten dat ze daarvoor op hun qui-vive moesten zijn. Later werd hij voor die instructie op de vingers getikt door de rechtbank Haarlem, want hij had in zijn brief specifiek over Somaliërs gesproken en daardoor aan rassendiscriminatie gedaan.

Dat tijdelijke verblijf in ons land heeft de schatkist een behoorlijke duit gekost. Zo'n vijfendertigduizend maal – laten we zeggen – honderdvijftigduizend euro. Dat zou uitkomen op ruim een half miljard. Voor een stapeltje toegangstickets voor het Verenigd Koninkrijk. En dan zie je nog wel eens verhalen van politici die zich vertwijfeld afvragen of het vertrek van al die Somaliërs erop duidde dat we het misschien verkeerd hebben gedaan, of er misschien toch niet wat schortte aan hun opvang in Nederland. Op zo'n moment zou je haast een stem op Geert Wilders overwegen.

Mohammed staat wat verveeld achter de toog. Met z'n vaatdoek veegt hij zijn blad nog eens af. De glorietijd van café Mogadishu lijkt voorbij. Ik bestel een bord rijst met spinaziesaus. Mohammed schept op en geeft me gewoontegetrouw ook een banaan. Ik ga in de eetruimte links van de toonbank zitten, onder mijn lievelingsfoto – die van de Banca Nazionale del Lavoro in het oude, Italiaanse, nog ongehavende, elegante Mogadishu.

Gelezen op de website van de Stichting Open Doors, de organisatie in Ermelo die zich inzet voor vervolgde christenen:

Ontmoet Martha (24) uit Egypte

'Als ik een mes had zou ik je nu doden', zei een Egyptische rechter tegen de 24-jarige Martha Samuel Makkar. De rechter wilde niets weten van Martha's keuze om Jezus Christus te volgen. 'Niemand verandert zijn geloof van moslim naar christen. Jij bent moslim', zei hij tegen haar. Martha antwoordde: 'Nee, ik ben christen', waarna de rechter haar met de dood bedreigde. (...)

Ontmoet Anila (10) en Saba (13)

Anila Masih is tien jaar. Samen met haar dertien jaar oude zusje werd ze enkele maanden geleden ontvoerd en verkracht. De rechter heeft gezegd dat de ontvoerders Anila moesten teruggeven aan haar ouders, maar Saba is nog steeds in handen van haar ontvoerders. Pas sinds kort heeft Anila iets durven te zeggen over wat Saba en haar is overkomen. Lees haar verhaal en bid voor deze twee christelijke zusjes. 'Toen ik deze zomer met Saba onderweg was, kochten we wat fruit bij een groentestalletje. Op dat moment stopte er een taxi en daar werden we in gesleurd. Later werden we allebei verkracht. Toen werden we vastgebonden en moesten we de islamitische geloofsbelijdenis opzeggen' (...)

Ontmoet Rosy (18) uit Bangladesh

'Als we je slaan zal niemand je komen redden, omdat je geen moslim meer bent, maar christen bent geworden.' Dat kreeg de *18*-jarige Rosy te horen van een buurman. Ze wilde haar ouders en broer helpen omdat die werden toegetakeld met een hakmes, stokken en ijzeren staven. Maar Rosy werd zelf ook flink afgetuigd. 'Wat heb ik gedaan tegen de maatschappij? Ik heb toch niets misdaan, ik ben alleen van geloof veranderd', zegt Rosy verwonderd. (...)

Verkracht omdat je vader evangeliseert

Elina Das (13) uit Bangladesh is in mei verkracht omdat haar vader voorganger is. Toen Elina op een nacht naar de wc liep die buiten het huis staat, grepen vijf jongemannen haar. Zij brachten haar naar een afgelegen gebied en verkrachtten haar meerdere malen. De volgende morgen lieten ze Elina halfbewust op de stoep voor haar huis achter. 'Mijn mond was dichtgetapet', vertelt Elina. 'Maar gelukkig lukte het me om het plakband eraf te halen. Ik schreeuwde om hulp' (...) Elina is de dochter van voorganger Motilal Das van de Verenigde Bethany Kerk in het dorpje Laksimpur. 'Ik schrok toen ik Elina hoorde', zegt haar vader. 'Ik had tot die tijd helemaal niet door dat er iets aan de hand was. Elina gaat altijd alleen naar de wc 's nachts.' (...) Voor de verkrachting had Elina al last van dreigementen van moslimjongeren uit de buurt en op school (...)

Amira ontsnapt of sterft in Saudi-Arabië

Amira woont in Saudi-Arabië, het strengste moslimland ter wereld. Een Saudi wordt geen christen en als dat wel gebeurt, kun je de doodstraf krijgen. Terecht, dacht Amira. Tot deze studente van haar ouders een computer met internetverbinding kreeg. Ze omzeilde de filters en kwam op websites die haar leven op de kop zetten. Ze ontmoette Jezus. Nu is Amira een van de geheime gelovigen in haar land. 'Ik moet weg uit Saudi-Arabië. Of ik ontsnap, of ik sterf.' (...) Amira is jong, maar moet van haar ouders zo langzamerhand gaan trouwen. 'Ik bad online met mijn christelijke vrienden. Ik wil graag het land verlaten, maar hoe?' (...)

Op een zaterdag in december wordt in de Al Fadjr-moskee een seminar belegd met als thema 'Van huwelijksaanzoek tot kinderen'. De moskee ligt aan de Zuid Koninginnewal, hartje Helmond. Als je door het centrum loopt, zou je niet vermoeden dat het massieve kantoorpand uit de jaren zeventig met zijn vier gedrukte verdiepingen een islamitische instelling herbergt. Vroeger was daar de GGD. Om de hoek zit in een haast identiek gebouw het Helmondse politiebureau. De twee gebouwen zitten met een hoek van negentig graden aan elkaar geschakeld.

Het anonieme, minaretloze moskeegebouw heeft twee ingangen. Aan de voorzijde links de oorspronkelijke GGD-ingang met een vanaf het trottoir flauw oplopende, rolstoelvriendelijke helling. Die doet nu dienst als de manneningang. En aan de rechterzijde, halverwege een tochtige doorgang naar de binnenplaats, is een deur voor vrouwen. Ik ga door de manneningang naar binnen. De bijeenkomst wordt gehouden in wat in de Al Fadjr-moskee de 'gebedsruimte mannen' wordt genoemd op de derde verdieping. De 'gebedsruimte vrouwen' is op eerste etage. Als ik de trap opga, zie ik op de overloop van die etage door een matglaswand heel vaag enkele in zwarte gewaden gehulde vrouwenfiguren heen en weer schuifelen.

De moskee presenteert zich als een 'multifunctioneel centrum'. Zo is er ook een 'kantine mannen' en een 'kantine vrouwen', een 'leslokaal mannen' en een 'leslokaal vrouwen', een computerruimte, een boekwinkel met islamitische boeken en in de kelder een qua inrichting niet direct tot bacchanalen uitnodigende 'jongeren relaxruimte'. De relaxruimte heeft een biljard en een voetbaltafel. De boekwinkel en de relaxruimte hebben separate mannen- en vrouwenuren. Al Fadjr is streng en de kans dat een man in het gebouw een vrouw ziet, is nihil – afgezien dan via die wand met dik matglas op de eerste etage.

Op de website laat de moskeevereniging weten dat Al-Fadjr zich ten doel stelt 'de emancipatie en integratie in de maatschappij' te bevorderen. Die zin is, vrees ik, vooral opgenomen om bestuurlijk Nederland om de tuin te leiden. En de burgemeester van Helmond is er inderdaad behoorlijk ingetuind. Op internet is een filmpje te zien over de officiële opening van de moskee eind 2008. De burgemeester, in donker pak met ambtsketen, verklaart tegenover de interviewer: 'Ze werken vooral aan een verdere integratie in de Hollandse gemeenschap en ik denk dat dat vanuit deze lokatie heel erg goed mogelijk is...' Wablief? Een gebouw dat mannen en vrouwen totaal gescheiden houdt, is pro integratie en pro emancipatie? Weet de arme man wel waar hij het over heeft?

Het eerste wat je opvalt in de 'gebedsruimte mannen' is dat het gestreepte vloerkleed schuin gelegd is en wel zo, dat de gelovigen automatisch in de richting van Mekka bidden. Aan een zijwand hangt een grote klok met in rode digitale cijfers de vijf gebedstijden van de dag. Die klok speelt tijdens 'Van huwelijksaanzoek tot kinderen' een grote rol. Moslims hechten eraan om alle gebeden precies op de voorgeschreven tijd te verrichten en tijdens het seminar zie ik de blik van de sprekers en luisteraars regelmatig afdwalen naar die klok. Volgens het programma zal er viermaal worden gebeden. Om 13.00 uur het Salaat ad-Dohr. Dan om 14.05 uur het Salaat al-'Asr. Om 16.35 uur het Salaat al-Maghreb en tenslotte om 18.30 uur het Salaat al-'Ishaa-e.

Op de vloer zitten een stuk of veertig mannen. De meesten zijn het moment voor een huwelijksaanzoek al ver gepasseerd. Ze doen me denken aan de ouderlingen en diakenen van een gereformeerde plattelandskerk. Diezelfde soort vrome, rechtschapen koppen. Maar er zitten ook jongeren tussen, sommige zelfs met pen en notitieboekje in de aanslag.

Er zullen die dag drie sprekers zijn. Hun lezingen, telkens gevolgd door een vraag-en-antwoordsessie, zijn ingebed tussen de voorgeschreven gebeden. Mohammed Elhoceimi zal het hebben over 'Op weg naar het huwelijk'. Dan, na het al-'Asr-gebed, volgt Imad el-Idrissi met een exposé over 'Het geslaagde huwelijk'. Imad el-Idrissi is gekleed in een traditioneel gewaad en heeft een grote baard. Hij heeft een beetje wilde trekken. En ik kan me slechts met moeite voorstellen dat het er in zijn eigen huwelijk leuk aan toe gaat. Als hekkensluiter vanaf 18.45 uur, direct na het al-'Ishaa-e-gebed, komt broeder Khattaab aan de beurt met 'De correcte islamitische opvoeding'. De laatste lezing valt strikt genomen buiten het thema van de dag en daarom laat ik die lopen.

Alleen mannen prijken er op de sprekerslijst. Maar dat geeft niet. De lezingen zullen zijn gebaseerd op de Koran en op uitspraken en gedragingen van de Profeet. Dus ruimte voor een 'vrouwelijke' kijk op de zaak is er vandaag hoe dan ook nauwelijks. Achter in de zaal staat op een drievoet een kleine videorecorder.

Ook ik zit met een opschrijfboekje in de aanslag. Het is koud in de zaal en ik zit met mijn rug tegen een raster van de centrale verwarming. Flarden uit Mohammed Elhoceimi's betoog schrijf ik op. 'De mens is geschapen om Allah te aanbidden. En het huwelijk is een vorm van aanbidding. Het huwelijk helpt om de blik zedig neer te slaan en om de kuisheid te bewaren.' Om mij heen hoor ik enkele oude mannen instemmend mompelen.

'Juist in je jeugd maak je je moeilijkste tijd door. Je krijgt seksuele lusten en je kunt je niet meer op het gebed concentreren. Bij het laatste oordeel zul je op een aantal punten worden ondervraagd: hoe heb je je leven doorgebracht? en wat heb je met je jeugd gedaan? Volgens de geleerden duren je jeugdjaren tot je dertigste of tweeëndertigste jaar. Juist bij het laatste oordeel zal blijken dat je jeugdige jaren de gevaarlijkste periode van het leven zijn geweest. Veel mensen kennen de gevaren van een foute blik niet. Allah heeft gezegd dat gelovige mannen hun ogen moeten neerslaan. Ook vrouwen moeten hun blik neerslaan en hun passies beheersen.'

Elhoceimi kijkt streng in het rond. 'De blik is de oorsprong van alle rampen. Een blik roept gedachten op en gedachten roepen lusten op! En de lust leidt tot de daad als er geen obstakel is dat het verhindert.' Elhoceimi is opnieuw even stil en kijkt dan nog strenger de zaal in.

'Ik wil ook een oproep doen aan de zusters. Jullie moeten beseffen dat je ongehoorzaam bent aan Allah als je om je gezicht geen hidjab draagt. Beste zusters, jullie moeten deze samenleving vormen en opvoeden. De maatschappij heeft jullie nodig en als jullie je lusten niet kunnen beheersen, zal het misgaan met de samenleving. En, beste broeders, bedenk wel dat schoonheid vergaat. Als je schoonheid meeweegt, kom je bedrogen uit. Ik beloof je, broeders, als je de correcte instelling hebt, zal Allah je helpen. Trouw vanuit kuisheid en je hebt de garantie dat Allah je goed gezind is. Als een man trouwt, heeft hij al meteen de helft van zijn geloof vervuld.' Ik zie sommige jongeren ijverig aantekeningen maken. 'Een slechte vrouw is een vrouw die haar tong tegen jou gebruikt. We zeggen niet dat je een lelijke vrouw moet kiezen. Natuurlijk is het meegenomen als ze heel mooi of rijk is.'

Elhoceimi houdt van grote thema's, maar gelukkig heeft hij ook praktische tips. 'Als je met een bepaald meisje wilt trouwen, gedraag je dan met veel respect tegenover haar vader of voogd. Vraag voorzichtig of je de dochter mag zien en of je over de voorwaarden voor een huwelijk mag praten. Als je bang bent dat je niet goed uit je woorden komt, kun je ook je vader sturen. Of een bemiddelaar. Het is ook altijd goed om een geschenk mee te nemen. Maar overdrijf niet. Neem niet meteen een heel schaap mee! Want je bent nog in een beginfase en je weet niet welke kant zo'n gesprek uit gaat.' En dan nog iets. Het is verboden om interesse te tonen als je weet dat iemand anders met haar bezig is. Een gelovige mag niet zomaar de plannen van een gelovige broeder doorkruisen. Die regel is eigenlijk, hoe moet ik dat zeggen, ook op de automarkt van kracht. Als iemand over een auto aan het onderhandelen is, ga jij er toch ook niet doorheen?' Hij kijkt rond en we schudden allemaal van nee.

'Dat hoort gewoon niet. Pas als de verkoper er met die ander niet uitkomt, is het jouw beurt. Als je bij de vader of voogd op bezoek bent en het wordt serieus, mag je gewoon vragen of je het meisje mag zien. Er komt dan dus een moment waarop je je ogen voor een keer niet zedig naar de grond gericht hoeft te houden. Daar is ook een betrouwbare overlevering over. In Medina was er eens een man die een huwelijksaanzoek deed. Na het bezoek aan de familie van het meisje kruiste hij het pad van de Profeet, vrede zij met hem. De Profeet vroeg de man: Heb je ook naar het meisje gekeken? Nee, zei de man. En toen zei de Profeet: Dommerik, ga terug en kijk naar haar!'

Vlak voor het gebed is er een korte pauze. We gaan een etage lager naar de mannenkantine. In een kleine ruimte achter in de kantine is een soort keukentje. Via een doorgeefluik zien we een groep mannen met baarden druk in de weer om een koffieapparaat aan de praat te krijgen. Tegen een van de deelnemers aan het seminar zeg ik: 'Jammer eigenlijk dat er geen vrouwen meedoen. Het onderwerp is toch ook voor hun belangrijk?' Hij kijkt me verbaasd aan. 'Er doen wel degelijk vrouwen mee. Sterker nog, misschien zijn er vandaag wel meer vrouwen aanwezig dan mannen. Heb je niet gezien dat er in de zaal een videocamera staat? De vrouwen volgen de lezingen via het beeldscherm dat op de eerste verdieping in de vrouwengebedsruimte staat opgesteld.'

Na de pauze en het gebed volgt Imad el-Idrissi met 'Het geslaagde huwelijk'. Hij spreekt Arabisch, maar naast hem zit een tolk. Na afloop worden hem vanuit het publiek vragen gesteld. 'Als een jongen en een meisje een huwelijkscontract hebben gesloten, maar nog niet getrouwd zijn, mogen ze dan sms'en?' El-Idrissi: 'Nee, dat is onverstandig. Door te sms'en kan het voortijdig misgaan. Daar zijn allerlei gevallen van bekend.' Iemand anders: 'Mag je trouwen met een goed meisje wanneer de ouders geen goedkeuring geven?' El-Idrissi: 'Kijk, veel voogden en vaders maken op dat punt een vergissing: zij denken dat het om goedkeuring gaat, terwijl het formeel slechts om advies gaat. Het kan uiteindelijk gaan om een afweging tussen gehoorzaamheid en datgene wat de Schepper met je voorheeft. Een advies hoef je niet op te volgen. Maar ga er wel diplomatiek mee om en probeer met haar vader tot een oplossing te komen.'

Vanuit de eerste etage is een briefje gearriveerd dat door de tolk wordt voorgelezen: 'Wat moet je doen als je man haram dingen doet en niet luistert?' El-Idrissi kijkt bezorgd de zaal in. 'Ah, dat is een heel erg ernstige zaak. Als iemand bijvoorbeeld nalaat te bidden, zelfs nadat er een bemiddelaar is ingeschakeld om hem op andere gedachten te brengen, is dat een reden tot scheiding. Het plaatst je immers buiten de kring van moslims. Iemand die alcohol drinkt – nou ja, dat is net iets minder ernstig. Maar als ze bang is dat hij haar in een roes geweld zal aandoen, is ook dat een gegronde reden om te scheiden. Bij kleinere problemen kun je een scheiding van tafel en bed overwegen. En je kunt natuurlijk altijd de hulp van de imam inroepen.'

Iemand anders: 'Wat moet je doen als je vroom moslim bent en op je huwelijk geen muziek wilt, maar je ouders willen wel muziek, omdat ze zich schamen voor een feest zonder muziek?' El-Idrissi: 'Je ouders verlangen op zo'n moment iets wat niet legitiem is. Je zou bemiddeling kunnen vragen. Probeer je ouders ervan te overtuigen dat Allah je huwelijk zegent als je je als een vrome moslim gedraagt. Je zou eventueel nog kunnen overwegen wel muziek te spelen, maar dat dan te beperken tot islamitische lofliederen.'

Vanuit de zaal: 'Is een neuspiercing of een gouden tand halal?' Antwoord: 'Een neuspiercing mag als die tot je cultuur behoort en op voorwaarde dat het gezicht gesluierd is. Voor een gouden tand geldt hetzelfde.' Even denkt El-Idrissi na en voegt er dan aan toe: 'Misschien toch nog iets om te onthouden: een gouden tand maakt deel uit van de erfenis.' Ik noteer in mijn opschrijfboekje: gouden tand/erfenis.

Op een gegeven moment verbreedt de Delftselaan in het Haagse Transvaalkwartier zich zodanig dat er haast sprake is van een plein. Midden op dat quasi-plein, pal tegenover de Delftselaan-moskee, staan een paar tenten. Om de tenten staan hoge drangrekken. Het is even zoeken om de ingang te vinden. Binnen de dranghekken is het druk. Er is een straatfeest aan de gang. Bij de ingang is geen controle, maar die dranghekken hebben toch een wat intimiderend effect. Rechts is een open ruimte met wat stalletjes waar Turks eten wordt verkocht. Aan de lange tafels zitten vooral mannen. Links is een grote tent. Binnen zitten alleen vrouwen en kleine kinderen. Ook daar staan lange tafels. In Saudi-Arabië heb je ook van die eetgelegenheden met een aparte vrouwenafdeling.

Achter de vrouwentent staat een tweede tent waar spullen uit Turkije worden verkocht. Tussen het open deel en de vrouwentent is een tafel waar soep wordt verkocht en Turkse pizza's. Achter de tafel staat een Turkse vrouw en dan weer daarachter zitten zo'n vijftien vrouwen op de grond. Ze zijn bont gekleed. Voor zich hebben ze houten planken waarop ze met lange, dunne deegrollen – veel langer en dunner dan wij in Nederland gewend zijn – deeg rollen. Ze zitten druk te kwebbelen. Kijkend naar hun gezichten en hun schalkse, zijwaardse blikken kun je zien dat ze in feite stevig aan het roddelen zijn. De scène komt mij om de een of andere reden bekend voor. Opeens weet ik het weer: boven de tochtdeur van restaurant Kervansaray op de Vaillantlaan in de Schilderswijk hangt een foto met precies zo'n groep vrouwen, maar dan gezeten op een zonovergoten, grazige Anatolische weide.

Naast mij staat een bejaard, allochtonofiel echtpaar. Beiden hebben duidelijk plezier in dit feest. Zij nog meer dan hij. 'O, wat enig. En wat ruikt het verrukkelijk hier', kirt zij. 'Kunt u even de deksel van die pan oplichten? Mmm, dat ziet er zalig uit en ik denk dat het ook heel gezond is.' Ze zwaait enthousiast naar de groep vrouwen op de grond. Andere Hollanders zie ik niet. Ik raak aan de praat met Altun. Hij is de organisator van het feest. Hij blijkt ook nauw betrokken te zijn bij de Delftsestraat-moskee. Na een korte aanloop kom ik uit bij de vraag die me toch wel bezighoudt.

'Altun, waarom is er een aparte vrouwentent? Ik ken dat uit het Midden-Oosten. Maar we zijn hier op een straatfeest in Nederland.' 'Ja, dat begrijp ik', zegt Altun. 'Maar als we dat niet hadden gedaan, zouden er geen vrouwen gekomen zijn. De meeste Turken in de Schilderswijk en het Transvaalkwartier zijn heel gelovig. De vrouwen willen het zelf ook zo. Het komt vanuit onze religie. Maar later is het ook cultureel zo geworden. Voor vrouwen is geen plaats in het theehuis of het café. Maar ze nodigen elkaar thuis uit. Dat is ook heel gezellig. Daar zal echt geen verandering in komen. Het is niet erg dat het zo is.'

Gelukkig is de vrouwentent niet taboe voor mannen. Altun moedigt me juist aan om er naar binnen te gaan. 'In het mannendeel heb je alleen het eten dat typisch door mannen wordt klaargemaakt. De kebab, de döner. Maar het eten in de vrouwentent is klaargemaakt door vrouwen. Dat is veel verfijnder.' Achter in de vrouwentent staat een lange buffettafel. Ik sluit me aan bij de rij. Er staan ook een paar andere mannen. Maar het is duidelijk dat we onze portie buiten moeten opeten. Het eten op de tafel ziet er inderdaad geraffineerd uit. Gekruide deegballetjes in een fluwelige yoghurtsaus, met rijst gevulde courgettes en aubergines, taartjes in een bad van gouden honing.

Wat later breng ik een bezoek aan de tent met Turkse spullen. Achter een stand met brei- en haakwerk zitten twee stevige oudere vrouwen. Ze hebben zich ondanks het prachtige lenteweer ingepakt in vele lagen kleding. Harde, onverstoorbare gezichten. Twee blokken beton. Het brei- en haakwerk ziet er niet fraai uit. Alsof het gemaakt is met betonnen breinaalden.

Achter een andere tafel zitten twee meisjes van een jaar of twintig. Ze verkopen boeken. Op twee na alleen boeken in het Turks. Ik koop een in Turkije gedrukt, maar in het Nederlands geschreven *Beknopt handboek van de essentiële islamitische leer*. We maken een praatje. Hoeveel mensen er op het feest zijn geweest en dat soort zaken. Gewoon twee leuke meisjes. Ze blijken hbo te doen. Als ik aanstalten maak om weg te gaan, vraag ik nog even naar hun naam. Was ik aan het begin vergeten te vragen. Allebei schudden ze van nee en trekken hun hoofddoek dieper over het voorhoofd. O jee, dat was dus heel erg fout. Ik voel me schuldig.

Thuis begin ik aan het *Beknopt handboek*. Het gaat vooral over de vijf essentiële vereisten van de islam. De geloofsgetuigenis, de dagelijkse gebeden, de aalmoezen, het vasten gedurende de ramadanmaand en de bedevaart naar Mekka. Maar ook over wat voor een buitenstaander zacht gezegd nogal arcane thema's lijken. Bijvoorbeeld 'De kwestie van tandvullingen' en 'Het ritueel bevochtigen van Mash-schoenen'. Mash-schoenen zijn een soort leren sokken, die in de tijd van de Profeet met name in de winter op reis door de woestijn soms werden gedragen.

De kwestie van tandvullingen
Het is toegestaan slechte of afgebroken tanden te laten vullen of van een kroon te voorzien. Het is echter niet geoorloofd het alleen maar te laten doen voor de uiterlijke ver-

schijning, zonder enige noodzaak. Naar de mening van Imam Mohammed (Moge Allah hem welgevallig zijn), een jurist van de Hanafitische Rechtsschool, is het toegestaan losse tanden met gouden banden te laten vastzetten en een gouden tand/kies te laten bevestigen in de plaats van een die getrokken of uitgevallen is. Aan de andere kant zijn naar de mening van Imam Aboe Hanifa (Moge Allah hem welgevallig zijn) vullingen, kronen en tanden van goud niet toegestaan, maar wel van zilver. Volgens een overlevering heeft Imam Aboe Yoesoef (Moge Allah hem welgevallig zijn) dezelfde opvatting als Imam Mohammed.

In dit opzicht kan men handelen naar de mening van Imam Mohammed. Islamitische rechtsgeleerden hebben inderdaad rechtsgeldige besluiten – fatwa's – uitgevaardigd op basis van de uitspraken van deze twee geleerden, Imam Aboe Yoesoef en Imam Mohammed. Bovendien hebben Ottomaanse geleerden hierover fatwa's uitgevaardigd: Shaikh-oel-Islam Uryanizade voor het vullen van tanden en Shaikh-oel-Islam Musa Kazim Efendi voor het aanbrengen van een gouden tand.

Al-Mash Alel Choeffein (Ritueel bevochtigen van leren sokken)
Het is mannen en vrouwen toegestaan leren sokken (Mash of Choef) te dragen en deze bij de rituele wassing met natte vingers te bestrijken in plaats van iedere keer de voeten te wassen. Hiervoor moeten de volgende voorwaarden in acht worden genomen.

1 De leren sokken moeten zijn aangedaan na het nemen van een eerdere rituele wassing.
2 Ze moeten de hele voet bedekken, enkels en hielen inbegrepen, en duurzaam genoeg zijn om er minstens *12* duizend stappen op te kunnen lopen.

3 Ze mogen geen scheuren of gaten hebben die zo groot zijn als de maat van drie kleine tenen.

4 De leren sokken moeten voldoende dik en stevig zijn, zodat er geen water door kan dringen en ze rechtop blijven staan als ze niet worden gedragen.

5 De open ruimte tussen de voorkant van de leren sok en de voet mag niet minder dan drie vingers breed zijn. (Als een voet is geamputeerd tot aan de hiel, dan is het niet toegestaan de andere voet door bestrijking met natte vingers ritueel te bevochtigen.)

Over die leren sokken wordt op interet intensief gedebateerd. Het gaat allemaal terug op een oude overlevering. Een zekere Mugira ibn Shu'ba vergezelde de Profeet op een reis. Toen de tijd gekomen was om zich ritueel te wassen voor het gebed, snelde hij op de Profeet af om hem van zijn leren sokken te bevrijden. Maar de Profeet zei dat dat niet nodig was en bevochtigde vervolgens zijn sokken met natte vingers. De discussie op internet richt zich vooral op de vertaling van deze situatie naar het heden. Mogen ook kunstleren sokken op die manier gewassen worden of is dat niet geldig? En hoe zit het eigenlijk met sokken van nylon? Een ander, wellicht nog complexer punt is de kwestie van de leren-sok-met-rits. Daar zijn de geleerden voorlopig nog niet uit.

Mocht u op zoek zijn naar een ongebruikelijk verjaarscadeautje waaraan ook meteen een leuk verhaal vastzit: via Google ben ik twee aanbieders van *choef* op het spoor gekomen. De firma Albalagh, die in Californië zit, biedt ze aan voor 15 dollar. Bij Adeela in Indonesië zijn ze te krijgen voor 13,90 dollar. Adeela prijst zichzelf vertederend aan als *manufacturer of modest and Islamic apparel.*

Na afloop van de vrijdagpreek raak ik bij de uitgang van de Milli Görü -moskee aan het Haagse Teniersplantsoen aan de praat met Haluk. Hij doet wat verontschuldigend. 'Wat je zojuist hebt meegemaakt is typisch voor Turkse moslims. De preek duurt maar kort. En hij wordt in het Turks gehouden. De taal van de islam is het Arabisch. De preek zou ook in die taal gehouden moeten worden. Maar wij Turken zijn daar niet goed in thuis. Als je de vrijdagpreek en het gebed in alle glorie wilt meemaken, moet je eigenlijk naar een Marokkaanse moskee. Daar is het veel verfijnder.'

Ik vertel Haluk dat ik een paar keer naar de Al Islam-moskee ben geweest, maar dat ik daar niet meer binnen mag. 'Weet je wat?' zegt hij. 'Ik neem je mee naar de As-Soennah-moskee. Dat is de beste van allemaal. Nederlanders worden er trouwens met open armen ontvangen. De As-Soennah-moskee timmert echt aan de weg.'

Ik was inderdaad niet erg onder de indruk van de Milli Görü - moskee. Wel van het gebouw. Het is een fors, statig gebouw uit het einde van de negentiende eeuw. Niemand in de buurt wist me te vertellen wie of wat er vroeger in had gezeten. De Schilderswijk is een wijk van nieuwkomers en er is geen historisch besef.

Tijdens het vrijdaggebed zag ik de gelovigen binnenkomen in t-shirts en colbertjes – niemand ging gekleed in Arabische kleding, zoals in de Al Islam-moskee. En de preek was inderdaad maar kort. Je kreeg niet het gevoel een bijzondere plechtigheid bij te wonen. Het had allemaal wat simpels. Iets wat rechtstreeks was geïmporteerd uit een karig bergdorp op de Anatolische hoog-vlakte. Er heerste ook geen sfeer van vroomheid. Vertaald naar het katholicisme zou je de imam van Milli Görüs kunnen vergelijken met een kapelaan die in een Brabants gehucht het vissersmisje af-raffelt. En de voorganger van de Al Islam-moskee is dan meer de kardinaal die een hoogmis celebreert.

In de auto van Haluk rijden we naar de As-Soennah-moskee aan de Fruitweg. De Fruitweg is een uitloper van het industrieterrein van de Laak. Het is een van de minst aantrekkelijke plekken van Den Haag. De moskee ligt met wat onduidelijke bedrijven op een driehoekig terrein dat wordt omgrensd door de Fruitweg, de Energiestraat en de Dynamostraat.

In de Energiestraat bevindt zich schuin tegenover de moskee een klein woonwagenkamp. Bij een van de wagens is een tuin aangelegd met een tuinhek. Aan weerszijden van het hek staan op pilaren twee haast levensgrote Griekse beelden. Een naakte Apollo en een naakte Venus. Dat moet de geloofsgemeenschap van de As-Soennah-moskee een doorn in het oog zijn. Zou het ooit tot een beeldenstorm kunnen komen? Ik weet het niet. Het zou niet zonder risico's zijn, want bij die woonwagens lopen al-tijd heel wat vechthonden rond.

De moskee is gehuisvest in een vreemd gebouw. Een gebouw waar door de jaren heen alsmaar aan gesleuteld is. Het schijnt oorspronkelijk een drukkerij van de klm te zijn geweest. Een werkplaats waar menu's werden gedrukt en instapkaarten. Vlak bij de hoek Fruitweg-Energiestraat is de manneningang van de moskee. Voor de vrouwen is er een toegangspoortje iets verder-op aan de Fruitweg. Zij moeten door een brandgang naar de ach-terkant van het gebouw. In de gebedsruimte – ik denk dat daar vroeger de drukpersen stonden – is een hoog houten scherm.

Achter dat scherm zitten de vrouwen, onzichtbaar voor de mannen. Het scherm ziet er nogal gammel uit. Er hangt een bordje op met BROEDERS, NIET DUWEN. Misschien dat er aan de andere kant een bordje hangt met ZUSTERS, NIET DUWEN.

Als Haluk en ik de gebedszaal binnenkomen, is de preek nog bezig. Haluk stoot mij aan. 'Zie je, dat bedoel ik nou. We hebben eerst bij mijn moskee na de preek en het gebed nog een hele tijd buiten staan praten. Toen zijn we hier helemaal naar toe gereden, en toch zitten ze hier nog steeds midden in de preek! Die Marokkanen nemen voor alles echt alle tijd. Zo gaat dat in hun moskeeën. Hier is echt alles bloedserieus.' De gebedsruimte zit stampvol. Buiten op de binnenplaats zijn tapijten neergelegd – het is een zonnige dag – en ook daar is geen plaats meer vrij. Iedereen luistert doodstil naar imam Fawaz Jneid. Zijn stem klinkt boos. We besluiten de moskee weer te verlaten.

Een week later ben ik terug. Zeker een half uur voor het begin van de preek zit ik al in de gebedsruimte. Ik heb voorzichtigheidshalve een plekje helemaal achter in de zaal gekozen. Met mijn rug zit ik tegen het houten schot – precies onder dat bordje BROEDERS, NIET DUWEN. Om mij heen zijn enkele gelovigen verdiept in de Koran. In nissen staan huiskorans die ter plekke kunnen worden geraadpleegd. Ze zijn gedrukt op kanariegeel papier.

De zaal begint vol te stromen. Mensen beginnen over andere mensen heen te stappen. Er wordt gemanoeuvreerd om strakke rijen te vormen. Met drukke gebaren worden nieuwkomers aangemoedigd om de steeds schaarsere lege plekken op te vullen. Want een vacuüm in de gebedsrij hoort niet. Er is in totaal plaats voor zo'n vijfhonderd mannen. Ik krijg de indruk dat het ook achter het houten schot vol begint te raken Er klinkt geroezemoes van vrouwen en zo nu en dan een kinderstemmetje.

Als imam Fawaz Jneid binnentreedt, is het meteen stil. Hij beklimt enkele treden van het preekgestoelte, kijkt even nors rond en steekt van wal. En dan, ja, dan volgt er een ononderbroken woordenstroom van bijna een uur. Niets op papier. Zo nu en dan citeert hij op zangerige toon verzen uit de Koran. Maar meteen daarop schakelt hij dan weer terug naar zijn standaard donderpreek-*format*. Hij spreekt in het Arabisch. Ik kan er niets van volgen, maar toch zit ik gebiologeerd te luisteren. Ik begrijp niet goed hoe dat kan. In een bioscoopzaal heb ik al moeite met vijf minuten pauze en hier zit ik bijna een uur te luisteren naar een preek waar ik geen jota van begrijp.

Imam Fawaz is een redenaar zoals er in Nederland op dit moment geen tweede bestaat. Je voelt, nee, je weet dat hij alleen jou op het oog heeft. En dat zijn priemende, van woede trillende wijsvinger juist op jouw zondige hart is gericht. Pas tegen het eind van de preek, de uitputting nabij, moet hij een of twee keer naar een woord zoeken. Als hij is uitgesproken, is het alsof we wakker worden uit een hypnose.

Na de preek volgt nog het vrijdaggebed. Daarna stroomt iedereen de zaal uit. In het halletje bij de toegangsdeur recipieert Fawaz. Hij is een jaar of veertig. Hij is stevig gebouwd en heeft lichtgroene ogen. Ogen die je moeilijk aan kunt kijken. Ik ga ook in de rij staan om hem een hand te geven. Er gaat iemand met een doos dadels rond. Ik neem er ook een. De dadel is heel lekker, romig. Opeens sta ik voor Fawaz. Snel druk ik met mijn tong de dadelpit tussen mijn wang en mijn onderkaak. Ik vertel Fawaz dat ik van de preek niets begrepen heb, maar dat ik diep onder de indruk ben van de overtuigingskracht die hij op de gelovigen uitoefent.

Een van zijn assistenten vertaalt mijn compliment in het Arabisch. Hij wil weten of ik moslim ben. Nee dus. Fawaz lacht mij vriendelijk toe en laat via de tolk weten dat ik altijd van harte welkom ben. Ik blijf nog wat rondhangen. Mensen leggen een hand op mijn schouder. Zo nu en dan word ik al aangesproken met 'broeder'. De As-Soennah-moskee is gereed om mij te bekeren.

Ik zit nog steeds met die dadelpit in mijn mond. Een beetje voorovergebogen spuug ik hem voorzichtig uit. Maar nou zit ie plakkerig in mijn hand. Waar blijf je in 's hemelsnaam met een dadelpit midden in een moskee? Een man in een lang Arabisch gewaad ziet mijn probleem en stapt resoluut op mij af. Hij gebaart mij om de pit aan hem te geven. Hij opent zijn hand. De hand zit al vol met andere dadelpitten.

VOORBEELDMOSLIMA

De As-Soennah-moskee aan de Fruitweg heeft een eigen website, www.al-yaqeen.com. Als je op de homepage van die site klikt op 'moslimvrouw', krijg je een pagina waarin je kunt doorklikken naar 'voorbeeldmoslima'. Je krijgt dan een keuzemenu met drie opties: (a) 'De geur van muskus kwam uit haar neus', (b) 'De zwarte vrouw' en (c) 'Achtenswaardig was zij!' Het zijn alle drie verhalen over voorbeeldmoslima's. Zelf vind ik 'Achtenswaardig was zij!' het spectaculairst. Het gaat over een man die op heel bijzondere wijze te maken krijgt met een uiterst standvastige moslima. Hieronder volgt een iets ingekorte versie.

Onderweg naar mijn werk zag ik een auto-ongeluk, waarschijnlijk een auto die van de weg was geraakt. Ik was er als eerste bij. Ik stopte mijn auto, snelde richting de verongelukte wagen en bekeek deze van alle kanten. Ik keek naar binnen. Ik keek goed. Mijn hart ging tekeer, mijn handen trilden en mijn voeten waren aan de grond genageld. Ik had geen greep meer op mezelf. Mijn ogen schoten eerst vol, daarna brak ik in huilen uit. Een vreemd gezicht... de bestuurder van de auto lag dood bovenop het stuur. Zijn wijsvinger was opgeheven, zijn ogen waren wijd open en naar de hemel gericht en de mooie glimlach op zijn door een volle baard omringd gezicht deed hem op de zon lijken. Nog vreemder was de kleine dochter die het leven al reeds achter zich had gelaten en die boven de rug van haar vader lag met haar handen rond zijn nek!

O! God, Allermachtige! Laa ilaaha illallah! Ik heb nog nooit een dode gezien die al die reinheid, rust en eerbied uitstraalde... een gezicht dat van rechtschapenheid getuigt en een wijsvinger die de eenheid van Allah erkent alvorens het verlaten van het leven. Ik dwaalde steeds verder af met mijn gedachten. Ik dacht aan dit goede eind. Het werd steeds drukker in mijn hoofd. De volgende vraag hield mij bezig: hoe zullen mijn laatste momenten zijn...? Hoe zal ik de dood vinden?

Deze vraag hield mij alsmaar bezig en schudde mij van mijn achteloosheid wakker. Tranen van angst begonnen over mijn wangen te lopen. Het gejank werd steeds luider en luider. Je zou denken dat ik hem kende of dat ik misschien een verwant van hem ben. Ik leek wel een vrouw die haar man had verloren. Ik was niet meer bewust van wat er om me heen gebeurde. Mijn verbazing werd groter toen een overtuigende stem weerklonk en mij terug bij zinnen bracht: 'Broeder! huil niet om hem, hij is een goede man. Kom op! Help ons hier uit, moge Allah jou belonen.' Ik keek om en zag een vrouw zitten op de achterbank. Zij drukte twee kleine kinderen, die niets mankeerden, tegen haar borst.

Achtenwaardig was zij in haar hijaab (hoofddoek). Zij bleef al die tijd rustig. Geen gehuil, geen geschreeuw! Wij hielpen haar en de kinderen uit de auto. Als je mij en haar zag, dan zou je denken dat ik het slachtoffer was en niet zij. Zij zei, terwijl zij haar hijaab in orde maakte, op een wijze die duidt op het feit dat zij de voorbeschikking van Allah volledig had geaccepteerd: 'Zouden jullie mijn man en mijn dochter naar het dichtstbijzijnde ziekenhuis willen brengen, hen zo snel mogelijk laten wassen en begraven en mij en de kinderen naar huis brengen, moge Allah jullie daarvoor belonen.' Een aantal mensen zorgde ervoor dat de man en de dochter naar het dichtstbijzijnde ziekenhis werden gebracht en daarna naar de dichtstbijzijnde begraafplaats. En toen wij haar een lift naar huis wilden geven, antwoordde zij verlegen, maar vastberaden: 'Nee, ik zweer bij Allah, ik zal alleen in een auto stappen waar ook andere vrouwen in zitten', waarna zij op een afstand van ons ging staan en haar beide kinderen vasthield, in afwachting van wat wij zouden doen. Er restte ons niets anders dan haar verzoek in te willigen, haar standpunt bewonderend.

Wij moesten op dit verlaten stuk land, in een ondraaglijke toestand, wachten op een auto waar ook vrouwen in zitten. We moesten erg lang wachten, terwijl zij standvastig volhield aan haar islamitische principes. Er waren twee uur verstreken, toen eindelijk een automobilist met zijn echtgenote en kinderen ons naderde. Wij lieten hem stoppen, vertelden hem over de vrouw in kwestie en vroegen hem of hij de vrouw naar huis wilde brengen. Hij had er geen bezwaar tegen. Ik keerde terug naar mijn auto, verwonderd door deze overweldigende standvastigheid. Een man die tijdens zijn laatste ademsnik nog weet vast te houden aan zijn geloof en een vrouw die de klap van haar leven te verwerken krijgt en toch standvastig blijft in het omgaan met haar hijaab en haar zedelijkheid.

We leerden elkaar kennen in de Poldermoskee, Adrie en ik. Dat was op de officiële openingsavond. De aanwezige Hollanders liepen er rond in trui of hooguit in een jasje. Maar Adrie was in donker pak. Dat kwam, werd me naderhand duidelijk, doordat Adrie er aan het werk was. Hij is namelijk relatiebeheerder voor een grote Amsterdamse begrafenisonderneming. En Adrie is helemaal thuis in een niche van die markt, te weten het lijkentransport van Marokkanen terug naar Marokko.

Zijn bedrijf zal het nooit zo zeggen, maar dat lijkentransport is *big business*. Vooral oudere Marokkanen piekeren niet over om zich in onze kille poldergrond te laten begraven. Die willen als het zover is terug naar het Rifgebergte. Gedurende hun leven betalen ze vanuit ons land een speciale Marokkaanse transport- plus begrafenisverzekering via de Banque Populaire du Maroc of via Wafa Assurance om dat mogelijk te maken.

In de Tweede Kamer worden vragen gesteld over Marokkaanse en Turkse Nederlanders die de politiek in gaan en toch hun oorspronkelijke Marokkaanse of Turkse paspoort willen bewaren. Het behoud van zo'n paspoort is echter vaak weinig meer dan een technische kwestie. De ultieme vraag aan zo'n staatssecretaris of minister in spe moet zijn: waar zult u worden begraven? En dan niet in politieke, maar in letterlijke zin. Dat gegeven overstijgt verre het technisch niveau, het is een zaak van het hart.

Adries onderneming houdt kantoor aan de Amsterdamse Kabelweg, een saaie, deprimerende straat vlak bij de haven. De entree van het pand is uitgevoerd in bordeauxrood en rouwpaars. Langs sommige wanden zit een somberstemmende lambrisering van bijna zwart hout. Op de receptiebalie staat een strak rouwbloemstuk. Links en rechts van de voordeur staan wat tafeltjes en stoelen. Op de tafeltjes staan bekers met suikerzakjes en melkpoeder, maar er is geen koffieapparaat te bekennen.

Terwijl ik op Adrie wacht, blader ik door *Strax*, het blad dat het bedrijf vier keer per jaar uitgeeft. In het lentenummer staat met vette letters: 'Maak kennis met de vogelsoorten op Uitvaartpark Westgaarde: Unieke wandelexcursie onder leiding van vogeldeskundige Jan van Blanken!' Dan een artikel over 'Wonen en werken in 2060'. De toelichting bij het verhaal zegt: 'Het valt moeilijk voor te stellen hoe de wereld er na onze *dood* zal uitzien. *Strax* neemt u daarom in een serie artikelen mee naar het jaar 2060.'

Ik begin in de rubriek Branchenieuws net aan een artikel over het recent uitgekomen *Internationaal uitvaartwoordenboek* als Adrie, een man van rond de vijfenveertig, zwierig en met een spankelende blik achter een moderne, wat mij betreft iets te hoekige bril de entree binnenloopt. Hij neemt me mee naar een van de spreekkamers. Onderweg passeren we enkele wandelementen waarin nissen zijn uitgespaard voor, ja, hoe noem je dat, containers en urnen voor crematie-as. Er is er een in de vorm van een elegante Chinese celadonvaas. Daarnaast een ruw gekarteld model uit het tijdperk van de Kaninefaten. In een andere nis zie ik er een in de vorm van een grote paddenstoel. Een paddenstoel? Zouden er echt cliënten zijn die die kiezen? Misschien voor de as van hun stiefmoeder?

Voordat we de spreekkamer binnengaan, zegt Adrie: 'Ik wil je even nog een stukje kisten laten zien.' Achter de wandelementen staan inderdaad schuin tegen een muur een aantal kisten uitgestald. 'Kijk, deze is van spaanplaat, maar wel met schitterend berkenfineer.' Even glijdt zijn hand discreet, maar liefdevol over het glanzende oppervlak. 'En dan hebben we hier een kist van tijgerhout.' 'Sorry, Adrie', zeg ik, 'wat is dat, tijgerhout?' 'Nee', zegt hij, 'steigerhout, met een s. Je weet wel, van dat hout dat wordt gebruikt bij de opbouw van steigers. Dit is dus echt een kist voor stoere mannen. Van die mannen in marinetruien.'

Aan de kist zitten ook absurd grove steigerhouten handvaten. Ik vind het allemaal wat overdreven, meer iets voor mannen die eigenlijk twijfelden aan hun man-zijn. Zoals ik ook altijd een vraagteken zet bij mannen in Hummers. Naast de kist van spaanplaat staat een toonkast met waanzinnig grote glazen knikkers. 'Dat doen we ook. We kunnen de as laten verwerken in deze glazen bollen. En dan hebben we hiernaast nog de kast met hangers. Hier heb je bijvoorbeeld iets in de vorm van een hartje. Er zijn mensen die de as op die manier altijd bij zich willen dragen. Om hun hals. Maar ja, als je dan met zo'n hartje onder de douche staat en...' Er volgt een grapje uit de uitvaartbranche en vrolijk lachend stappen we de sobere spreekkamer binnen.

'Weet je', begint Adrie, 'we verzorgen bijna 40 procent van alle uitvaarten in Amsterdam. Maar we zitten ook buiten de stad. Ons werkterrein strekt van Enkhuizen en Bovenkarspel – daar hebben we trouwens ook een uitvaartbedrijf – tot aan Alphen aan de Rijn. We zouden het liefst ook het Haagse erbij willen. Maar dat komt misschien nog wel. Amsterdam is door de immigratie heel erg verjongd. Kijk maar naar de Westelijke Tuinsteden – Slotervaart en zo. De stad heeft een 12 procent lager sterftecijfer als het landelijke gemiddelde. Voor onze branche is dat natuurlijk een wat minder leuk gegeven.'

'We zijn in de jaren dertig begonnen als coöperatieve vereniging, maar sinds een paar jaar zijn we een bv. In die coöperatieve tijd hadden we alleen een standaarduitvaart. Een standaardkist – tegenwoordig is dat spaanplaat met fineer of een coating

van gekopieerd papier, maar toen was dat nog gewoon de aller-
goedkoopste houtsoort. Verder standaardrouwkaarten, een pak-
ketje van vijftig kaarten van wat we toen oud-Hollandsch papier
noemden. Maar bloemen moesten de mensen zelf verzorgen. Dat
gold ook voor de zerk. Iedereen zocht daarvoor een eigen steen-
houwer. We doen alle gezindten, dus ook moslims. Nee, wacht,
de Joodse gemeenschap doen we niet, die heeft een eigen Joods
begrafeniswezen.'

'Veel met name oudere Marokkanen willen hier niet begraven
worden. En wij verzorgen dan het transport naar Marokko. Dat
hebben we toch wel een paar honderd keer per jaar. Voor zover
ik weet was de eerste generatie die hier naar toe kwam, verplicht
verzekerd in Marokko. En de premie werd iedere maand naar
Marokko overgemaakt. Voor de tweede generatie bestaat die verplichting misschien niet meer, maar er zijn er zeker die er nog gebruik van maken. Ook jongeren melden zich aan. Maar je krijgt
nu dat de mensen zeggen: Wat doen we? Ze gaan als het ware op
twee benen hinken.'

'Wat me wel erg opvalt, is dat we heel veel baby'tjes transporteren. Negen van de tien keer gaan die terug naar Marokko. We
transporteren ook foetussen. Dan heb je het over een zwanger-
schapsduur van minder dan zes maanden. Soms gaat het om een
foetus van maar een paar maanden oud, die ziet er dan uit als niet
veel meer dan een dun vliesje. In dat soort gevallen doen we een
'droge bewassing'. Bij een moslimuitvaart is de rituele wassing
heel belangrijk. Maar bij zo'n kleine foetus gaat dat natuurlijk
niet. Dan wordt de hele ceremonie gedaan, maar minus de wassing. Dat is ook het geval als een overledene pas na enkele weken
in zijn huis wordt aangetroffen.'

'Bij moslims vindt de begrafenis plaats op de dag van overlij-
den of de dag daarna. Als de begrafenis hier is, kunnen wij die als

bedrijf verzorgen. Maar je moet dan wel hollen, hoor. De gewoonte is dat bij zo'n overlijdensgeval de buren in de straat helpen met eten en zo. Als de begrafenis binnen vierentwintig uur plaatsvindt, is dat niet zo'n probleem. Maar bij een transport terug naar Marokko ligt dat anders. Soms moet er dan dagen gewacht worden, want er mag alleen gebruik worden gemaakt van vluchten van Air Maroc. Dus dat trekt een wissel op de solidariteit van de buurt. Hier op Schiphol is het wel allemaal goed in orde. Daar hebben ze een mortuarium met een eigen koelcel. Maar op sommige andere luchthavens staat zo'n kist gewoon in de hangar.' 'Als de kist in Marokko is gearriveerd, moet er soms nog weer gewacht worden op een doorvlucht. Het laatste stuk wordt door een ambulance gedaan. Maar dat wordt geregeld door de Multi Assistance Internationale, de MAI noemen we dat in ons vak, in Parijs. Dat is een soort ANWB voor Marokkanen.'

Ik zie op tafel een plastic doosje staan in zachte kinderkleuren. Het doet qua vorm denken aan de zerk van Napoleon in het Parijse Hôtel des Invalides, maar dan in miniatuur. Bovenop zit een leuke sticker van een lieveheersbeestje geplakt. Ik kijk Adrie behoedzaam aan. 'Adrie, dit is toch niet...' Maar Adrie stelt me gerust. 'Nee hoor, dat is mijn boterhammentrommel. Die heb ik nog gekregen van mijn ouders. Maar die zijn al zo'n twaalf jaar geleden overleden.' Veel rond Adrie lijkt iets met de dood te maken te hebben.

Een week later heb ik een nieuwe afspraak met hem, ditmaal in ParkCafé Westgaarde midden op Uitvaartpark Westgaarde. Het uitvaartpark ligt aan de rand van Osdorp en toevallig ook onder een van de aanvliegroutes van Schiphol. Je hoort de vliegtuigen wel, maar ze vliegen nog hoog. In de nacht heeft het gesneeuwd en de graven liggen er sprookjesachtig bij. De verse sneeuw kraakt zacht onder mijn schoenen. Het is wel even zoeken. Het uit-vaartpark, dat eigendom is Adries bedrijf, is met zijn achtender-tig hectare een van de grootste begraafplaatsen in Nederland. Ha, een bord.

Rechtdoor is naar het Algemeen Verstrooiveld alsook naar Ur-nen Graven/Urnen Nissen. Links ga je naar Eigen Verstrooiplaat-sen. En, goed zo, rechts is naar het ParkCafé. Wij Nederlanders zijn internationaal beroemd om onze goede bewegwijzering. En als je echt de weg kwijt wilt raken, moet je in België zijn. Probeer maar eens vanuit het centrum van Brussel naar Antwerpen te gaan.

In het café zit Adrie al te wachten. Als hij naar achteren gaat om koffie en warme chocomel te halen, loop ik even rond. Het ParkCafé is zeker geen gewoon café. Het is uitgevoerd in dezelf-de sombere kleuren als de entree van het hoofdkantoor op de Ka-belweg. Paars overheerst. Het is nog vrij vroeg in de ochtend, maar op de bar branden al kaarsen en waxinelichtjes. Aan een muur hangt een discrete reclame voor raketten en cornetto's van Ola-ijs.

'Voor de afgifte van bloemen voor het crematorium? Nee, me-vrouw, dan moet u hier iets verderop zijn', zegt Adrie vriendelijk tegen een oude mevrouw die verlegen komt binnenstappen. Hij zet een schaal op ons tafeltje met een waaier van gele en donker-bruine plakjes cake. 'Dat weten de meeste mensen niet, maar die gewoonte om op begrafenissen cake rond te delen, daar zit een hele symboliek achter', doceert Adrie. 'Het is een oeroud gebruik. In cake zitten eieren. En eieren staan voor de vruchtbaarheids-cyclus van leven en dood. Of neem een begrafeniskrans. Dat is eigenlijk van oorsprong een slang die in zijn eigen staart bijt. Dat is ook weer zo'n eindeloos draaiend wiel dat van de dood naar het leven en dan weer naar de dood gaat.'

'Wordt hier eigenlijk ook alcohol geschonken?' onderbreek ik hem. 'Ja hoor. Als de mensen dat willen, gaan we bij uitvaarten ook met wijn rond. Er staat in de keuken ook al bittergarnituur klaar voor half één. De mensen die hier dan komen, die lusten wel een hartig hapje.'

We gaan het café uit en beginnen over de verstilde lanen te lopen. Er zijn op de begraafplaats drie terreinen, of eigenlijk tuinen, die gereserveerd zijn voor moslims. Tuin 'twee', tuin 'drie' en tuin 'vijftien'. Tuin 'vijftien' ligt in een uithoek en is speciaal voor de Ahmadiyya. De Ahmadiyya zien zichzelf als moslims en claimen dat hun voorman uit de negentiende eeuw, Mirza Gulam Ahmad, een profeet was. Voor soenni- en sjia-moslims is zo'n bewering heel, heel erg fout. Voor hen geldt dat Mohammed de allerlaatste profeet was – het 'zegel der profeten' zoals de klassieke islam dat noemt – en de Ahmadiyya worden door hen als ketters gezien. Er is dan ook geen enkele soenni- of sjia-moslim die erover zou piekeren om in tuin 'vijftien' begraven te worden.

Op weg naar tuin 'twee' en 'drie' passeren we het Ajax-verstrooiveld. Dat is een veld, de naam zegt het al, voor het verstooien van de as van gecremeerde Ajaxfans. Het gras, dat nu onder een laagje sneeuw ligt, is afkomstig uit het oude Ajax-stadion De Meer. Aan de rand van het veld staat een dug-out zoals je die ook, maar dan enkele maten groter, aan de rand van grote, belangrijke voetbalvelden kunt zien. Adrie: 'Sommige voetbalfans wilden oorsponkelijk de as van hun vrienden in het Ajax-stadion verstrooien. Maar daar waren problemen mee.'

In tuin 'twee' en 'drie' lopen we langs de moslimgraven. Het zijn er niet veel. Al met al een paar honderd. De namen op de zerken doen vooral denken aan mensen uit Suriname of met een Nederlands-Indische achtergrond. Trouwens ook veel bevreemdende gemengde namen, zoals Hendrik Ahmed of Evert Adbul-

lah. Ik heb niet het gevoel dat hier ook maar één enkele Marokkaan of Turk begraven ligt. Bij de oude graven zie je vaak Nederlandse teksten – hier rust onze lieve grootmoeder -, maar op
de nieuwe graven overheerst het Arabisch.

In sommige zerken is ook nog het getal 786 gebeiteld. Over dat
getal is veel te doen. Door moslimmystici worden er aan Arabische letters bepaalde getalswaarden toegekend, variërend van 1 tot
200. Daar kunnen dan weer allerlei berekeningen mee worden gemaakt. Zo is het getal 786 de optelsom van de getalswaarden van
de letters die in het Arabisch gezamenlijk de eerste zin uit de Koran vormen: 'In de naam van Allah, de Barmhartige, de Genade-
volle.' Maar sommige strenge islamgeleerden zien in dat gegoochel met cijfers weinig meer dan tovenarij.

We lopen door naar het Uitvaartcentrum. In de centrale aula geeft
een grote muurschildering, wel iets van twintig meter lang bij vijftien meter hoog, de Dag des Oordeels weer. Erg mooi is de afbeelding niet. Je ziet tientallen mensen – ook kinderen – uit de aarde herrijzen en opstijgen naar de hemel. Ze zijn allemaal naakt.
Maar de meesten zijn toevallig net zo gedraaid dat je net niet alles
ziet. Toch tel ik in de gauwigheid wel een stuk of twintig bipsen.

'Over die wandschildering kregen we vroeger nooit opmerkingen', zegt Adrie. 'Maar nu hebben we ook moslimuitvaarten
en kregen we opeens een probleem. Er is een groot gordijn geïn-
stalleerd waarmee we de schildering zo nodig kunnen verbergen.
Het is een loeizwaar ding, dat eigenlijk alleen met een motor kan
worden bediend. En soms hebben we gesodemieter met die motor en tja, dat geeft dan wel eens ingewikkelde toestanden.' Op
zijn gezicht passeert, heel even maar, een rare glimlach.

Bij Marokkaanse jongeren is het niet altijd zo zichtbaar, maar een kleine moslim zit in feite gevangen in een web van strenge gedragsregels. Op de Kinderhoek-pagina komt al-yaqeen.com met een hele waslijst. Hoofdstukken over hoe het hoort bij het slapen gaan en wakker worden, bij het brengen van een bezoek, in het verkeer, op straat, bij het gaan naar het toilet, tijdens ziekte en het bezoeken van zieken, bij het betreden en verlaten van het huis, en nog veel meer. Enkele voorbeelden.

Manieren bij het gaan naar het toilet

1 We stappen met onze linkervoet het toilet binnen en zeggen dan: 'Bismillah. Allaahoemma innie acoedhoebika mina l-Khoebthi wa l-Khabaa'ith.' Dit betekent in het Nederlands: 'In de Naam van Allah. O Allah, ik zoek toevlucht bij U tegen de mannelijke en vrouwelijke Djinn.'

2 We mogen met niets het toilet binnentreden waar de Naam van Allah op staat.

3 We slaan de deur achter ons dicht, zodat niemand ons kan zien en wij praten niet in het toilet, alleen als daar echt behoefte voor is. Ook zeggen wij de adhaan (de oproep tot het gebed) niet na waneeer deze wordt gedaan terwijl wij op de wc zitten.

4 We maken ons goed schoon door de viezigheid met water te verwijderen, gebruikmakend van onze linkerhand.

5 Bij het verlaten van het toilet stappen wij met onze rechter-

voet naar buiten en zeggen wij: 'Ghoefranaak.' Dit betekent in het Nederlands: 'Vergeef mij (O, Allah).'

6 Daarna wassen wij onze handen goed schoon met water en zeep.

Manieren op straat

1 Wij lopen aan de rechterkant van het pad.

2 Op straat lopen wij bescheiden en niet stoer of arrogant.

3 Wie ons met de Salaam begroet, groeten wij terug. En als er iemand verdwaald is, wijzen wij hem de juiste weg.

4 Als wij op straat lopen, kijken we naar beneden, we zijn niemand tot last en we helpen die mensen die hulp nodig hebben.

5 We gebieden het goede en verbieden het slechte. En het verwijderen van iets schadelijks dat op de weg ligt, behoort tot ons geloof.

Manieren bij het slapen gaan en het wakker worden

1 Direct slapen na het 'Ishaa gebed, behalve als er nog iets belangrijks moet gebeuren zoals het maken van je huiswerk of het luisteren naar een verhaal voor het slapen gaan.

2 Het verrichten van de woedoe' – de kleine wassing – voordat je gaat slapen.

3 Als je gaat slapen, ga dan op je rechterzijde liggen en niet op je buik.

4 Het is goed om voor het slapen gaan eerst Aayat al-Koersi te reciteren, dan soerat al-Ikhlaas, soerat al-Falaq en soerat an-Naas. Hierna zeggen wij: 'BismikAllaahoemma amoetoe wa ahyaa' Dit betekent in het Nederlands: 'In Uw naam, O Allah, sterf ik en leef ik.'

5 Heb je dit gedaan, zeg dan: 'Allahoemma qinie cadhaabika yauma tabcathoe cibaadik.' Dit betekent in het Nederlands:

'O Allah, weerhoud mij van Uw Straf op de Dag dat Uw dienaren opstaan uit de dood.'

6 Bij het wakker worden zeggen wij: 'Alhamdoelillaahi lladhie ahyaana bacda maa amaatanaa, wa ilaihi n-Noeshoer.' Dit betekent in het Nederlands: 'Alle lof behoort toe aan Allah Die ons tot leven heeft gebracht, nadat Hij ons heeft doen sterven. En tot Hem is de terugkeer.'

Manieren van kleden

1 Jongens dragen geen meisjeskleding en meisjes dragen geen jongenskleding.

2 Begin je kleding aan de rechterkant aan te trekken.

3 Als je aangekleed bent, zeg dan: 'Alhamdoelillaahilladhie kasaanie haadhaa th-Thauba razaqaniehi min ghairi hawlin minnie wa laa qoewwah.' Dit betekent in het Nederlands: 'Alle lof behoort toe aan Allah Die mij heeft gekleed met dit kledingstuk en het voor mij heeft voorzien zonder dat ik daar macht of kracht over had.'

4 Wanneer jij jouw kleding uit wilt doen zeg dan: 'Bismillaah.'

5 Als je nieuwe kleding draagt, zeg dan: 'Allaahoemma laka l-Hamdoe anta kasawtanieh. As'aloeka min khairihi wa khairi maa soenicalah. Wa acoedhoebika min sharrihi wa sharri maa soenicalah.' Dit betekent in het Nederlands: 'O Allah, alle lof behoort toe aan U. U hebt mij gekleed. Ik vraag u voor haar goedheid en de goedheid waarvoor het gemaakt is en zoek Uw Bescherming tegen het kwade ervan en tegen het kwade waarvoor het gemaakt is.'

6 Een moslimman draagt zijn kleding niet onder zijn enkels en een moslimvrouw draagt lange kleding, zodat er niets van haar lichaam te zien is, behalve het gezicht en de handen.

7 Kleding gemaakt van goud en zijde is voor de moslimman verboden en voor de moslimvrouw toegestaan.

'Vroeger lag er in de wieg, als het een jongetje was, soms zo'n Turkse dolk onder het matrasje. Maar sinds een jaar of vijf zie je dat bijna niet meer. Nu is het dan meestal een gewoon Hollands keukenmesje. Wat je nog wel vaak ziet, is dat in Marokkaanse huishoudens de oogjes van de pasgeboren baby zwart zijn opgemaakt met kohl. Dat wordt gedaan om de ogen te beschermen. En wat je natuurlijk ook steeds meemaakt, is dat de trotse vader vrijwel meteen na de geboorte een gebedstekst fluistert in het rechteroor van het kind.'

Josien zoekt naar veranderingen die ze de afgelopen jaren in haar praktijk heeft meegemaakt. Maar ook naar gebruiken die juist niet zijn aangepast of veranderd. Die gefluisterde tekst bij de wieg is een traditie die teruggaat naar het prille begin van de islam en is in feite de oproep tot het gebed. Die oproep heeft als openingswoord 'Allah' en dat wordt dan ook, althans dat is de bedoeling, het allereerste woord dat het kind in zijn leven opvangt. Josien is vroedvrouw. Ik zit met haar en met Zerdali om de tafel. Zerdali is een medewerkster van Josien.

Josien is moeder van drie kinderen, maar ziet er met haar helle ogen en blonde haar nog steeds uit als de vrolijke Hollandse meid op wie alle jongens van het zeilkamp heimelijk verliefd zijn. Zerdali is ook moeder. Zij is, denk ik, net iets ouder dan Josien, maar is al een echte mevrouw, een Turkse mevrouw. Ze heeft een niet-verleidelijke donkerbruin gekleurde hoofddoek om en ziet eruit als een Russische baboesjka. Zo'n blokje beton. Maar wel met een lief gezicht. Zerdali doet veel in haar moedertaal. Zij kan een bevallende Turkse moeder in het Turks zeggen dat zij moet persen. 'Nog één keer hard persen!' op z'n Turks, dat zijn in ons land soms de allereerste woorden die een nieuw kindje opvangt.

We drinken koffie in een van de behandelkamers van een kleine vroedvrouwenpraktijk in de Randstad. De bedrijfsruimte zit ingeklemd tussen wat verder een rij winkels is, en oogt – ik kom er niet omheen – *laagdrempelig*. De wijk is vooral Marokkaans en Turks. En dat is ook de achtergrond van de clientèle. Josien vertelde me ooit dat zij op een gegeven moment wilde verhuizen naar een plek in dezelfde buurt, waar ze met haar gezin boven haar werk zou kunnen wonen. Ze liep bij alle officiële instanties de deur plat, maar kwam niet verder. Iemand zei haar naderhand dat ze het stom had aangepakt. Ze had in feite bij de imam moeten aankloppen, want dat was degene die bij de verdeling van de bedrijfsruimte in de wijk de touwtjes in handen had.

De behandelkamer waar we zijn gaan zitten, heeft iets huiselijks, maar niet te veel. Aan een van de muren hangt een schoolplaat van een embryo in verschillende groeistadia. In een hoek pruttelt een koffiezetapparaat, maar er liggen ook her en der medische instrumenten. In een andere hoek staat een behandelbed. Echt gezellig is het er niet. Op een kastje naast mij staat een niervormig metalen bakje. Ik probeer er zo min mogelijk naar te kijken. In precies zo'n bakje deponeerde lang geleden een verpleegster op de kinderzaal na een leugenachtig 'Het doet geen pijn, hoor!' enkele zwaar verchroomde, in mij geleegde injectiespuiten.

Zerdali op haar beurt: 'Ook een typisch verschil is dat vroeger na de geboorte elke dag het hele huis vol was met familiebezoek. Dan probeerde ik te zeggen: Een uur per dag mag, maar meer niet. Want een jonge moeder moet rust hebben. Maar dat lukte meestal niet. Een geboorte was iets van de hele familie. Maar wat je nu ziet, is dat zo'n vrouw dagenlang alleen ligt. Er komt niemand meer langs. Nou ja, hooguit een zus of een schoonzusje. Dat zal de invloed van Nederland wel zijn. De mannen werken. Of als ze niet werken, hebben ze een uitkering, maar dan moeten ze verplicht naar school. Vroeger was dat niet zo. Dan konden ze de hele dag thuisblijven. Wat ik trouwens ook zie, is dat je minder krijgt aangeboden. Het wordt allemaal zuiniger. Als vroedvrouw werd je vroeger echt onthaald. Nootjes, van die honingtaartjes, soep. Er was in de keuken altijd wel een oma of een schoonmoeder in de weer.'

'Vooral die schoonmoeder was vroeger een hele autoriteit', zegt Josien. 'Als die zei: We gaan linksom, gingen we allemaal linksom, ik ook. Zij was een belangrijke bron van informatie. Zij was het die precies bijhield hoe het met de weeën ging en zo.' Zerdali: 'Vroeger werd bovendien nog vaak de moeder van het meisje uit Turkije hierheen gehaald. Het is een oud Turks gebruik dat een vrouw na de bevalling drie weken lang het huis niet uit mag. Dus die moeder moest dat allemaal opvangen. Die moest in die periode het huishouden draaiende houden. Maar dat hele sociale netwerk rond de zwangerschap is steeds meer aan het verdwijnen. En waar dat gebeurt, zijn ze dus geïntegreerd! Iedereen heeft het veel te druk. Bij Surinamers komt het nog wel voor. Maar die zijn huiselijker.'

Zerdali kijkt ons haast verwijtend aan. Integratie die tot vereenzaming leidt en tot een kil leven zonder van die bedilzuchtige, maar toch ook zorgzame schoonmoeders. Op de tafel voor ons staat tussen de koffiemokken een polychrome plastic doorsnee, klein model, van een moederschoot. Tussen de eierstokken zie ik een klein uitneembaar foetusje. Ik stel me voor hoe Josien of Zerdali met behulp van dat model met haar ballpoint – of misschien hebben ze er wel een speciaal stokje voor – alles uitlegt aan een bedeesde allochtone mevrouw.

Josien: 'Iets wat ik in mijn werk trouwens merk, is dat die verhalen over succesvolle Marokkaanse meiden wel in perspectief moeten worden gezien. Ja, er gaat inderdaad heel veel goed. Ze studeren uitstekend af en starten een prachtige loopbaan. Maar dat houdt vaak rond hun dertigste op. Voor die tijd hebben ze veel vrijheid. Maar dan gaan ze trouwen en schikken ze zich in een traditionele rolverdeling, zeker als hun man uit Marokko komt.'

Zerdali: 'Het gekke is dat er daardoor uiteindelijk veel meer Turkse vrouwen werken dan Marokkaanse. Maar het gaat dan wel om lager werk. Ze zitten achter de kassa bij de Etos of het Kruidvat. Of ze gaan 's avonds tussen zes en acht kantoren schoonmaken. Dat zul je Marokkaanse vrouwen niet vaak zien doen.'

Josien: 'Helaas zie ik vaak dat veel jonge meiden die naar Nederland zijn gehaald om te trouwen, tijdens hun zwangerschap gedeprimeerd zijn. Ze missen hun eigen familie. In het begin worden ze door hun man nog wel meegenomen naar het centrum van de stad. Maar die cirkel wordt steeds kleiner. Ze kunnen alles hier in de buurt krijgen. En meestal ook goedkoper. Ze kennen in de stad bijna niets of niemand. De meeste meiden zijn gewoon niet happy hier. En zeker 30 procent is depressief. Veel slikken er antidepressiva. Als je zwanger bent, ben je toch al extra gevoelig. Dan komt alles als door een luidspreker versterkt naar binnen. En dan zie je ook nog, echt heel akelig, dat de mannen tijdens de zwangerschap van hun vrouw vreemdgaan. Juist in die periode. Wil je weten waarom? Nou, omdat ze hun vrouw dan minder aantrekkelijk vinden. Er is minder seks en ze zijn bang om het kind te beschadigen. Sommigen hebben ook het gevoel van mooi, de klus is af. Echt, het merendeel van de mannen gaat in die tijd vreemd.'

'Druist dat niet in tegen de islam?' vraag ik aan Zerdali. In landen als Afghanistan of Saudi-Arabië kan overspel worden bestraft met steniging. In zo'n geval wordt de man eerst tot zijn middel ingegraven. Maar een vrouw wordt ingegraven tot haar hals. Dit om te voorkomen dat door de stenenregen haar kleding scheurt en het publiek een blik op een ontblote bovenarm of een stukje schouder wordt gegund. Dat zou ongepast zijn. In de sharia wordt een beschuldiging van overspel overigens pas serieus genomen als er vier ooggetuigen zijn. En die moeten ook werkelijk de penetratie hebben gezien. De Somalische rechtsgeleerde Hassan Dahir Aweys uit Mogadishu, die me dat ooit uitlegde, illustreerde dit door de wijsvinger van zijn ene hand zachtjes heen en weer te schuiven door de tot vagina omgebogen vingers van zijn andere hand.

Sheikh Hassan leerde ik kennen in Asmara, de hoofdstad van Eritrea, waar ik destijds op de ambassade werkte. Hij stond toen al hoog op de Amerikaanse terroristenlijst. Dat kwam mede omdat hij in 2006 leiding gaf aan de Somalische Union of Islamic Courts, een strenge moslimorganisatie die in en rond Mogadishu de shariawetgeving, inclusief bijbehorende lijfstraffen, doorvoerde. Maar Washington had hem al sinds 2001 in het vizier. Toen Ethiopië met Amerikaanse politieke steun Somalië binnenviel, vluchtte hij. In de tijd dat ik hem ontmoette woonde hij – volgens het diplomatieke roddelcircuit met drie echtgenotes en een grote schare kinderen – in een huis te Asmara. Waar precies – dat was iets waarover in Asmara niet werd gepraat. We hadden een lange ontmoeting in de eetzaal van het oude, prestigieuze Embassoira Hotel, vlak achter de ambassade. We dronken de ene kop koffie na de ander en het 'klikte' tussen ons. Aan Den Haag schreef ik:

....Sheikh Hassan, klein postuur, is 62 jaar, heeft een rafelig, wortelkleurig (henna spoeling) baardje en een zware, zwarte bril. Hij heeft – ik durf het nauwelijks te zeggen – een plezierige, vriendelijke uitstraling. In de Ogaden-oorlog tegen Ethiopië, eind jaren zeventig, vocht hij mee met de rang van kolonel. Hij vertelde me trots dat hij na afloop de hoogste militaire onderscheiding – de Hero Medal – kreeg opgespeld door President Siad Barre. Andere Somaliërs hier in Asmara vertelden me dat hij nog steeds in zijn denken meer een militair is dan een religieus voorman. Het feit dat hij in 2006 in Mogadishu tot leider van de wetgevende raad – de *shura* – van de Union of Islamic Courts werd gekozen, had volgens hen dan ook meer te maken met zijn organisatorische talenten dan met zijn kennis van de islam. (.....) Toen ik hem vroeg over zijn vlucht uit Mogadishu zei hij dat hij zich absoluut niet als opgejaagd wild zag. Recentelijk nog had hij bezoeken gebracht aan onder meer Libië, Djibouti, de Emiraten en Soedan. Op mijn vraag of hij zich in Asmara helemaal op z'n gemak voelde – zelf had ik zeker bij het begin van het gesprek het weeïge gevoel dat ieder moment een Amerikaanse *cruise missile* door de openstaande terrasdeuren naar binnen zou kunnen komen – zei hij, dat hij niet bang was. Hij had niets fout gedaan. Hij was ook geen terrorist. Maar als zijn diepe liefde voor de islam automatisch in Washington wel tot die kwalificatie leidde, kon hij daar verder weinig aan doen. Als hij zou worden gedood, zou zijn lot niet anders zijn dan dat van de vele anderen die voor de Somalisch zaak waren omgekomen. (.....) Toen ik een vraag stelde over de steniging van overspelige vrouwen, schoot hij in de lach: "Die straf is door de Islamic Courts nimmer, absoluut nooit, opgelegd! En dat kan ook haast niet. Er zijn vier ooggetuigen nodig die alle vier het zondige paar in bed moeten hebben aangetroffen. Maar niet alleen dát. De vier getuigen moeten bovendien de facto penetratie met eigen ogen hebben geconstateerd. In de praktijk is zo'n situatie toch moeilijk voorstelbaar! Trouwens degene die bij de rechtbank een aanklacht van overspel heeft ingediend, de zaak bewijsrechtelijk niet rond krijgt, wordt op zijn beurt met zeventig zweepslagen gestraft. Zo'n aanklacht is dan ook een zeldzaamheid. Ik ben op zich voorstander van steniging bij overspel, maar ik zeg dat in de wetenschap dat het vrijwel nimmer zo ver zal komen. In Somaliland werden vorig jaar wél drie overspelige vrouwen gestenigd. Maar dat was een uitzonderlijke situatie. Betrokkenen hadden zich uit eigen beweging bij de lokale rechtbank aangegeven. Zij wilden bij Allah in het reine komen....".

Dat laatste – die eigen aangifte van het eigen overspel – lijkt absurd, maar hangt samen met wat door sommigen als een belangrijk pluspunt van steniging wordt gezien. Er zijn islamgeleerden die stellen dat de steniging de zonde van het overspel wegwist. De gestenigden-in-spe redeneren dus dat het relaxter is om op aarde pakweg twintig minuten door de steniging vreselijk pijn te leiden dan eeuwig te moeten branden in de hel.

'Als iemand echt vroom is, gaat hij natuurlijk niet met een andere vrouw', zegt Zerdali. 'Dan gedraagt hij zich niet zo. Maar de meesten trekken zich er niet zo veel van aan. Ze gaan uiteraard niet op pad met een andere vrouw uit de straat. Ze gaan op zoek in een andere wijk. En de moeder van zo'n man, nou, die accepteert dat gewoon. Die zegt tegen haar schoondochter: Je moet geduld hebben, je moet kunnen incasseren. Ik heb het met mijn eigen man ook meegemaakt. En moet je eens kijken hoe lief hij ie nu is.'

'Weet je wat de naam Nourdeen betekent?' vraagt Bastiaan me,
terwijl hij me vorsend aankijkt. Bastiaan heette vroeger Bastiaan,
maar gaat nu als Nourdeen door het leven. Ik noem hem soms
nog Bastiaan, maar meestal Nourdeen, en ik denk dat hij aan die
nieuwe naam duidelijk de voorkeur geeft. 'Nee', zeg ik, 'ik zou het
niet weten.' 'Nou, je moet die naam uit elkaar halen. Weet je wat
nour betekent?' Ja, dat wist ik wel, dat betekent licht. 'En weet je
wat *deen* betekent? 'Nou, eh, betekent dat niet geloof?' Nourdeen
knikt triomfantelijk.

'Precies, mijn naam betekent licht van het geloof. En dat wil
ik ook zijn voor de anderen. Ik wil in een donkere ruimte kunnen schijnen. Ik heb daar heel bewust voor gekozen. Je bent niet
verplicht om bij je bekering een islamitische naam te nemen.
Maar als je het doet, dan zegt het heel veel. Vind je Nourdeen
geen prachtige naam?' 'Ja', zeg ik, 'dat is inderdaad een mooie
naam.'

Ik ken ook wel moslimnamen die ik veel minder mooi vind.
Abdallah bijvoorbeeld. Dat betekent slaaf van Allah. De koning
van Saudi-Arabië heet ook zo. Die heet dus eigenlijk Koning Slaaf
van God. Met zo'n naam leg je iemand bij zijn geboorte meteen
al een heel zware last op de schouders.

Nourdeen en ik hebben elkaar leren kennen bij de opening van de
Poldermoskee in Slotervaart. Tijdens het feestmaal zaten we naast
elkaar. We hadden al wat met elkaar gepraat toen de ceremonie-

meester Nourdeen opeens naar voren riep om zijn 'conference' te geven. 'Aanstormend wereldtalent' werd hij door de microfoon genoemd.

Onder applaus liep Nourdeen naar het podium. Had ik, zonder dat ik me dat realiseerde, al die tijd naast een Bekende Nederlander gezeten! Nourdeen is een in moslimkringen gevierd stand-upcomedian. En ik wist meteen dat ik via Nourdeen moest proberen iets heel luchtigs te schrijven, iets vol grappen. Enfin, daags voordat we elkaar bij mij thuis zouden treffen, zat ik bij het ontbijt tegenover mijn vrouw al hardop te fantaseren over de kop die boven het verhaal zou komen. 'Komt een moslim bij de slager' of 'Steekt een varken opeens de Ringweg over' of how about 'Komen Ahmed en Abdallah bij de uroloog.'

Met een klap zet mijn allochtone echtgenote haar koffiemok op het marmeren keukentafelblad. 'Ya no más. YA NO MÁS!' Met mijn vrouw moet je 's ochtends vroeg een beetje oppassen. Ik doe er het zwijgen toe. Maar in mijn hoofd gaat het nog een tijdje door. 'Komt een moslim bij het loket', 'Staat een moslima naast een mevrouw met een vechthond', 'Komt Abdallah...'

'Nee,' zegt Nourdeen, als ik gretig met mijn opschrijfboekje in de aanslag tegenover hem zit. 'Ik doe niet aan moppen over moslims of de islam. En dat soort moppen zijn er onder moslims ook eigenlijk niet. Kijk, Turken kunnen hele gekke dingen vertellen over Marokkanen en omgekeerd. Dan gaat het bijvoorbeeld over hun etnische achtergrond. Maar over de islam beslist niet. Noch de islam, noch de Profeet, vrede zij met Hem, kan het lijdend voorwerp van humor zijn. Dat was ook het probleem met die Deense cartoons. Of dat was eigenlijk een probleem in het kwadraat. Niet alleen dat er gespot werd met de islam, maar er werden afbeeldingen van de Profeet voor gebruikt. En afbeeldingen van de Profeet zijn in ons geloof absoluut niet geoorloofd.'

'Wat ik wel doe, is dat ik anekdotes vertel, anekdotes die herkenning oproepen bij andere moslims. Je zult je herinneren dat ik bij die opening in de Poldermoskee een aantal verhalen heb verteld over mijn overgang naar de islam en ook over mijn fouten als nieuwe bekeerling. Zoals dat verhaal over mijn moskee in Woerden. De gebedsruimte daar is zo ingericht dat de rijen biddenden nogal boven op elkaar zitten. Bij het gebed moet je je helemaal vooroverbuigen met je gezicht tot op de vloer, en als je je dan – typisch beginnersfoutje – te snel weer opricht, zit je opeens op het hoofd van je achterbuurman. Het publiek in de Poldermoskee herkende dat en vond dat dus prachtig. Want heel veel mensen in de zaal hadden precies hetzelfde meegemaakt.'

'En wat ze trouwens nog mooier vonden, is wat er dan na zo'n incidentje gebeurt. Zeker toen ik dat vergeleek met een Nederlandse disco. Als je daar per ongeluk op iemands voet gaat staan, kun je echt flinke heibel krijgen. Maar als je in de moskee op iemands hoofd gaat zitten, komt die man na afloop van het gebed voor je staan en dan zegt hij vriendelijk: Vrede zij met jou. Wij moslims zijn immers hele lieve mensen. De zaal genoot van dat: Vrede zij met jou! Het is overigens niet gemakkelijk om dat allemaal goed over te brengen. Ik heb heel erg aan mijn spreeksnelheid en aan mijn timing gewerkt. Ik denk dat mijn humor redelijk soft is. Ik zoek zeker geen grenzen op. En ik heb nog nooit meegemaakt dat het fout ging. Ik vind het fantastisch om mensen aan het lachen te krijgen, zeker op zo'n feestavond, waarop verder allemaal serieuze mensen aan het woord zijn, zoals Ahmed Marcouch en professor Tariq Ramadan.'

Nourdeen heeft tot nu toe een stuk of vijf conferences gedaan. Hij had de kans om ook grote shows te doen, maar dat heeft hij tot nu toe afgehouden. Naast zijn gewone werk doet hij allerlei andere serieuze dingen, waaronder een eigen website over moskeeën in Nederland. Hij wil onder moslims niet de naam krijgen van die broeder die allemaal grappen maakt. Nourdeens website heet Moskeewijzer.nl. Je kunt er zien waar welke moskee is, inclusief allerlei foto's en informatie over de taal waarin wordt gepreekt. Bij sommige moskeeën staat aangegeven dat ze niet alleen over een 'normaal' toilet beschikken, maar ook over een 'Frans' toilet. De gegevens van al die moskeeën, het gaat om vele honderden, zijn gekoppeld aan Google Earth. Via markers in kleurencode kun je op de kaart zien om wat voor moskee het gaat: Turks, Marokkaans, Indonesisch, Surinaams of 'overige'. Onder die 'overige' vallen overigens niet de Ahmadiyya-moskeeën. Die komen op de website niet voor. Een ervan staat vlak bij mijn huis.

Nourdeen: 'De Ahmadiyya claimen dat er na de Profeet nog een andere profeet kwam: Ahmad. En ze claimen bijvoorbeeld ook dat ze weten wat de drie losse letters betekenen waarmee sommige hoofdstukken van de Koran beginnen. Heb je een Koran in huis?' Ik ga naar boven om mijn Koran te halen. Nourdeen bladert snel naar hoofdstuk 2, 'De Koe', en wijst op de drie losse Arabische beginletters: alif-lam-mim. 'Die letters zijn een mysterie en alleen Allah weet wat ze betekenen. Maar de Ahmadiyya claimen dat zij het ook weten. Dat kan niet zo zijn.'

Het motto van Moskeewijzer.nl is: Zoek en vind een moskee die bij jou past! 'De website krijgt honderden hits per dag', vertelt Nourdeen. 'Voor internet is dat natuurlijk niet speciaal veel. Maar als er iedere dag ook maar één iemand is die een moskee vindt die bij hem of haar past, en die gaat daar dan ook echt naar toe, heb ik mijn doel bereikt. Ik wil het idee nu ook, insjallah, gaan uitrollen over Europa. In andere landen zullen lokale moslims de informatie moeten aanleveren, maar ik blijf degene die het platform beheert. Over twee maanden doe ik een presentatie van mijn website op een grote bijeenkomst in Istanbul. Daar kijk ik echt naar uit. Dat is een bijeenkomst voor bekeerlingen uit alle landen van Europa. De organisatie wordt verzorgd door de NEMA. Dat staat voor New European Muslim Association. Het wordt de tweede of derde grote bijeenkomst voor Europese bekeerlingen.'

'Nourdeen, hoe is dat eigenlijk met je eigen bekering gegaan?' vraag ik. 'Dat is een lang proces geweest. Ik heb nooit radicaal het roer omgegooid. Het was een aanlooptijd van vierenhalf jaar. In die periode ben ik al minder alcohol gaan drinken. En ik deed toen ook al twee keer mee met de ramadan. Het is een overgang waar je langzaam naar toe groeit. Ik gun iedereen zijn bekering – snel of langzaam -, maar voor mij was dit de manier. En er komt wel wat bij kijken. Islam is eenrichtingsverkeer.'

'Een fuik dus?' flap ik er oneerbiedig uit. 'Nee, het is helemaal geen fuik, maar als je moslim wordt, dan zijn wel meteen alle regels op jou van toepassing. Je kunt niet zeggen: ik doe niet mee. Een voorbeeld. Nu bid ik vijf keer per dag. Maar als ik daarmee ophoud, bega ik vijf keer per dag een zonde, en dat dan tot het eind van mijn leven! Ik heb er zelf voor gekozen en dan draag je er ook zelf de verantwoordlijkheid voor. Er zijn nu in Nederland meer dan twaalfduizend bekeerlingen.'

'Heb je zelf al wel eens mensen bekeerd?' wil ik weten. 'Nee, dat kan ik niet zeggen. Maar ik wil wel de mooie kanten van de islam uitdragen. En ik wil naar buiten toe ook niet geheimzinnig doen. Ik heb een gebedskleedje in de achterbak. En ook een flesje water voor de woedoe, de religieuze wassing. Dan stop ik ergens langs de grote weg of bij een benzinestation om te bidden. Dan krijg je wel eens van die boze blikken. Op mijn mobiel heb ik een programma dat een signaal geeft als het tijd is voor een van de vijf dagelijkse gebeden. Maar ik heb die functie op "stil" staan: hij trilt dus alleen even. Want anders zouden de mensen om je heen de oproep horen, die begint met de woorden: 'Allahu ak-bar.' Moslims kunnen soms wel eens irritatie opwekken. De zanger Cat Stevens, die nu Yusuf Islam heet, zei ooit: Ik ben blij dat ik de islam heb leren kennen voordat ik moslims leerde kennen. Een grapje natuurlijk.'

Ik vertel dat ik in mijn kennissenkring mensen ken die zich tot de islam hebben bekeerd, omdat ze verliefd werden op een moslimmeisje. En een moslima mag alleen met een moslim trouwen. Nourdeen: 'Ja, dat komt inderdaad voor. Ik noem dat romantische bekeringen. In de islam mag een man met een Joods of christelijk meisje trouwen zonder dat zij van geloof verandert. Maar omgekeerd, voor een moslimvrouw, geldt dat niet. Voor haar is het inderdaad verboden om met een niet-moslim te trouwen. Ik heb ook wel eens gehoord van mensen die zich bekeren uit een soort protest. Die zeggen: Ik ben het niet eens met hoe het in Nederland gaat. Maar dat is niet iets waar ik mee kan instemmen. Je moet voor de islam kiezen met argumenten voor, niet met argumenten tegen.'

Nourdeen gaat zelf ook binnenkort trouwen. Met een Marokkaans meisje. Nou ja, meisje – ze is juriste op een voornaam advocatenkantoor en is met heel hoge cijfers afgestudeerd. Ze heeft daar een collega die altijd een hoofddoek draagt. Die vertelde dat er wel eens, op de Albert Cuyp of zo, aan haar wordt gevraagd: 'Me-vrouw, spreekt – u – ook – een – beetje – Neder-lands?' En dan zegt ze: 'Ja hoor, ik ben advocaat.'

Nourdeen over zijn huwelijk: 'Ik ben door mijn aanstaande schoonfamilie heel hartelijk verwelkomd. Maar als bekeerling word je natuurlijk wel een beetje bekeken. Dan komt bijvoorbeeld ook die vraag van: Hoe is eigenlijk je Arabisch? Heel zwart-wit gezegd: je bent voor hen natuurlijk geen Marokkaan. Eerst gaan we trouwen bij haar thuis. Met de imam erbij. De mannen zitten dan boven en de vrouwen beneden. Dan volgt het huwelijk voor de burgerlijke stand. En daarna komt er nog een ceremonie op het Marokkaanse consulaat. Dat is ook om allerlei juridische redenen van belang, zeker als we kinderen krijgen.'

Nourdeen hoopt spoedig na zijn huwelijk met zijn vrouw op bedevaart naar Mekka te gaan. 'Daar hebben we het nu al over. De hadj is een van de allermooiste momenten van je leven. Ik ken te veel mensen om me heen die op jonge leeftijd zijn overleden. Die hebben de hadj gemist. Je moet gaan als er aan twee voorwaarden is voldaan: je kunt het betalen en je bent in goede gezondheid.'

Die bekering blijft me toch bezighouden. 'Wat was eigenlijk het ultieme moment? Kwam er fel licht bij kijken of een wolk met een stem?' 'Nee, het is allemaal heel prozaïsch begonnen. Ik was ooit in een boekhandel in Zeist en kocht daar een boek dat heette *Islam. Norm, ideaal en werkelijkheid.* Ik vond dat een intrigerende titel. Het was een dikke pil met allerlei essays van verschillende wetenschappers. Zware kost, absoluut geen beginnersboek, en ik heb het nog steeds thuis staan om het ooit helemaal uit te lezen. Weet je, ik koop altijd overal boeken, vooral non-fictie. Maar ik realiseerde me meteen dat ik met iets heel boeiends in aanraking was gekomen. Toen ben ik veel meer over de islam gaan lezen. Ik ben zelf heel rationeel – ik ben niet voor niets softwarespecialist. En ik ontdekte dat de islam een heel rationeel geloof is. Dat had ik eigenlijk niet verwacht.'

'Je wilt een voorbeeld? Christenen zeggen: Jezus is gestorven voor onze zonden. Maar de islam zegt: Iedereen is verantwoordelijk voor zichzelf. Dat laatste overtuigt mij veel meer. Of nog zoiets. Als je naar de islam kijkt, zie je dat in feite alle goede dingen zijn toegestaan, en alle dingen die slecht voor je zijn, zijn verboden. Die ordening spreekt me erg aan. Ik merkte trouwens dat ik, naarmate ik meer begreep van de islam, ook steeds meer bevestiging kreeg van wat ik eigenlijk diep in mijn hart al lang dacht. Voor mij is geloven geen keuze, ik zeg niet: Ik geloof niet dat er een schepper is, en dan daarna opeens: Ja, er is wel een schepper. Nee, geloven is een proces dat je geleidelijk aan onder woorden brengt. Het had voor mij helemaal niets te maken met een traumatische gebeurtenis of zo, iets schokkend in je omgeving of een zwaar auto-ongeluk.'

Voor Nourdeen was het moment van de geloofsbelijdenis iets heel intens. Dat was zo'n anderhalf jaar geleden. 'Toen ik na afloop de moskee verliet en in mijn auto stapte, was ik helemaal buiten adem. Alsof ik een loodzware inspanning had verricht. Bij de voorbereiding was ik geholpen door een goede Egyptische kennis, Hamdy. Die heeft mij alles rond het gebed geleerd. Hoe je moet zitten, wat de woorden zijn, wat de gebaren zijn. Daar heb je echt iemand voor nodig. Dat kun je niet zomaar uit een boek halen.'

'Mijn ouders waren ook aanwezig tijdens de plechtigheid in de moskee. Mijn vader heeft er zelfs een video van gemaakt. Ik wilde ze betrekken bij datgene waar ik mee bezig was. Soms kan dat echt een conflict opleveren. Dan merken de ouders opeens dat een van hun kinderen moslim is geworden. Dan loopt hun dochter opeens met een hoofddoek. Tussen mij en mijn ouders is het juist allemaal heel erg goed gelopen. Maar in de moskee had ik bewust geen vrienden of kennissen uitgenodigd. Ik ben geen moslim geworden om indruk te maken op anderen. Of om in de armen te worden gesloten van de oemma, de islamitische wereldgemeenschap. Daar ging het me niet om. Ik ben moslim geworden voor Allah.'

Martin Bruijn is vierenvijftig jaar. Hij woont in een klein huisje aan de rand van een groot plantsoen in het Haagse Transvaal-kwartier. Een Hans-en-Grietjehuisje midden in een jarendertig-buurt die gedeeltelijk voor de sloop is bestemd. Vanuit zijn kleine woonkamer kijk je uit op de dichtgetimmerde portiekwoningen van de Oranjerivierstraat. In het huisje woonde vroeger de plant-soenopzichter. Nu zit Martin er als huurder. De huur gaat naar de gemeente. Martin heeft een spierziekte. Hij praat alsof hij een gro-te klont meel in zijn mond heeft en zijn armen en benen schieten zo nu en dan een onverwachte richting uit. Als hij staat, tolt hij wel eens ongecontroleerd helemaal in het rond. Daarna hervindt hij dan zijn balans weer. Koken kan hij niet. 'Ik ga iedere dag bij mijn moeder eten. Maar ik zou ook in de buurt voor eten terecht kun-nen, in het bejaardenhuis Transvaal of in de Julianakerk. Als mijn moeder dood is, kan ik altijd daar nog naartoe.'

In het huisje is het gezellig. Zijn ouders hebben het voor hem ingericht. Een gashaard, een eikenhouten koffietafel, donkerbrui-ne gordijnen, een schoorsteenmantel vol snuisterijen. Als verlich-ting hangt er aan het plafond een karrewiel met ouderwetse lam-penkapjes. Als je even niet praat, hoor je zeker drie klokken tikken. Grote ouderwetse muurklokken met glimmend koperwerk. Mar-tin zit in een luie stoel. Ik zit tegenover hem op een kleine sofa omringd door zeker tien knuffeldieren. Allemaal hondjes. Een klein herdershondje, een dalmatiër en allerlei andere rassen die ik niet een-twee-drie kan thuisbrengen.

In de straat waar het huisje staat, de Beijerstraat, is veel veranderd. Toen Martin er eenentwintig jaar geleden kwam wonen, waren er al wel een paar buitenlanders, maar nu is het helemaal omgekeerd. Nu zijn er van de Hollanders nog maar een paar over. Martin: 'Het zijn nu allemaal Turken en Marokkanen. Iedere keer als er een Hollander wegging, kwam er een buitenlander voor in de plaats. En als er een buitenlander wegging, kwam er weer een andere buitenlander voor in de plaats. Hier tegenover zijn vijf portieken met elk zes woningen. Er zijn nu in totaal nog vier Nederlandse families over. Nou ja, families, het zijn eigenlijk allemaal oude mensen. De overbuurvrouw woont alleen en is al tachtig. Die overgang van een straat met Nederlanders naar een straat met buitenlanders nam maar een jaar of drie in beslag. Het ging allemaal heel erg snel.'

'Die nieuwe gasten zijn allemaal wel heel aardig voor mij. De meeste jonge mensen praten goed Nederlands. Maar die hebben dan uit Turkije een paar vrouwtjes van een jaar of drieëntwintig, vierentwintig gehaald en die praten dan echt geen druppel Nederlands. Die verdommen het gewoon om onze taal te leren spreken. Soms praat ik wel eens met de mensen aan de overkant. Met name de ouderen zijn vriendelijk. Ik krijg ook wel eens eten van ze. Zo eens in de twee weken krijg ik zo'n Marokkaanse maaltijd van ze. Je moet het zo zien: ik doe aardig tegen hen en zij doen aardig tegen mij. Zo werkt dat. Ik vroeg laatst nog: Waarom zijn jullie zo aardig voor mij? Toen zeiden ze: Joh, jij loopt ons nooit zomaar voorbij. Je maakt altijd een praatje. Dus praten wij terug met jou.'

'Als je niet met ze praat, heb je een slecht leven hier. Vanwege die spierziekte kan ik soms hier in huis iets niet doen. Nou, dan maak ik het raam open en dan roep ik naar de andere kant van de straat. Er zit of staat daar altijd wel iemand aan het raam. Dat kun je zo niet zien, want er hangen altijd een boel vitrages en gordijnen. Maar er is altijd wel iemand die mij dan hoort of ziet. En dan roepen ze terug: Martin, we zijn zo bij je!'

In Martins leven speelt de voetbalvereniging een belangrijke rol. Hij kan natuurlijk niet meedoen met voetballen, maar hij is toch heel actief. 'Ik ben degene die de uitslagen noteert, ik ga centen ophalen, ik doe telefoondienst, noem maar op. Als we voor een weekend met de club ergens in Nederland op vakantie gaan, altijd naar een camping, dan ben ik zeker een halve dag bezig om souvenirs te zoeken voor die gasten aan de andere kant van de straat. Maar als zij dan terugkomen uit Marokko of Turkije, hebben zij weer leuke dingetjes voor mij meegenomen.'

'Het is nu in de buurt eigenlijk gezelliger dan vroeger. De bewoners van vroeger kwamen niet zoveel buiten. Nu wel. Zomers zitten ze 's avonds buiten thee te drinken. Die gasten zitten liever buiten dan binnen. Ik ben trouwens nog nooit bij iemand van hen binnen geweest. Dat lukt je nooit, nimmer. Je mag bij Turken en Marokkanen nooit naar binnen. Ze komen wel eens bij mij. Maar dat dan alleen de mannen. Dan hebben ze nooit hun vrouw bij zich. Die vrouwen lopen ook altijd een paar meter achter hun man. En ze lopen ook nooit als man en vrouw gearmd. Dat soort dingen doen ze niet. Ach, ik ben eraan gewend. Ik ken niet anders meer. Maar die oude vrouw aan de overkant, die blijft maar klagen. Over die hoofddoekjes en zo.'

'Mijn moeder woont in Morgenstond. Die wijk is nog aardig Hollands. Maar de buitenlanders beginnen ook daar al te komen. Vroeger was het eigenlijk alleen de Schilderswijk en Transvaal. Maar nu is het ook al in de Laak. En in het Regentessekwartier begint het ook. De Hollanders trekken weg naar Zoetermeer en Pijnacker en Delft. Dat gaat allemaal heel erg hard.'

Als we naar buiten gaan, houdt Martin me even tegen in het halletje. Hij wijst op een oude ingelijste foto. 'Kijk, zo zag het plantsoen er voor de oorlog uit.' Op de foto zijn de bomen nog klein
en de huizenblokken lijken nieuw. Voor veel ramen hangen neer-
gelaten markiezen. Het grasveld is vol met spelende en sportende
de kinderen. De kinderen hebben, zoals dat toen was, kortgeknipt blond haar. Ze zien er allemaal, hoe moet ik dat zeggen,
nogal *arisch* uit. Buiten op straat vraag ik Martin nog naar de
meneer die in de struiken naast het voetbalveld woont. Daar had
ik een vreemd verhaal over gehoord.

'O ja, die slaapt daar al een maand of vijf. Het is geen Marokkaan of Turk. Nee, het is een soort neger. Hij komt altijd 's avonds
om een uur of tien. Waar hij overdag is, weet ik niet. Hij slaapt altijd tot een uur of elf en dan gaat hij weer weg. Hij lag er ook in
de winter. Trouwens ook als het regent. Dan ligt ie onder een paar
lagen plastic. Ik begrijp niet waarom hij dan niet naar het Leger
des Heils gaat of zo. Hij heeft wel een legitimatiekaart. De politie
is een paar keer komen kijken. Maar die man blijft gewoon terugkomen. Ik heb nog nooit met hem gepraat. Maar dat wil ik
ook niet, dat soort lieden vraagt altijd meteen om geld. En dat heb
ik toch niet. Het schijnt dat niemand bij de gemeente weet wie
nou eigenlijk verantwoordelijk is voor dat stuk met die struiken.'

Aan de overkant van de straat zien we op de tweede etage de gordijnen een beetje bewegen. Heel even maar, een lichte, golvende
beweging. 'Zag je dat nou?' vraagt Martin. 'Hier in de straat zijn
er altijd van die gasten die zitten te kijken. Er gebeurt hier niets
zonder dat het door iemand wordt gezien.'

De heren Hassan Aloui en Mohamed el-Fers schreven het volgende voorwoord bij hun Koranvertaling, of liever gezegd Koraninterpretatie:

'Volgens de opvatting van vooral Arabischsprekende moslims is het
onmogelijk om de Goddelijke Boodschap te vertalen. Om slechts
één woord (bijvoorbeeld 'rahman' of 'rahim') uit dit Hoogheilig Boek
te verklaren, verschijnen nog steeds dikke boeken in de Arabische
wereld. Omdat de betekenis belangrijk is, werd 'Allah' vertaald als
'God'. Allah is een semitisch woord dat oorspronklijk van het Ara-
mese 'Elohi' stamt. Het woord God komt van het Perzische 'Kho-
da'. We beseffen dat er weinig tot niets van de wonderlijke mystiek
van de Arabische poëzie in welke vertaling dan ook bewaard kan blijven en dat elke vorm van verdichting de inhoud van het Boek der
Boeken teniet zou doen. Het is slechts een poging om enigzins weer
te geven wat voor niet-Arabischsprekenden slechts met het hart
toegankelijk is. Wij smeken dan ook dat onze poging om iets van de
Goddelijke Boodschappen in het Vlaams te doen klinken genade zal
vinden in de Ogen van de Allerhoogste op de Dag des Oordeels.'

Het Haags Werk Bedrijf verschaft werk aan langdurig werklozen. Vroeger heetten die bezigheden Melkertbanen. Daarna werden het ID-banen. Dat staat voor *in doorstroming*. Nu heten ze weer anders. Het Haags Werk Bedrijf heeft zo'n vierhonderd mensen in dienst. Het gaat vooral om vuilnisteams. Sinds kort doe ik een tijdje mee met het team van de Schapenlaan in het Transvaalkwartier. In onze sector werken tweeëndertig mensen, meest mannen. Afgezien van de sectorleider ben ik de enige autochtoon. Ons gebouwtje met kantine en lockers staat aan de Schapenlaan. Dat is onze uitvalsbasis. Aan de overkant van de straat is nog een klein magazijn. Daar bevindt zich al het materieel. Veegwagentjes, harken, bezems, knijpstokken, oranje werkbroeken, rollen groot formaat vuilniszakken en 'ringen'.

De ploeg waar ik vanochtend mee op pad ga, bestaat uit de Somaliër Nur, Andy van de Antillen, de Marokkaan Omar en de Surinaamse Hindoestaan Boedhoe. We gaan knijpen. Officieel heet dat 'papier knijpen'. Maar we knijpen ook blikjes en plastic zakjes en eierdozen en oud speelgoed en stukken weggegooid brood. We hebben ieder een lange knijper, een rol grote maat vuilniszakken en een 'ring'. De vuilniszakken gaan in de 'ring'. Dat is in feite een dubbele ring, waar de vuilniszak in kan worden vastgeklemd. Zeker op dagen dat het hard waait, is de ring essentieel, anders gaat de vuilniszak wild fladderen. Op de ring zit een rubberen handvat. Het is van belang om de zak zo in de ring vast te zetten dat ie niet over straat sleept. Want dat staat gewoon niet professioneel.

Systematisch werken we de straten af. Meestal twee aan een kant en drie aan de andere kant. Ons territorium is strikt afgebakend. Soms op het absurde af. Zo is er op de 's-Gravenzandelaan een smal, langgerekt plantsoen. Dat plantsoen is hooguit twaalf meter breed. In het midden loopt een pad. Kijkend vanuit de Zoutkeetsingel doen wij alleen het strookje aan de rechterkant van het pad. De strook links van het pad is voor een ander team. Als ik met mijn knijper toch een blikje oppik aan de linkerkant van het pad, klinkt het meteen in koor: 'Niet doen, dat is niet voor ons!' Het verste punt van ons rayon is de Paul Krugerlaan. Vanwege alle winkels en eetgelegenheden is die heel bewerkelijk.

Vlak bij de tramhalte passeert ons een vrouw. Heupwiegend komt ze voorbij. Ze buigt af en steekt schuin de straat over. We stoppen met werk om haar te bekijken. Ze heeft een weelderige bos zwart wapperend haar. Ze is gekleed in een korte luchtige zomerjurk. Voor de Hollandse smaak is ze te corpulent. Maar voor allochtonen ligt dat anders. Die houden wel van een lekker stevige vrouw. 'Ik denk dat zij een Turkse vrouw is', zegt de Hindoestaan Boedhoe. 'Nee hoor, volgens mij is ze een Hindoestaanse', zegt Omar, 'maar ze is wel een lekker stuk.' We komen er niet goed uit, maar geleidelijk aan bereiken we toch de gemeenschappelijke conclusie dat ze Turks is.

Alleen de oude Nur houdt zich afzijdig. Hij beweert dat hij vroeger in Somaliland imam was. Onze discussie zint hem niet. Omar zegt: 'Toch wel gek zo zonder hoofddoek. En volgens mij heeft zij daar beneden ook geen hoofddoek om...' Maar dan krijgt hij spijt van die opmerking. 'Weet je, als een vrouw in mijn stad in Marokko zo loopt, dan spugen wij op de grond. Pttssee! We spugen vlak bij haar op de grond, want ze ziet eruit als een hoer. Bij ons komt zoiets bijna niet voor. In onze stad heerst respect. Iemand die iets fout doet, wordt meteen gestraft. Kip gestolen?

Vijf jaar de gevangenis in. In echte islamitische landen wordt dan de hand afgehakt. Bij de eerste keer stelen één hand. Bij herhaling de andere hand. Bij een volgende keer een voet. Dan de andere voet. Uiteindelijk blijft van een dief alleen de romp over.'

We gaan weer knijpen. Langzaam werken we ons weer in de richting van de Schapenlaan. Dat knijpen bevalt me beter dan het werk bij Team Transvaal. Daar deden we aan wijktoezicht, maar onder wat voor *mission statement* is me nooit echt duidelijk geworden. Bij het Haags Werk Bedrijf zijn we gewoon aan het werk. We knijpen. Soms, als je met een kleine, strakke frontlijn gezamenlijk door zo'n plantsoen optrekt, heeft het iets moois. Iets heel bevredigends. Je hoort dan alleen de vogels en het regelmatige gerikketik van onze knijpers. Lev Tolstoj heeft een vaak terugkerende lievelingsscène. Zo'n rij lijfeigenen, bovenlijf ontbloot, die op een warme zomerdag, als het onweer zich al samenpakt aan de horizon, snel maar niet jachtig met grote zeisen door een Russisch korenveld gaat. Daar doet het me aan denken.

Als we terug zijn in de kantine, zit ik aan tafel met Omar en Boedhoe en de Afghaan Hussein Ali en iemand uit de Dominicaanse Republiek. Hussein Ali is heel verlegen. Hij ziet eruit als een Chinees. Hij behoort tot de Hazara, een onderdrukte, uit Mongolië afkomstig minderheid in Afghanistan. Iedereen heeft zijn eigen eten meegebracht. De man uit de Dominicaanse Republiek eet 'arroz moro'. Dat is bruine bonen met rijst. Omar eet een broodje 'gubz': garnalen met courgette. Hussein Ali eet 'shola'. Dat is rijst met linzen. Hij heeft ook een bakje sla. Eerst een hapje shola, dan een blaadje sla, dan weer een hapje shola, dan weer een blaadje sla. Als hij ziet dat ik nieuwsgierig ben, haalt hij een tweede vork en biedt mij aan om mee te eten. Samen eten we uit zijn bord de shola.

Omar begint te vertellen over hoe je in Marokko een bruid vindt. 'Als je in Marokko op straat een mooie vrouw ziet met een mooi lichaam, ga je naar haar toe. Dan zeg je: Ik wil met jou praten. Mag ik je wat vragen? Nou, dan vraag je haar of ze getrouwd is en zo. Als ze niet getrouwd is, dan zegt ze misschien: Loop maar achter mij aan, dan kun je zien waar ik woon. Dat weet je dan dus. En dan zeg je de dag daarop of een paar dagen later aan je moeder: Ik heb een hele mooie vrouw gezien en ik wil met haar trouwen. Ik weet waar ze woont en ik kan het huis aanwijzen. Nou, en dan gaat mijn moeder daar naar toe en met haar moeder praten. Mijn moeder gaat dan vragen of dat meisje met mij wil trouwen. Of zij wel echt van mij houdt. Als het antwoord ja is, komt de volgende ronde.'

'Dan gaat haar vader informatie over mij inwinnen. Waar ik werk. En of ik geen bierdrinker ben. Of hasjiesj rook. En of ik een goede man ben. Daarna gaan haar vader en mijn vader overleggen. Ze moeten besluiten of er eerst wordt verloofd of dat er meteen wordt getrouwd. Als je je verlooft, mag je in haar huis komen en mag je een beetje bij elkaar op de bank zitten. We trouwen in Marokko in de zomertijd. Dus zo'n verloving is goed als je nog een tijd moet wachten. Bij het trouwen komt er een grote tent buiten. Er wordt dan muziek gespeeld. Toen ik zelf trouwde, hadden we in onze tent vijftien tafels. Met aan iedere tafel tien stoelen. Dat huwelijk kostte achtduizend euro. Duizend voor de huur van de tent. Twee koeien. En nog allerlei ander eten. Gouden sieraden voor de vrouw. Ik heb er zeven jaar voor moeten sparen. In Nederland is een huwelijk veel goedkoper. Een zaal kun je huren voor achthonderd euro. Twee schapen van honderdtwintig euro per stuk. Maar in Marokko heb je dan wel je hele familie erbij. Dat is veel mooier.'

Omar is zelf met zijn nichtje getrouwd. Hij heeft zijn geliefde dus niet zomaar op straat gevonden. Omars vader en haar vader zijn broers. 'Binnen de familie trouwen is beter. Dan kun je niet scheiden. Want als familie blijf je bij elkaar tot de dood. De familie kijkt ook altijd wat goed voor je is. Ze letten op je vrouw. Als ik ga werken en mijn vrouw staat op straat te praten met een ander, accepteert de familie dat gewoon niet. Stel bijvoorbeeld dat er in je sperma geen visjes zitten. Dan gaat ze misschien met een ander om toch een kind te krijgen. Hoe vaak gebeurt dat niet in Nederland? Ze gaat dan gewoon met een ander en dan denk je dat het je eigen kind is. Pas bij een test in het ziekenhuis blijkt dan opeens dat het de visjes van een ander waren. Als je binnen de familie trouwt, vermijd je dat soort toestanden. Hier in Nederland zijn de vrouwen de baas. Ze hebben geen respect. Als je Hollandse vrouw een ander een kusje geeft, dan zeg je haar: Jij hebt geen respect. En dan zegt zij: Ik ben vrij.'

Omar heeft gelijk. Zo is dat in Nederland. We ruimen de tafel leeg en gaan de straat op voor de middagronde.

'Weet je, wij Turken discrimineren de Hollanders veel meer dan dat de Hollanders ons discrimineren', mijmert Yilmaz. We zitten te eten in Nazar, in het centrum van Rotterdam. Tussen ons in staan op tafel een paar voorgerechten. 'Wij hebben bijna geen contact met Nederlanders. Dat zoeken we ook niet. Wij zoeken evenmin contact met andere groeperingen. We zijn heel erg nationalistisch. Dat wordt ook continu door de Turkse overheid gestimuleerd. Die blijft er maar op hameren dat wij onze identiteit moeten bewaren. Wat ons nu vooral interesseert, is onze geografische spreiding. Het is allemaal veel transnationaler geworden. Onze banden met Turkse gemeenschappen in andere West-Europese landen en natuurlijk met Turkije. Voor ons zijn de contacten met Turken in Duitsland en België bij wijze van spreken veel belangrijker dan onze contacten hier met Nederlanders.'

We zitten aan het raam. Buiten is het al rustig. Nazar is een Turks restaurant, maar het is geen doorsnee Turks restaurant. Het heeft iets hips. Iets heel fris en open. Het is moeilijk te zeggen waarom. De menukaart bevat geen verrassingen. Het interieur is modern en licht, maar zeker niet spectaculair. Op de vrijdag- en zaterdagavond komen er, meestal heel laat, Turkse muziekgroepen spelen. Maar het is geen experimentele muziek, eerder klassiek. Het is vooral het publiek dat Nazar net iets anders maakt. Moderne, ik zou haast zeggen geïntegreerde Turken naast ernstige Hollandse intellectuelen. Je gaat er niet naar toe om gezien te worden. Dan kun je beter doorlopen naar het populaire Bazar iets verderop. Nazar is de plek voor een serieus gesprek.

Yilmaz is een intellectueel. Hij kwam als ingenieur naar Nederland, maar belandde hier – enfin, dat is een nogal ingewikkeld verhaal – in de hoek van het sociaal onderzoek. Hij heeft nu een eigen researchbedrijf, dat werk doet voor onder meer het Sociaal en Cultureel Planbureau.

'Weet je', zegt hij, 'de Turkse gemeenschap telt nog niet zo veel intellectuelen. Maar dat is aan het veranderen. Om hier in Nederland bij de Turkse elite te horen is het vooral nog belangrijk hoeveel geld je hebt. Begin jaren tachtig, na de militaire coup in Ankara, is een deel van de intelligentsia uitgeweken naar West-Europa. Maar de besten onder hen gingen niet naar Nederland of Duitsland, maar naar Parijs. Dat was voor hen een soort walhalla. Jullie denken dat alle Turken naar Nederland gekomen zijn als gastarbeider. Maar er zijn duizenden Turken en ook Koerden uit Turkije in West-Europa gearriveerd als politiek vluchteling. Vaak goed opgeleide mensen.'

'Ondanks hun intellectuele bagage zijn ze hier economisch gezien niet tot hun recht gekomen. Ze wilden in feite ook terug naar Turkije, zodra het daar weer goed zou gaan. Het probleem is dat zij hun banden met Turkije niet hebben onderhouden. Ze zijn achter gaan lopen. Ze proberen zich nu nog wel eens in Turkije aan te bieden als wetenschapper, maar het gaat gewoon niet meer. En nu hebben ze kinderen hier en wordt die terugkeer naar Turkije helemaal een illusie. Het is ook een ander Turkije geworden. Toen ze weggingen, werkten ze aan een marxistische revolutie. En nu is er in Turkije iets totaal anders aan de gang – een soort islamitische revolutie...'

Een kelner zet voor Yilmaz een ijskoud Efes-bier op tafel. Ik neem een muntthee. Het is een uur of acht en Nazar begint vol te lopen. Yilmaz gaat verder: 'Tegenwoordig gaan steeds meer Turken op Vinex-locaties wonen. Maar dat wil nog niet zeggen dat zij zich willen assimileren. Het zegt eigenlijk alleen maar iets over hun toegenomen mobiliteit. Je hebt een auto en je kunt je familie en vrienden gemakkelijker bereiken. Soms wordt ook voor Vinex gekozen vanwege de school voor de kinderen. Maar de meesten willen toch uiteindelijk weer terug naar de stad. Wij ook. Als onze kinderen over een paar jaar van school zijn, gaan wij weer in Rotterdam wonen. Het gaat er niet eens zozeer om dat je dicht bij de moskee wilt zijn. Het gaat om de hele levensstijl die bij de stad hoort. Je wilt niet een heel eind moeten reizen om naar de bioscoop te gaan.'

'Binnen sommige steden zijn de onderlinge banden tussen de Turken trouwens ontzettend sterk. Neem Vlaardingen. Meer dan de helft van de vijfduizend Turken daar komt uit de omgeving van de stad Aksaray. Van sommige dorpen rondom Aksaray zit zo'n beetje de hele bevolking nu in Vlaardingen. Als je daar dan in de winter zou rondlopen zijn alle huizen dicht, vergrendeld. Aksaray, Konya en Kayseri, allemaal in Centraal-Anatolië: daar komen de meeste van de 350 duizend Turken in Nederland vandaan. In België is dat weer anders. Daar komt de helft uit de omgeving van de stad Afyon, die ook in Centraal-Anatolië ligt. Wij hebben daar trouwens een grapje over. Komt een Turk in Nederland een andere Turk tegen. Vraagt ie: Kom jij soms uit Kayseri? Zegt die ander: Nee. Zegt die eerste: O, dan kom je zeker uit Konya? Zegt die ander: Nee, ook niet. Zegt die eerste: Nou, dan ben je dus uit Aksaray. Reageert die ander: Nee, ook niet. Dan vraagt die eerste verbaasd: Ja, maar hebben we dan nog andere steden in Turkije?'

'Wij houden veel afstand tot Nederlanders. Maar in het theehuis bestaat ook duidelijk afstand tussen iemand uit Aksaray en bijvoorbeeld Konya. Dat zijn dan weer twee aparte werelden. Dan is er nog het verschil tussen mensen uit de stad en mensen van het platteland. Maar de levenswijze van het platteland lijkt het in Nederland te gaan winnen. De gedragsregels zijn nu strenger en conservatiever dan twintig jaar geleden. Hele straten zijn nu overgenomen door bepaalde gedachtegroeperingen of een moskee. Neem het Cosmicus College hier in het centrum. Officieel willen ze daar van de leerlingen echte 'wereldburgers' maken. Maar in feite is het een school – wel een hele goeie – waar bijna alleen Turkse leerlingen op zitten. Ik ben er bijna zeker van dat die school via via zwaar wordt gesubsidieerd vanuit Turkije.'

'Vanuit Turkije komt ook islamitische beïnvloeding. In Duitsland is dat nog weer sterker dan in Nederland. Maar ook hier zijn er steeds meer sekten – *tarikat* – actief. Of neem de religieuze beweging van Fethullah Gülen. In Turkije is hij er door sommigen van beschuldigd dat hij de seculiere staat wil ondermijnen. Onder de Turkse jeugd in Nederland krijgt hij steeds meer aanhang. Denk aan Calvijn. Jullie hebben calvinisten. Nu heb je in Nederland dus ook 'gülenisten'. Alleen weten jullie daar allemaal niets van af. Soms houden we dingen ook met opzet verborgen. Moslims noemen dat *takiye*. Dat is al een eeuwenoud begrip. Je zou het kunnen vertalen als veinzen, veinzerij. Om ons te beschermen in een niet-islamitische omgeving mogen wij aan *takiye* doen. Dat mogen we ook van Allah. We doen er in Turkije aan, maar ook in Nederland.'

'In Turkije betreft dat vooral de verplicht geseculariseerde sector van de samenleving. Een ambtenaar mag daar officieel niet even vrij nemen om in de middag in de moskee te gaan bidden. Die zegt dan: Ik ga even naar een bespreking buiten kantoor. Maar in Nederland neemt het ook soms vreemde vormen aan. Sommige Turken hier vangen bijstand en werken tegelijkertijd zwart. Die zeggen: Ach, die Nederlanders, dat zijn varkens. En de bijstand is christelijk geld. Officieel mag ik dat geld misschien niet hebben. Maar als ik het toch ontvang, kan ik me als moslim in Nederland beter redden.'

'Of kijk naar de belastingen. Heel veel Turken en Marokkanen hebben een tweede huis in Turkije of Marokko. Geven ze dat op in box 3? Bijna niemand. Zij voelen zich daar helemaal niet schuldig over. Dat valt allemaal onder *takiye*. Allah zal het ons vergeven, zeggen ze dan. Eigenlijk is het voor moslims beter om niet naar christelijke landen te emigreren. Want er lokken allerlei gevaren. Het is er veel moeilijker om een islamitische levenswijze te volgen. Maar we gaan toch. Eigenlijk is die eerste verhuizing uit Turkije al meteen een vorm van *takiye*. Allah zal het ons vergeven, zeggen ze dan'.

Wat later zegt hij: 'Nederland is zo gemakkelijk. Je hoeft hier echt niet in te burgeren. Hier mag alles. Vooral voor de eerste generatie was dat heel belangrijk. Die kon aan de eigen levenswijze vasthouden. Weet je, wij Turken zijn eigenlijk nog steeds nomaden. Als je bij oude Turken in Nederland thuis komt, merk je dat. Een heel karig interieur. Soms ook nu nog zo'n oude zwart-wittelevisie. Bijna geen meubels. Dat is niet zomaar een kwestie van geld. Het hoort bij de mentaliteit. Nomaden willen alles zo in kunnen pakken, die willen geen materiële ballast. Hun levenswijze hoort helemaal niet bij de grote stad. De Turken hebben nooit een eigen urbane manier van leven ontwikkeld. Toen zij vanuit Centraal-Azie Anatolië binnendrongen, kregen ze de steden en de stedelijke cultuur op een zilveren blad gepresenteerd. Istanbul bestond toen al zo'n vijftien honderd jaar. Daar hoefden ze dus niets meer aan te doen. Izmir hetzelfde verhaal. Je ziet het ook aan de wijze waarop de voorsteden in Istanbul nu uit de grond worden gestampt. Alles kriskras door elkaar, geen structuur, geen plan, geen doordachte publieke ruimte. We zijn in feite gewoon Centraal-Aziatische nomaden gebleven.'

Ook wel eens moe van al die integratie? Dan treft u gelukkig de Nederlandse overheid aan uw zijde. De gemeente Amsterdam subsidieert het Slotervaartse Islamitisch Sociaal-Cultureel Centrum dat op zijn website 'Moskee El Ouma' onder de kop 'Gezellig kerst en nieuwjaar vieren?' vier handige tips gaf met het oog op de feestdagen van niet-moslims.

a Wegblijven van hun vieringen, dus het vermijden van plaatsen waar zij hun feestelijkheden houden en het vermijden dat je in hun feestelijkheden terechtkomt, zoals bijvoorbeeld kerstmis- en nieuwjaarsborrels, verjaardagsfeesten, st. maarten, sinterklaas, 1 aprilgrappen, allerlei jubilea, etcetera.

b Vermijden om zelf zaken te doen, die te maken hebben met deze vieringen van de niet-moslims, zoals het in huis halen van een kerstboom, je kinderen mee laten doen met st. maarten of sinterklaas, verjaardagen vieren in je familiekring, vuurwerk afsteken op nieuwjaarsdag, etcetera.

c Vermijden om de niet-moslims te feliciteren met hun vieringen. Hoe kunnen we ze feliciteren met het feit dat ze ongehoorzaam zijn aan Allah? Uitingen zoals prettige verjaardag, gelukkig nieuwjaar, zijn ongepast. Het enige geluk is immers te vinden in de imaan, het ware geloof! Een moslim mag iemand dus niet feliciteren met het begaan van zonden en ongehoorzaamheid aan Allah.

d We moeten ook niet van onze eigen feesten imitaties maken van de feesten van de niet-moslims, dus dezelfde dingen doen die zij doen met hun feesten. Sowieso zullen veel van deze zaken verboden zijn.

Op de website van de Haagse As-Soennah-moskee staat een beknopte handleiding over engelen onder de titel 'Wat je dient te weten over de engelen'. Heel belangrijk om in de gaten te houden: engelen gaan niet naar binnen in een huis waar zich een beeld, een foto of een hond bevindt. Dat soort huizen, en dan hebben we het over een fors deel van het Nederlandse woningbestand, slaan zij over. Overigens kan ik me, omgekeerd, voorstellen dat sommige mensen in ons land anti-engel zijn. En die kunnen dus al via een op de schoorsteenmantel geplaatst fotootje van grootmoeder als kleumende pensionada op een winters strand in Spanje een heleboel gedoe vermijden.

Het merendeel van wat de As-Soennah-moskee over engelen schrijft, is rechtstreeks ontleend aan de Koran. Maar er wordt ook geleund op de geschriften van een zekere Moeslim. Hij is een van de moslimgeleerden die verwoed overleveringen over speciale uitspraken en handelingen van de Profeet heeft verzameld. Die Moeslim leefde in de negende eeuw. Toen waren er naar verluidt al meer dan een half miljoen overleveringen over de Profeet in omloop. Hij koos er zo'n zevenduizend uit die hij belangrijk en betrouwbaar achtte. Hij vulde er drieënveertig boeken mee, die verschenen onder titels als 'Het Boek inzake Giften', 'Het Boek inzake de Menstruatie' en 'Het Boek inzake de Bedevaart naar Mekka'.

Op Moeslims lijst staat geen boek dat speciaal gewijd is aan de engelenproblematiek. Engelen komen slechts verspreid in zijn oeuvre voor. Binnen de islam is overigens heel wat over engelen geschreven. Diezelfde fascinatie geldt ook binnen het christendom, waar theologen er zelfs een aparte wetenschappelijke specialisatie voor hebben ontwikkeld, de angelologie. De website van de As-Soennah-moskee gaat niet al te diep op het thema in. Met name over de aard en eigenschappen van engelen krijgen we maar weinig te weten.

'Allah heeft de engelen geschapen uit licht. De Profeet (vrede zij met hem) heeft gezegd: "De engelen zijn geschapen uit licht en de Djinn zijn geschapen uit vuur (vlammen)".' De djinn zijn boze geesten en duivels. De bekendste onder hen is Satan, een zeer sluwe gevallen engel. Iets verder: 'Van nature zijn de engelen gehoorzaam aan Allah. Zij zijn zo geschapen dat zij geen eten of drinken behoeven. Hun voedsel bestaat uit het prijzen van Allah en het zeggen van "Laa ilaaha ill-Allah".' 'Laa ilaaha ill-Allah' is het belangrijkste uitgangspunt van de islam en betekent: 'Er is geen god dan God.' Het is ook de formule die soefi's tijdens speciale zittingen eindeloos herhalen en gebruiken om in trance te raken. Misschien raken ook engelen, hoewel ze slechs uit licht bestaan, er wel door in trance.

Ik was ooit in een buitenwijk van Utrecht bij zo'n grote soefibijeenkomst. Een akelig jarenzestigbuurthuis was er omgetoverd in een oosters paleis. Bijna alle deelnemers waren autochtoon, iets wat deze kleine, filosofisch ingestelde splinter binnen de islam in Nederland typeert. We zitten in kleermakerszit op kussens op de grond, afgezien van een nette, beetje artistieke mevrouw naast mij, die in een invalidewagentje zit.

Enfin, na enige tijd wordt het 'Laa ilaaha ill-Allah' ingezet. Het begint zachtjes, contemplatief. Als de zwakke branding op een stille dag in Scheveningen. Maar toch ook dwingend. Keer op keer dat kleine korte zinnetje. Het gaat om de magie van de herhaling. Om mij heen beginnen enkele mensen al een beetje weg te raken. En dat terwijl het eigenlijk pas net is begonnen. Honderd keer, tweehonderd keer, driehonderd. 'La ilaaha ill-Allah. La ilaaha ill-Allah. La ilaaha ill-Allah. La ilaaha ill-Allah.' Sommigen beginnen diep van voren naar achteren te wiegen. Blikken vervagen. Tijd bestaat niet meer. 'Laa ilaaha ill-Allah. La ilaaha ill-Allah. La ilaaha ill-Allah. La ilaaha ill-Allah.' En het weerklinkt steeds luider, haast boos. 'La ilaaha ILL-ALLAH! La ilaaha ILL-ALLAH!' Een aantal deelnemers begint nu bovendien nog wild met het hoofd te draaien. Bij enkele mevrouwen zwiept het lange, geshampoode haar met elegante zweepslagen in het rond.

De invalide mevrouw naast mij raakt ook in trance. Ook zij begint steeds heftiger mee te doen. En, verdomd, op een gegeven moment zie ik vanuit mijn linker ooghoek dat de kleine achterwieltjes van haar wagentje bij iedere schok die zij naar voren maakt, van de grond beginnen te komen. Eerst maar een klein beetje. Maar ze raakt steeds verder heen. 'LA ILAAHA ILL-ALLAH! LA ILAAHA ILL-ALLAH!' De rubberen wieltjes komen steeds verder omhoog. Ik begin in paniek te raken. Nog even en die mevrouw kiepert met plaid, programmaboekje, Gucci handtas en al naar voren. Maar ik durf niet in te grijpen. Ik doe helemaal niets. Want ik weet niet wat er gebeurt als je iemand abrupt uit een religieuze trance haalt. Maar gelukkig gaat het net niet mis. Misschien omdat er een engel over haar waakt. Of omdat er van het 'La ilaaha ill-Allah' een wonderlijke kracht uit kan gaan.

Van dat laatste geeft de Franse, uit Congo-Brazzaville afkomstige bekeerling Abd al Malik in zijn boek *Qu'Allah bénisse la France!* (Moge Allah Frankrijk zegenen!) een prachtig voorbeeld. Een oude, eerbiedwaardige moslimprediker is uit Pakistan overgekomen en wordt door enkele moslimbroeders op tournee meegenomen door Frankrijk om overal in moskeeën te gaan preken.

Opeens realiseren de broeders zich dat ze vergeten zijn te tanken en dat ze bijna zonder benzine zitten. Net nu ze midden in de nacht diep door zo'n lege Franse provincie rijden. Als ze in paniek beginnen te raken, zegt de oude man dat ze gewoon moeten blijven rijden. Zelf pakt hij zijn kralensnoer en begint hij 'La ilaaha ill-Allah, La ilaaha ill-Allah, La ilaaha ill-Allah' te prevelen. En zo hebben zij, aldus het verhaal, nog vijfhonderd kilometer door kunnen rijden op een lege tank.

Over de taakverdeling onder de engelen – de 'Who is Who' – krijgen we op de webite gelukkig wat meer te horen.

'De engelen zijn een grootse creatie, vervullen vele taken en zijn opgedeeld in verschillende groepen, waar alleen Allah kennis van heeft. Zo zijn sommigen belast met het dragen van de Troon. Onder hen bevindt zich ook Djibriel, degene die de eerdere Openbaringen naar de boodschappers bracht en de Koran naar Mohammed (vrede zij met hem). Tevens bevindt zich onder hen Miekaa'iel, die aangesteld is over de regen en het gewas. Alsmede Israafiel, op wie de taak rust om te blazen op de Bazuin als inluiding van het Uur. Weer anderen van hen zijn benoemd over de kinderen van Adam en tekenen hun daden op. En er zijn er onder hen die toevertrouwd zijn in het vastleggen van alle daden, ongeacht of deze goed of slecht zijn. Anderen zijn poortwachters van het Paradijs die de rechtschapen dienaren hartelijk ontvangen bij binnenkomst. Weer anderen zijn poortwachters van de Hel. Allah zegt: "O jullie die geloven, behoedt jullie zelf en jullie gezinsleden voor de Hel die als brandstof mensen en stenen heeft, waarover strenge en hardoptredende Engelen zijn aangesteld, die Allah niet ongehoorzaam zijn in wat Hij hun beveelt en die uitvoeren wat hun is bevolen." Ook bestaan er engelen die deelnemen aan de strijd op de Weg van Allah. Zoals Allah zegt:

"Gedenk toen jouw Heer aan de engelen openbaarde: Voorwaar ik ben met jullie. Versterkt daarom degenen die geloven. Ik zal angst werpen in de harten van degenen die ongelovig zijn. Slaat dan hun hoofden af en slaat al hun vingers en tenen af." Daarnaast is ons bekend gemaakt dat in de maand Ramadan engelen neerdalen tijdens de nacht van al-Qadr. Allah zegt hierover: "De Waardevolle Nacht is beter dan duizend maanden. De engelen en de Geest daalden in haar neer met de Toestemming van hun Heer, voor elke beschikking."'

En je krijgt via de handleiding van As-Soennah ook enkele praktische tips, waaronder die tegen een foto of hond in huis: 'Overigens treden de engelen geen huis binnen waarin zich een beeld, foto of hond bevindt. De Profeet (vrede zij met hem) heeft gezegd: "De engelen treden geen huis binnen met een hond of afbeelding."'

In feite was het niet de Profeet die dat zei. Ik denk dat de website hier een fout begaat. Bij Moeslim althans staat het verhaal namelijk anders genoteerd. Hij baseert zich op een van die honderden overgeleverde vertellingen van Mohammeds lievelingsvrouw, Aisha. Zij was vaak bij hem in de buurt en werd aldus later een belangrijke bron, misschien wel de allerbelangrijkste bron, van overleveringen rond de Profeet. En Aisha zei, aldus Moeslim, ooit het volgende: 'Op een goede dag beloofde de engel Djibriel aan de Profeet om op een bepaald uur bij hem langs te komen. Maar op het afgespoken uur kwam hij niet opdagen. Mohammed had een staf in zijn hand en die wierp hij boos op de grond. Allah of zijn boodschappers hadden immers nog nooit een afspraak verbroken. Toen hij daarop rondkeek, viel zijn oog op een jong hondje zich onder zijn bed had verstopt. Hij vroeg aan Aisha: "Wanneer is die hond hier binnengekomen?" Aisha antwoordde dat ze het niet wist. De Profeet gaf opdracht om het beestje de deur uit te zetten. Wat later kwam de engel Djibriel langs en de Profeet zei: "Je beloofde te komen en ik heb op je gewacht, maar je bent niet komen opdagen." Daarop zei de engel: "Het was de hond in je huis die het me onmogelijk maakte, want wij engelen gaan geen huis binnen waar een hond is of een beeltenis."'

Dat van die foto in huis heeft de As-Soennah-moskee er dus als het ware zelf aan toegevoegd. Maar het gaat er natuurlijk om dat je moet handelen in de geest van zo'n overlevering. En dan kan dat wel van die foto. Maar het blijft ingewikkeld om al die regels en overleveringen aan te passen aan de moderne tijd. Zo zou je je kunnen afvragen of een digitaal opgeslagen foto op je laptop thuis wel verstandig is. Weet zo'n passerende engel dat zo'n sliert 001001110010001 op de harde schijf eigenlijk een foto en dus een beeltenis is? Dit zijn delicate kwesties. Want interpreteren mag, maar vernieuwen is taboe.

Op een andere pagina van de website stelt de As-Soennah-moskee de vraag: 'Wie wordt erger bestraft? Een innovator of een zondaar?' En precies, de innoveerder is de klos. 'De bestraffing van een innovator is erger dan die van een zondaar, omdat een innovatie erger is dan een zonde. De duivel is verheugder met een innovatie dan met een zonde. Dit omdat er maar weinig innovators zijn die berouw tonen voor hun innovatie. Een innovator denkt namelijk dat hij gelijk heeft, in tegenstelling tot een zondaar. De zondaar *weet* dat hij zondig is. De innovator is daarentegen ervan overtuigd dat hij gehoorzaam is. Om deze reden is een innovatie – moge Allah ons hiervoor behoeden – erger dan een zonde.'

Deze gedachtegang, die trouwens door de overgrote meerderheid van de moslims wordt gevolgd, maakt het ontwikkelen van een 'Europese islam' of 'moderne islam' vrijwel onmogelijk. In hoofdstuk 5 van de Koran zegt Allah: 'Vandaag heb ik jullie godsdienst voor jullie vervolmaakt.' Die tekst dateert uit de zevende eeuw. Marges om nog iets te veranderen of aan te passen zijn er eigenlijk niet. In de Nederlandse politiek is men zich hiervan nauwelijks bewust. Onze kamerleden beseffen gewoon niet dat op de publieke tribune een glimlachende Satan en een schare bezorgde engelen meeluisteren naar al die debatten over 'Nederlandse waarden en normen', over 'verplichte integratie' en over een frisse, eigentijdse islam.

Op de website van de Raad van Kerken is onlangs een discussie uitgebroken over de 'Ramadangroet' van de Raad. Volgens de site begrepen veel gelovigen er maar niets van. 'Wat christenen? Een groet bij de islamitische vasten? Zij aanbidden een maangod!' Iemand anders: 'De mensen die deze Ramadangroet hebben geschreven zijn slijmballen!' En een beschuldiging van *slijmbal* komt binnen dit verder uiterst correcte gezelschap hard aan. Zelf heb ik een beetje moeite met het woord Ramadangroet. Het heeft voor mij een wat fascistoïde kleur: 'Hij/zij brengt de Ramadan-groet.' Iets waarvoor je, als je het op straat tussen het winkelend publiek doet, zou kunnen worden opgepakt.

Gelukkig heeft de knappe prof. dr. Henk Vroom zich in de discussie gemengd. Hij doceert in Amsterdam godsdienstwijsbegeerte en apologetiek. Hij is tevens voorzitter van de Beraadgroep Interreligieuze Ontmoeting van de Raad van Kerken. Professor Vroom houdt ervan – misschien heeft dat iets met apologetiek te maken – om alles omgekeerd te bekijken.

'Laten we hierbij eens een paar kanttekeningen over de "ontmoeting met moslims" plaatsen. De eerste is natuurlijk dat je de kwade kanten van een andere religie niet met de goede kanten van je eigen traditie mag vergelijken. De moslims van Al-Qaida vergelijken we dus niet met zuster Theresa (en omgekeerd), maar met de christenen die elkaar in Noord-Ierland in de knieën schoten of door het hoofd, en omgekeerd. Moeder Theresa vergelijken we met moslims die hun naasten helpen, en omgekeerd.'

Zo nu en dan volg ik Koranles. Op vrijdagen ga ik daarvoor naar de strenge Haagse As-Soennah-moskee. De les begint laat in de middag, direct na het derde gebed. De leraar heet Abu Ismail. Het leslokaal is in de kelder. Het is een betegelde ruimte die in de tijd dat het moskeegebouw nog een drukkerij van de KLM was, als keuken diende of als kantine. In het lokaal staan zoals in een gewone school rijen schoolbankjes. Er is ook een schoolbord. Maar ik heb Abu Ismail nooit iets op dat bord zien schrijven. Hij heeft een kleine lessenaar rechts voor in het lokaal. Hij loopt nooit door de klas zoals leuke, moderne leraren dat doen. Hij blijft altijd achter zijn lessenaar zitten. Hij streeft er ook niet naar om leuk of populair te zijn. We zijn eigenlijk een beetje bang voor hem.

Meestal komen er iets van veertig leerlingen opdraven. Ze zijn allemaal zo rond de twintig en de meesten hebben een baard. De helft gaat gekleed in Arabische kleding. Het zijn vlijtige, vriendelijke jongens. Ze hebben goedkope ballpoints bij zich en schriften en natuurlijk ook een Koran. De Koran wordt door hen altijd omzichtig en met eerbied behandeld. Dat is ook meteen een plicht.

Zo mag je een Koran nooit op de grond leggen. Veel Korangeleerden menen dat een menstruerende vrouw de Koran zelfs niet mag aanraken, althans als de betreffende Koran in het Arabisch is. Een vertaling mag zij in die *onreine* toestand daarentegen wel ter hand nemen, omdat dat geen 'echte' Koran is. De Arabische tekst wordt gezien als het letterlijke woord van Allah. Een oude, versleten Koran mag niet worden weggegooid. Hij moet worden verbrand of begraven.

Al enige tijd gaat de les van Abu Ismail over het tweede hoofdstuk, 'De Koe'. 'De Koe' is het langste hoofdstuk in de Koran. De Koran telt honderdveertien hoofdstukken. Ieder hoofdstuk is opgedeeld in verzen. De Koran wordt overigens ook op allerlei andere manieren ingedeeld. Een bekende indeling is die in *ajuz*. Bij die methode is de Koran opgedeeld in dertig stukken van gelijke lengte. Het lezen van een *ajuz* neemt vierentwintig minuten in beslag, althans dat is de bedoeling. Als je iedere dag een *ajuz* leest, ga je in één maand de hele Koran door. Veel moslims doen dat ook daadwerkelijk, namelijk in de vastenmaand. Als je de Koran zonder onderbreking zou lezen, heb je twaalf uur nodig, namelijk vierentwintig minuten maal dertig is zevenhonderdtwintig gedeeld door zestig is twaalf.

Iemand die de hele Koran van buiten leert is een *hafiz*. Sommige Koranscholen zijn op dat punt gespecialiseerd. Soms wordt op de televisie in Arabische landen trots zo'n *hafiz* ten tonele gevoerd, vaak een jongen van twaalf of dertien jaar. Meestal gaat het om een beetje enge, bleke jongens. En je denkt ook meteen van: jammer voor zo'n joch, dat ie jaren achtereen nooit lekker buiten is gaan spelen. Maar families zijn er trots op om een zoon te hebben die *hafiz* is. Veel moslims zijn ervan overtuigd dat een *hafiz* na zijn dood linea recta naar het Paradijs gaat. Ik denk eigenlijk dat onze leraar, Abu Ismail, ook een *hafiz* is.

De Koran vertelt over het Paradijs dat daar voor de gelovigen twee tuinen zijn. 'In beide zullen twee fonteinen stromen. Daarin zullen alle vruchten tweesoortig zijn. Zij (de gelovigen) zullen zich nedervlijen op divans met tapijten waarvan de voeringen van dikke zijde zullen zijn. En het fruit der tuinen zal dicht bij de hand liggen. Daarin zullen kuise meisjes zijn met zedige blik, door mens noch djinn ooit aangeraakt, als waren zij robijnen en koralen.' Een *hafiz* weet zich dus goed beloond.

Sommigen hebben op aarde al aantoonbaar baat bij hun vroomheid en met name ook bij het memoriseren van de Koran. In Dubai krijgen gevangenen strafverkorting als zij een stuk van de Koran van buiten leren. Hoe meer hoofdstukken ze leren, hoe korter de straf wordt. Bij iemand die erin slaagt in zijn strafcel alsnog de hele Koran van buiten te leren, wordt maar liefst twintig jaar van de straf geschrapt. Maar dat lukt natuurlijk bijna niemand. Het geheugen van een volwassene mist de spankracht. Kinderen doen er een jaar of drie over om *hafiz* te worden. En dan houden ze zich in die periode met niets anders bezig.

Tijdens de Koranles in de As-Soennah-moskee gaan we heel langzaam door de tekst heen. Pas aan het eind van de les mogen we vragen stellen. Abu Ismail leest aan het begin enkele woorden voor en begint dan aan een uitgebreide uitleg. Maar de exegese is gestandariseerd. Het klinkt allemaal nogal verkalkt wat hij zegt. Hij geeft nooit een eigen, persoonlijke zienswijze. Voor eigentijdse speculaties is geen ruimte. Abu Ismail verwijst naar boeken die eeuwen geleden door grote islamgeleerden geschreven zijn. Toch is de les niet saai. Integendeel. Veel passages in de Koran zijn mooi. En de uitleg die hij aan de kleine brokjes tekst geeft, is bijna altijd wetenswaardig en vaak ook elegant.

Ik verwacht dat hij er maanden over zal doen om met ons 'De Koe' door te nemen. 'De Koe' is via een korte passage gerelateerd aan Deuteronomium, hoofdstuk 21. Daar wordt voorgeschreven dat stadsoudsten en priesters een jonge koe dienen te offeren als er zich in de buurt een onopgeloste moord heeft voorgedaan. Zij moeten dan boven het gedode dier hun handen wassen. 'En zij zullen betuigen en zeggen: onze handen hebben dit bloed niet vergoten en onze ogen hebben het niet gezien.' Daar komt die op het eerste gezicht nogal merkwaardige benaming van het tweede hoofdstuk in de Koran vandaan.

'De Koe' gaat overigens ook over veel andere thema's, waaronder 'huichelarij'. Aan het eind van de les heb ik Abu Ismail daar ooit een vraag over gesteld. Hoe zit het met *takiye* – de mogelijkheid om te doen alsof – wanneer je je in een vijandige omgeving bevindt? Toen ik vier jaar geleden als diplomaat werkzaam was in as-Samawah, Irak, hoorde ik daar altijd veel over. Onder de sjia-moslims, die zich sinds eeuwen onderdrukt voelen door de soenni-moslims, werd over *takiye* soepel gedacht. Voor hen was het een overlevingsstrategie. Mijn vraag schoot de strenge Abu Ismail, die soenni is, helemaal in het verkeerde keelgat: '*Takiye* is totaal onaanvaardbaar. Een ware moslim mag zich nooit ofte nimmer aan huichelarij bezondigen.' Met een rood hoofd deed ik er verder het zwijgen toe.

Na de les blijven we altijd nog wat hangen. Onlangs ging een van de medeleerlingen rond met een flesje muskusparfum. Met een miniscuul kwastje wreef hij bij iedereen wat van dat parfum op de rechterhand. Zoiets kan mij enorm bekoren. Volgens de overlevering heeft de Profeet Mohammed zijn volgelingen gezegd dat het zweet van mensen die in het Paradijs verblijven, naar muskus ruikt. Muskus is daarom onder moslims een gewild product. Muskus is in feite de klierafscheiding van mannelijke muskusherten en heeft een erotiserend effect.

Vaak vragen mijn medeleerlingen of ik moslim ben. Of ik al bekeerd ben. 'Nee', zeg ik dan. Maar dan willen ze natuurlijk weten waarom ik die lessen volg. Ik antwoord dan dat ik in allerlei islamitische landen gewerkt heb zonder me serieus in de islam te hebben verdiept. En dat ik dat nu wil goedmaken. Soms vertel ik ook hoe ik in as-Samawah 's ochtends vroeg als eerste de oproep tot het gebed hoorde. Ik woonde en werkte er in het met versperringen, wachttorens, zandzakken en prikkeldraad afgeschermde gebouw van de Coalition Provisional Authority. Bewoners daar hadden ons verteld dat het in de tijd van Saddam Hoessein van de geheime dienst was geweest en dat er veel werd gemarteld.

In novermber 2006 bracht *de Volkskrant* naar buiten dat Nederlandse militairen op diezelfde plek Iraakse gevangenen zouden hebben gemarteld. Naderhand distancieerde de krant zich van het bericht. Er waren 'fouten' begaan, maar van martelingen was geen sprake geweest. Kort na dat eerste Volkskrantverhaal schreef ik een boze brief die werd geplaatst in *De Telegraaf.* Ik kende de lay-out van het beknopte, overbevolkte terrein als geen ander en ik kon me nauwelijks voorstellen dat er onoirbare dingen hadden kunnen gebeuren zonder dat iedereen er meteen van had geweten. Ik wees er ook op dat de compound na de val van Saddam Hoessein geen akelige reputatie meer had. Integendeel. Het was een magneet geworden. Iedere ochtend stonden er lange rijen bij de poort van mensen die in de hoop op werk, bemiddeling of hulpfondsen langs wilden komen op de burelen van de Coalition Provisional Authority. De leiding van Buitenlandse Zaken was, zacht gezegd, *not amused* met mijn brief. Het onderzoek liep nog en ik had voor mijn beurt gesproken. Dat was ook zo. Maar ik wilde per se mijn verhaal kwijt. Ik had aan jan en alleman verteld dat ik een prachtige tijd in as-Samawah had gehad En ik zou het verschrikkelijk hebben gevonden als daar vragen over waren gekomen. Wat prachtige tijd? In een gebouw waar gemarteld wordt?

Ik kroop altijd heel vroeg uit mijn slaapzak en ging mezelf dan luchten op de kleine parkeerplaats. Meestal met een gigantische piepschuimen beker US Army-oploskoffie. En dan hoorde ik, net als het aan de horizon licht begon te worden, die oproep tot het gebed. Dat gaf altijd een geruststellend gevoel. Zo ongeveer alles in dat land ging verschrikkelijk mis, en die oproep tot het gebed was een van de weinige dingen die houvast gaven. Soms zeg ik zelfs dat ik er *troost* in vond. Zeker met dat laatste scoor ik altijd erg goed bij mijn medeleerlingen.

Zo nu en dan zijn er Hollandse moslims bij de les aanwezig. Een van hen heet sinds zijn bekering Omar. Hij wordt in de klas met 'broeder Omar' aangesproken. Hij heeft een geschakeerd verleden. Moeilijke jeugd gehad. Vele jaren in kindertehuizen doorgebrachtt. Vanwege een overval ook in de gevangenis gezeten. Vroeger was hij manisch-depressief en moest hij lithium slikken. Maar sinds zijn bekering is het, zoals hij zelf zegt, 'kalm geworden' in zijn hoofd.

Een andere Hollander is broeder Ibrahim. Hij heeft een lange blonde baard. Qua lengte is die baard precies goed, te weten de breedte van een gebalde vuist. Zo lang laten vrome moslims hun baard groeien. Ibrahim is getrouwd met een Marokkaans meisje. Hij is een beetje een Bekende Moslim. Zo schreef het *Reformatorisch Dagblad* een groot verslag over hem. Zonder die baard zou Ibrahim eruitzien als een doodgewone Hollandse jongen. Hij vertelde me dat hij voor een pelgrimstocht naar Mekka spaart. Daar heeft hij ruim tweeduizend euro voor nodig. Die pelgrimstocht is zijn grootste wens.

Onlangs stond ik relaxed in het Shell-station aan de A16 bij de grens met België een chocomel te drinken en zo'n driehoekige sandwich te eten, toen ik het opeens zag. De mensen die getankt hebben, splitsen zich bij de glazen schuifdeur in twee groepen. De moslims en de niet-moslims. De niet-moslims lopen naar rechtsachter voor een belegd stokbroodje, kopen wat snoep en een pak koekjes, eten soms snel nog wat uit de muur, lopen dan met volle mond naar het tijdschriftenrek met de *Passie*, *Chick*, *Lust*, *18 and Naughty*, de *Erotische Krant* en *Swingers* en gaan dan afrekenen. Moslims pakken hooguit een flesje bronwater en gaan dan meteen door naar de kassa. Voor onze nieuwe Nederlanders is een benzinestation namelijk voor drie kwart haram, verboden, of tenminste *makroeh*, beter te mijden.

Trouwens, ik was rechts voorbij de koffiemachines die koelkast met driehoekige sandwiches nog vergeten. Die is ook haram. En het dvd-rek, linksachter in de hoek. Ook dat is haram. Daar staat bijvoorbeeld de (op zich wel ontzettend goede) dvd *Nick's Heetste Feestdagen*. Op de cover staat de aanbeveling: 'Eén van de memorabele scènes is gelijk al de eerste, wanneer hij met Carnaval een geile carnavalslet paalt!' Op de begeleidende foto zie je Nick geknield – mond halfopen en de blik op oneindig -, terwijl hij van achteren een leuke mevrouw paalt. Wat mij betreft heeft *Nick's Heetste Feestdagen* maar één minpuntje: er zit geen spanningsboog in. Nick wordt bijvoorbeeld niet eerst gestraft voordat hij mag. Ook in het rek: *Sunny Loves Matt*. Op de cover zie je Matt als hij nog niet aan het palen is, maar al wel een hand in Sunny's slipje heeft.

Alleen al die twee dvd's maken dat hele rek, plus een flink aantal meters vloer eromheen, voor onze moslims heel erg haram. Bij de snoep- en koekjesrekken zou een moslim nog kunnen twijfelen. Dat ligt een stuk ingewikkelder. In sommige moskeeën circuleren sinds kort briefjes waarop staat:

E411 (glycenol)
E470, E471, E472, E473, E474, E475, E477, E481, E482, E483
(emulgatoren/stabilisatoren)
430, 431, 435, 436, 442, 476, 478, 491, 492, 493, 494, 495 (Emulgatoren)
542 (beendermeelfosfaat)
570, 571, 572, 573 (antiklontermiddelen)
630 ,631, 632, 633 (smaakversterkers uit vlees)
Als u geen varkensvlees wilt eten, kunt u het beste geen producten kopen als die stoffen op de verpakking staan.

Al die additieven zijn dus haram of tenminste makroeh. Het lijstje is trouwens verre van compleet. De voedselwebsite van de Universiteit Wageningen signaleert de E120 en de E904, twee additieven die uit insecten worden gemaakt. Ook haram. De E901, een afscheidingsproduct van insecten vergelijkbaar met honing, is gelukkig wel halal. De E120 is een extract uit gedroogde luizen. Volgens sommige moslims is de E120 niet haram, maar wel makroeh. Het extract is beter bekend als de kleurstof karmijn (rood) en er zijn nieuwe medelanders die vanwege E120 geen *rode* M&M's eten. Die vissen ze eruit.

Ga maar eens met dat lijstje uit de moskee langs de schappen van een benzinestation lopen of door de Albert Heijn. Je moet bij wijze van spreken voedseltechnologie hebben gestudeerd om eruit te komen. Op veel verpakkingen staat alleen maar dat er 'vetten' in verwerkt zitten. Dan weet je niet of het om plantaardige of dierlijke vetten gaat. En dan is er nog weer de complicatie dat niet alleen vet van een varken, maar ook vet van een niethalal geslachte koe niet mag. Kun je bij dat schap met koekjes in de Albert Heijn nog nagaan of Klaartje *cold turkey* ritueel de hals werd doorgesneden, of dat ze eerst werd bedwelmd? Nee. Dat is onmogelijk. Tenzij je de fabrikant weet te bereiken. Alles wat met rund te maken heeft, is dus in beginsel verdacht.

Dan heb je nog al die non-foodproducten, zoals cosmetica en douchegel en zeep en lippenstift. Daar wordt ook gewoon maar van alles ingestopt. Daarvan is dan ook heel veel haram of makroeh. Niet alleen uw Shell-benzinestation, maar eigenlijk heel Nederland is voor drie kwart haram. Ik hoor het u al zeggen: bij ons zie je toch echt vaak moslima's met een karretje door de supermarkt lopen. Natuurlijk. Je hebt, net als onder de protestanten, rekkelijken en preciezen. Maar de preciezen zijn aan de winnende hand. Doordat de islam een overweldigende renaissance doormaakt, ook in ons kleine Nederland. En doordat er onder individuele moslims een zoektocht gaande is naar de oude kernwaarden. En daar horen die regels rond haram en makroeh ook bij.

Neem brood. Hoezo brood? Nou, in brood zit reuzel. En reuzel is varken. Als een strenge moslim een Hollandse bakkerij binnenloopt, ziet hij op al die schappen eigenlijk varken liggen. Stokbrood, althans echt stokbrood, zou wel mogen. Daar zit geen reuzel in. Maar dan denkt die vrome moslim: Die bakker is de hele nacht in de weer geweest en die had misschien wel wat reuzel aan zijn handen toen ie dat deeg voor het stokbrood aan het kneden was. Het kan ook best zijn dat die bakker E920 gebruikt. Een broodverbeteraar noemen ze dat in de bakkersbranche, maar daar is wel varkenshaar in vermalen

Dat klinkt wel heel erg als spijkers op laag water zoeken. Maar zou u niet hetzelfde doen? Als het serveerstertje met de *suggestions du jour* bij uw tafeltje komt en er staat ook hond in wijnsaus op, dan stapt u toch ook op? Ook als de chefkok u met de hand op het hart komt verzekeren dat de honden in een aparte oven worden klaargestoofd? Ook kaas is haram. Kaas wordt bereid met stremsel, wat uit de maag van het kalf komt. En is dat kalf islamitisch gestorven? En om deze discussie even op beleidsniveau te tillen: wat betekent dit eigenlijk voor de inburgering? Als je zelfs het brood van het land niet mag eten? Je kunt natuurlijk altijd nog bij de Marokkaanse bakker of bij de Turkse *firini* terecht. Maar dat is toch geen inburgeren?

Kun je een land, een volk, een beschaving doorgronden als je er heel veel producten niet mag nuttigen? China zonder Chinees eten. Door India trekken en dan alleen wittebrood eten met meegenomen gestampte muisjes? België. We hoeven niet eens verder te gaan dan België. Een Mechels terras zonder zo'n haast goddelijke Tripel Karmeliet, ambachtelijk gebrouwen van haver, gerst en tarwe. Een kloosterrecept uit de zeventiende eeuw, toen brouwen nog brouwen was. Haram. Of Frankrijk. Kun je ooit echt tot de overspelige Franse ziel doordringen als je nog nooit een schijf foie gras hebt gegeten in combinatie met een glas nobele, fonkelende Sauternes? Sorry, allebei haram. En overspel is ook haram.

Baba au rhum. Mmmm, ontzettend lekkerrr! Maar ook haram. Dat 'baba' verwijst nota bene naar een moslimschelm, Ali Baba. Maar toch haram, vanwege die rum. Of zo'n Duitse kerstmarkt waar je een beetje kleumend een Weisswurst eet. Haram. Misschien met een glas Glühwein. Ook haram. En dat kerstfeest is ook haram. Of in ieder geval makroeh. In plaats van die Weisswurst zou je natuurlijk ook naar de kapper kunnen gaan. Ho, ho, niet zo snel. Dat kapstertje gebruikt borstels. En de betere borstels zijn gemaakt van dat borstelige haar van wild zwijn. En het wilde zwijn is via via een grotere broer van ons varken. Dus die kapsalon is makroeh en misschien wel haram. En de shampoo die het kapstertje gebruikt, is vrijwel zeker haram.

Van al dat gedoe zou je gewoon kunnen gaan stressen. Maar dat is slecht voor je hart. En dan moet je ook oppassen, want hart-chirurgen gebruiken bij transplantaties steeds vaker hartklepjes van varkens. Dan word je door een lieve verpleegster zachtjes uit je narcose gewekt en blijkt opeens je eigen hart – je eigen hart! – haram te zijn.

Het is allemaal erg ingewikkeld. Maar er liggen ook nieuwe *kansen*. Ik zit bijvoorbeeld te denken aan halal benzinestations. Niet voor drie kwart halal, maar helemaal, honderd procent halal. En dan niet langs de weg van Appingedam naar Winsum. Daar zou er nog geen markt voor zijn. Maar wel in de gouden driehoek Amsterdam – Rotterdam – Den Haag. Het zou wereldnieuws zijn. Benzinestations met baklava en shoarma en yoghurt en hummus en tabouleh en Turks fruit en leuke, gesluierde moslima's die muntthee schenken en een rek met tijdschriften uit de Maghreb en Turkije en Afghanistan. Met een kassa voor mannen en een kassa voor vrouwen. En een kleine gebedsruimte. En een schoenen-rek bij de glazen schuifdeur. Zodat je op sokken over een dik ta-pijt langs alle schappen kunt lopen.

Herinnert u het zich ook nog? Hoe burgemeester Ruud Vreeman van Tilburg in 2009 in de problemen kwam en op een gegeven moment zelfs moest aftreden? Hij had verzwegen dat er bij de aankoop en verbouwing van het oude Tilburgse Midi Theater tot *laagdrempelig* variététheater sprake was van een kostenoverschrijding. En wel met zo'n 25 procent: 7,5 miljoen werd 9,4 miljoen. Iets om moeilijk over te doen? Sommige gemeenteraadsleden en kranten vonden van wel. Misschien vonden die Vreeman toch al niet zo leuk. Enfin, dat werd dus een hele affaire.

Nou, zo ken ik er nog een. Maar dan in Amsterdam. Veel schokkender, tenminste op veel grotere schaal, maar haast alleen bekend bij de insiders. Aan het Joubertplein in de Transvaalbuurt zou van overheidswege een *slechtweerschuilplek* voor hangjongeren komen. Dat was een goed plan. Want er was, en dat was ook heel duidelijk door de buurt aangegeven, een hangjongerenprobleem. Maar uiteindelijk, zo'n tien jaar later, stond er op de gereserveerde plek als nieuw eigendom van de gemeente een *Moskeeverzamelgebouw*. En die merkwaardige metamorfose leidde, om met wijlen Saddam Hoessein te spreken, tot de Moeder van de Vaderlandse Kostenoverschrijdingen.

Die schuilplek was namelijk geraamd op tweehonderdduizend gulden: het plan kwam eind jaren negentig in beeld. En dat Moskeeverzamelgebouw ging uiteindelijk 3,5 miljoen euro kosten! Het bouwproject werd dus meer dan vijfendertig keer duurder. Het werd zo duur, dat er zelfs in Brussel moest worden aangeklopt voor een EU-subsidie. Maar daarover later.

In het verzamelgebouw zijn een Turkse en een Marokkaanse moskee ondergebracht. En die hangjongeren? Die hangen, weer of geen weer, gewoon nog steeds *buiten* rond. Ook al heeft het probleem zich min of meer richting Linnaeusstraat verschoven. Dat laatste hoorde ik van een sociaal werker met oorpiercings en ingevallen wangen, die voor de Rochdale Woningcorporatie werkt.

De betrokken Turkse en Marokaanse moskeebesturen hadden een machtspositie. En die hebben gewonnen. Dat kwam als volgt. Op de aangewezen plek stond een oud schoolgebouw. En daar hadden die twee besturen voor een appel en een ei een paar ruimten, in feite schoollokalen gehuurd. Er zaten ook wat winkeltjes in en een kapper. Volgens het bestemmingsplan mocht dat helemaal niet, maar goed, het was toch allemaal ouwe troep. Het gebouw was klaar voor de sloop en bovendien, zo was ontdekt, brandgevaarlijk. En dat laatste gaf stadsdeelbestuur Oost-Watergraafsmeer een *sense of urgency*, want kort daarvoor was in Volendam de grote discobrand geweest.

Er moest snel iets gebeuren. De moskeebesturen wilden echter alleen verkassen als er een goed alternatief geboden werd. Maar dat was er niet. En Oost-Watergraafsmeer durfde de confrontatie niet aan. De Transvaalbuurt is een moslimwijk. De boel zou uit de hand kunnen lopen. De moskeebesturen hadden het stadsdeelbestuur bij de strot. *Exit* slechtweerschuilplaats voor de Transvaalse hangjongeren.

Het stadsdeelbestuur heeft op zijn website het rapport geplaatst waarin dit allemaal te lezen valt. Nou ja, het zegt het niet helemaal met zoveel woorden. Zo zul je het woord 'strot' echt niet terugvinden. Je moet een beetje tussen de regels van het managersjargon door lezen. Het is een vertrouwelijk stuk, dat in 2008 op verzoek van de Rekenkamercommissie van het stadsdeel door TNO Bouw en Ondergrond werd opgesteld. Onder aan iedere pagina staat 'bedrijf confidentieel'. Het rapport heet 'Evaluatie Drie Fysieke Projecten in Stadsdeel Oost-Watergraafsmeer'. Een titel die helaas verhult dat het om een smeuïg werkstuk gaat. Je bent er het snelst als je op de homepage van het stadsdeel 'TNO' intikt bij het pijltje met *zoek*.

In het stadsdeel waren gewoon een aantal zaken flink misgegaan, met name bij dat project aan het Joubertplein. En die Rekenkamercommissie wilde alles eens op een rijtje krijgen. Niet om koppen te laten rollen, maar gewoon om er wijzer van te worden. Het ging om de toekomst. Of zoals TNO schreef, de nadruk lag – het staat er heus! – op 'het lerend effect voor de organisatie'. De mensen die aan de tand werden gevoeld, was door de TNO verzekerd dat het niet om een 'afrekening' ging. Bovendien wisten ze dat ze niet met naam en toenaam in het rapport zouden komen. Ze kregen, best spannend, een *codenaam*, bijvoorbeeld 'sectorhoofd 1' of 'projectleider 1' of 'raadslid' of 'de architect'. Dus ze zijn heel open gaan praten en hebben zo nu en dan behoorlijk hun gal gespuwd. Zoals 'projectleider 1': 'We konden alles in de prullenbak gooien. Dat heeft tonnen gekost aan uren van mij en externen...' Het is al met al een ontzettend leuk, levendig rapport geworden.

In de Transvaalbuurt wonen niet alleen moslims. Er is ook een duidelijke Surinaamse aanwezigheid. En er wonen veel Afrikanen. Dat merk je op straat en ook op de scholen. Naast de ingang van Basisschool 'De Kraanvogel' op de President Brandstraat is een stoffige uitstalkast. Er hangen al sinds lang twee tekeningen in. 'Tekeningen van kinderen uit Ghana', staat erbij vermeld. Op de ene tekening – 'Voor Meester Wouter' – staat een donkere meneer die met een grote boog, hupsakee, een kippetje in de opengesperde bek van een krokodil gooit. Op de andere – 'Voor Juf Latifa' – een troosteloze Afrikaanse hut met een spits, strooien dak, een hut zoals ik ze in het morsige Afrikaanse landschap bij duizenden heb gezien.

Het is voor onze moslimmigranten uiteraard een *culture shock* dat hun kinderen in Nederland niet naar een blanke Hollandse school gaan, maar naar een *zwarte* school. En daardoor schieten zij in de stress. O jee, mijn Hassan/Latifa gaat straks misschien ook wel Afrikaanse hutten tekenen in plaats van ranke minaretten en edele bedoeïenen. Mensen uit zwart Afrika zijn min of meer *Untermenschen*. Zij waren in Noord-Afrika en het Midden-Oosten altijd de bedienden. Een beetje Turkse harem telde enkele gecastreerde zwarte slaven. En wie deden in de verzengende hitte het zware werk in de zoutpannen rond de Iraakse havenstad Basra? Precies – slaven uit Afrika. Zelfs in Somalië, dat zelf eigenlijk al haast zwart Afrika is, werkten tienduizenden Bantoes, die door Arabische handelaren uit Tanzania en Mozambique in ketenen waren aangeleverd voor de bananenplantages langs de Wabi Shebele-rivier. Nog steeds wonen hun nakomelingen daar in aparte dorpen, geheel gescheiden van de 'echte' Somaliërs. 's Nachts hoor je er soms het geroffel van tamtams, iets wat verder helemaal niet past in het Somalische landschap.

En dan hier dus opeens je kinderen op een *zwarte* school! Op een Afrikaanse school! Op Cuba met zijn gemengde bevolking noemen ze dat de *salto atras*, de gevreesde sprong achteruit. En dat overkomt je dan in het brave, witte Nederland? Hoe kan dat nou? We zijn toch zeker naar het noorden gereisd?

Een en al paniek en bezorgdheid dus. En vandaar – dat is althans mijn veronderstelling – dat Basisschool 'De Kraanvogel' aan al die gesluierde moeders bij de poort zekerheidshalve laat weten dat die hut en die meneer met dat bange kippetje zijn getekend door *kinderen uit Ghana*.

Wat maar weinig buurtbewoners weten, is dat Transvaal oorspronkelijk een buurt was met veel Joodse bewoners. En dat 'De Kraanvogel'vroeger anders heette en heel veel Joodse leerlingetjes had. De wijk werd ontworpen door Berlage en was in feite een initiatief van enkele woningbouwverenigingen die hun oorsprong vonden in de Diamantbewerkersbond, het bolwerk van het Amsterdamse seculiere Jodendom. Het was een buurt met een bont verleden. Iedereen kende iedereen. Zo'n beetje alle wijkbewoners waren lid van de SDAP of de CPN. Een van de plekken waar altijd wel wat aan de hand was, was het Joubertplein. Soms was er markt, dan weer werd het als speeltuin gebruikt. En er werd intensief gekorfbald. De club heette BIG – Blijft Immer Geestdriftig. Korfbal was aan het begin van de vorige eeuw bedacht door een Amsterdamse onderwijzer. Het werd een sport die via het vereningingsleven enthousiast werd gesteund door de SDAP. Korfbal stond symbool voor de gelijkheid van man en vrouw – de teams waren gemengd, zes heren en zes dames.

Nu is het Joubertplein in wezen een moslimplein en als je er rondloopt, kun je je niet voorstellen dat er ooit gemengd is gesport. Dat het gedrag er tachtig jaar geleden losser en moderner was dan nu. In het gewoel bij de korf kon het zelfs voorkomen dat een dame en een heer op elkaar botsten. En dat mocht ook gewoon. Maar als er onnodig werd gebotst, als het botsen een seksuele ondertoon kreeg, greep de scheidsrechter in.

In de Tweede Wereldoorlog werd alles anders. Het Krugerplein, iets verderop, werd door de Duitsers gebruikt als verzamelplaats voor mannen, vrouwen en kinderen die op transport gingen naar het Oosten, naar de vernietigingskampen. In 1944 was de buurt bijna leeg. Amsterdammers uit andere buurten kwamen toen uit de etagewoningen rond het Joubertplein en het Krugerplin raamkozijnen, deuren en vloeren slopen voor brandhout. De gebouwen stonden er na afloop als lege karkassen bij. Vanaf het dak op de vijfde etage kon je *door het gebouw heen* zo op de fundamenten en de bodem kijken.

Een wat oudere meneer die in de wijk zo nu en dan onderhoudswerk doet – we raakten aan de praat toen hij een winkelpui aan het schilderen was op de hoek van de Retiefstraat -, vertelde me dat de nieuwe bewoners het vaak helemaal niet zo leuk vinden om te horen dat ze in een van oorsprong Joodse buurt zijn beland. 'Tja, sommigen kijken dan opeens alsof ze op besmette grond staan.'

Het Moskeeverzamelgebouw was begin 2009 klaar. Het is niet heel mooi geworden, maar ook niet heel lelijk. Het was geen gemakkelijke opgave om nieuwbouw in te passen op een plein met architectuur uit de jaren twintig. Gelukkig is het geheel opgetrokken uit ongeveer dezelfde kleur rode baksteen als de omliggende gebouwen. Een passant zou niet direct merken dat het bouwwerk twee moskeeën herbergt. Er zijn geen minaretten of koepels of ramen met arabesken. Het is een massale, vier verdiepingen tellende doos met een gevelbreedte van zo'n vijftig meter.

Het enige echt saillante detail is een reeks nogal detonerende aquariumramen op de derde etage. Achter die ramen is een grote ruimte die onder meer twee rijen terminals met internet herbergt. De bedoeling van het stadsdeelbestuur is, of althans was dat die grote ruimte op driehoog een sterke 'hoi, kom gewoon binnenlopen!'-uitstraling zou hebben. Het moest, meer algemeen, een beetje een spannend, een beetje een swingend, druk gebouw worden. Iets voor alle mensen uit de buurt, ook voor de niet-moslims. Maar dat is in de praktijk niet gelukt. Het uitzicht vanaf die derde verdieping op het plein is prachtig, dat wel.

De architect was Marlies Rohmer. In het TNO-rapport zegt 'Projectleider 1' ergens: '....ik kan niet meer met haar door een deur'. Het zal dus wel geen gemakkelijke tante zijn. In architectenjargon schrijft ze - je moet het eigenlijk hardop lezen - : 'In het ontwerp is gezocht naar een mengvorm tussen Arabische bouwstijlen en de stijl van de omringende Amsterdamse School met geometrische baksteenmotieven, waardoor een hybride architectuur ontstaat. Een zoektocht naar synergie en een nieuwe iconografie die symbool staat voor de samenwerking tussen verschillende culturen.' Wie in de Stadsdeelraad kon daar een touw aan vastknopen? Maar dat gaf niet want die mensen keken naar de bouwtekeningen en naar het budget en dachten van oké, dat kan ermee door. Of zou er misschien tóch in dat gezelschap een joker zijn geweest die inderdaad dacht dat je de Transvaalbuurt *blij* kon maken met hybride iconografie? Iemand die pretendeert te weten dat zij, onze Anatolische en Berber medeburgers, 'Arabische bouwstijlen' heel *mooi* vinden, ondanks het feit dat zij helemaal niet Arabisch zijn, sterker nog, nogal *anti-Arabisch* zijn. Trouwens, weten we uberhaupt wel wat onze migranten in een stad mooi vinden? Of waar zij zich fijn bij voelen? Hebt u wel eens een allochtoon vol bewondering stil zien staan bij Het Sieraad op de Postjesweg in Amsterdam? Of bij De Bijenkorf van Piet Kramer in Den Haag? Zij zijn gewoon met andere dingen bezig. Zij zijn niet naar ons land gekomen voor de Nederlandse cultuur. In de Transvaalbuurt staat in ieder geval nooit een buurtbewoner naar het Moskeeverzamelgebouw te 'kijken'. Ik doe dat zo nu en dan wel. En het is me ooit overkomen dat er naast mij een busje stopte waar een groep Finse architecten uitstapte. Ze hadden digitale camera's bij zich en kleine schetsboekjes. Met vreemde Finse woorden wezen ze elkaar enthousiast op de opengewerkte baksteenmotieven en de aquariumramen van de derde etage. Na tien minuten gingen ze weer verder. Ze waren dus niet met Finair speciaal voor het Moskeeverzamelgebouw gekomen, maar het stond duidelijk wel op hun tourprogramma. Het Turkse moskeebestuur en het Marokkaanse moskeebestuur hebben de twee moskeeën binnen het gebouw zelf naar eigen smaak mogen inrichten. Wat zij hebben gedaan vinden ze zelf ongetwijfeld mooi. Ik vind het lelijk. Maar één ding is duidelijk: noch het ene bestuur, noch het andere bestuur heeft zich ook maar iets aangetrokken van het concept van mevrouw Rohmer. Het gebouw is geen *Gesamtkunst* geworden. Voor hen hoefde dat allemaal niet, die synergie tussen de culturen. Ze zijn gewoon naar de tapijthal gegaan om gebedskleden te kopen en hebben een containertje oosterse tegels op de kop getikt en zijn toen met vaklieden uit eigen kring aan de slag gegaan.

Enkele dagen voorafgaand aan Burendag hing er buiten op het Moskeeverzamelgebouw een banier waar in koeienletters op stond: 'Wij houden open huis op Burendag!' De banier hing links aan de gevel, voor het Turkse deel van het gebouw. Bij de Marokkanen, die rechts zitten, hing niets. Die deden niet aan Burendag. Van de voorspelde 'samenwerking tussen culturen' was niets te merken. Het stadsdeelbestuur wil dat het gebouw open is voor iedereen. Dat het er bij wijze van spreken iedere dag van jaar Burendag is. Maar die hoop is vervlogen.

In de voorgevel zie je drie deuren. De linkerdeur geeft toegang tot het voorportaal van de Turkse moskee en de Turkse wasruimte. Vanuit dat voorportaal heb je dan ook nog een deur rechts naar een kapsalon, een klein *profit center* binnen het moskeegebeuren. Het stadsdeel doet daar niet zo moeilijk over, misschien omdat ze het niet eens weet. Dan heb je, precies in het midden van de voorgevel, een iets grotere algemene deur, die toegang geeft tot een luguber trappenhuis.

Dan heb je rechts daarvan de deur die toegang geeft tot het voorportaal van de Marokkaanse moskee en de Marokkaanse wasruimte. Bij twee van de drie voordeuren moet je dus bij binnenkomst meteen je schoenen uitdoen. Dat is een van de redenen waarom je het Moskeeverzamelgebouw niet gemakkelijk 'zomaar' binnenloopt. Op sokken voel je je, zeker in een onbekend gebouw, toch een beetje een schlemiel.

Op vrijdagmiddagen zijn de twee moskeeën redelijk vol. Na afloop van de preek en de gebedsdienst komt iedereen weer naar buiten. Eerst bij de Turkse moskee. Dan een minuut of twee later aan de Marokkaanse kant. De Marokkaanse gebedsdienst is formeler en duurt iets langer. Dan, na een minuut of vijftien, als de kust veilig is en er buiten voor het gebouw geen mannen meer staan, komen via de hoofduitgang de Marokkaanse mevrouwen naar buiten. Zij zijn afgedaald van de tussenverdieping, waar zich de vrouwenruimte van de Marokkaanse moskee bevindt. De Turkse kant heeft geen vrouwenruimte. Het Turkse moskeebestuur vond dat niet nodig. Of misschien te modern. De Turkse vrouwen bidden daarom thuis.

Vlak voor de officiële opening van het Moskeeverzamelgebouw heeft het stadsdeel een wedstrijd uitgeschreven voor de mooiste naam. Een autochtone mevrouw ging met de eerste prijs aan de haal met de naam De Verbinding. En zo moet er nu dus formeel aan het gebouw worden gerefereerd. Maar bijna niemand kent die benaming. Als de gelovigen op vrijdagmiddag de beide moskeeën uitkomen, lopen ze straal langs elkaar heen. De Turken en de Marokkanen groeten elkaar niet. Van de oemma – de veelgeprezen islamitische wereldgemeenschap, waarbinnen alle moslims broeders en zusters zijn – is daar op de stoep niets te merken. Het gebouw had beter De Kloof kunnen heten.

Als je bij de grote voordeur in het midden staat, heb je links een zestal bellen. Bij de bovenste bel staat Transvaal Informatie Sociaal Cultureel Centrum. Dat is de benaming van het kantoor en de zaaltjes van het Turkse moskeebestuur. Bij de volgende bel staat Taalwijzer Oost, een Nederlandse organisatie voor taalonderricht. Dan op het bordje daaronder: Werktraject/Zij kans, een Nederlandse instelling die – het leuke 'Zij kans' zegt het al – vrouwen op weg helpt. Dan krijg je het Sociaal Cultureel Centrum Medelanders. Dat is in feite het Marokkaanse moskeebestuur. Dan een bel voor de Moskee al Fath al Mobien. Dat is de benaming van de Marokkaanse moskee. En dan, bij de onderste bel: HOV/hollanda diyanet Vakfi/Eyup Sultan Camii. Daar durf je als autochtoon natuurlijk al helemaal niet aan te bellen.

Het Transvaal Informatie Sociaal Cultureel Centrum (TISCC) heette tot voor kort het Turks Islamitisch Sociaal Cultureel Centrum. De afkorting kon dus hetzelfde blijven. Dat geldt ook voor de Stichting Sociaal Cultureel Centrum Medelanders (SSCCM), die destijds het leven zag als Stichting Sociaal Cultureel Centrum Marokkanen. Meer in het algemeen is er een trend in Nederland om moskeeën als het ware te vermommen als sociaal-culturele stichting of sociaal-cultureel centrum. Dat is met name interessant voor moskeeën die, afgezien van de gebedsruimte, ook over een of meerdere *zaaltjes* beschikken. Als er in die zaaltjes dingen gedaan worden met hangjongeren of moslima's, kan namelijk de subsidiekraan open. Want het geld gaat niet, ahum, naar de moskee, maar naar de stichting. Er is formeel dan ook geen probleem met de scheiding van kerk en staat.

Toch creëer je een grijze zone. Ook voor de burger kan het allemaal wat verwarrend zijn. Als een gemeente aan een buurt vraagt of er bezwaar is tegen de vestiging van een sociaal-culturele stichting, zegt iedereen natuurlijk: Nee hoor, geen probleem.

Maar dan wordt even uit het oog verloren dat zo'n stichting vaak minaretten heeft. Juridisch en fiscaal en ook subsidietechnisch is het ongetwijfeld helemaal uitgevogeld en dichtgetimmerd. Toch voelt het een beetje aan als een Paleis Noordeinde-constructie, maar dan voor allochtonen.

De huur die het TISCC en de SSCCM aan het stadsdeel betalen, is opvallend laag. Het gebouw inclusief het forse perceel – met achter een leeg terrein waar vroeger de speelplaats was – heeft zeker een waarde van vier miljoen euro. Uitgangspunt van het stadsdeel is dat het gebouw *geëxploiteerd* wordt, met andere woorden, dat een commerciële opbrengst het richtsnoer moet zijn. Dan moet je denken aan per jaar 7 procent van die vier miljoen, dat is 280 duizend euro.

Het 'religieuze' gedeelte – de twee dubbelhoge gebedsruimten inclusief de wasruimten en de voorportalen en, aan de Turkse kant, de kapsalon – neemt globaal 45 procent van het volume van het gebouw in beslag. De twee stichtingen zouden daar dus pro rato zo'n 126 duizend euro voor moeten betalen. Maar in realiteit betalen ze, op basis van de afgesproken vierkantemeterprijs per jaar van 75 euro, maar iets van 40 duizend euro. Er is dus sprake van een forse, of zeg maar liever overweldigende, formeel niet toegestane huursubsidie. Ik kan er met de cijfers iets naast zitten, maar veel zal het niet zijn.

'Projectleider 1' in het TNO-rapport: 'Indirect wordt de gebedsruimte nog steeds gesubsidieerd.' De 'portefeuillehouder sector wonen' van het stadsdeel in datzelfde rapport: 'Er zijn projecten willens en wetens gestart waarbij religie een rol speelt. Scheiding van kerk en staat bevindt zich hier op glad ijs. Er is indirect wel degelijk sprake van subsidiëring van gebedsruimten. De subsidie wordt nu gegeven aan een stichting, die ook een gebedsruimte beheert.' In het rapport komt ook 'raadslid' aan het woord: 'Is de

stichting niet alleen opgericht als buffer tussen moskee en overheid? Het is te veel een ons-kent-onscultuurtje.'

Ook voor de derde verdieping, de zaaltjesetage, moeten de beide stichtingen huur betalen, maar die wordt voor 100 procent
door de gemeente geretourneerd, omdat de zaaltjes officieel alleen worden gebruikt voor maatschappelijke, niet-religieuze activiteiten. Je kunt gerust stellen dat het TISCC en de SSCCM een
prachtige deal met het stadsdeel hebben weten te sluiten.

Als je het Moskeeverzamelgebouw door de hoofdingang bin-
nengaat, heb je grote kans dat je Hassan tegenkomt. Hij hoort
bij het Marokkaanse deel, maar is tevens beheerder van het gebouw als geheel. Hij is een jaar of vijfenveertig, stevig gebouwd,
en heeft een baard. Ik kwam hem voor het eerst tegen op de derde etage, bij de glazen deur die toegang geeft tot de Marokkaanse zaaltjes.

'Wat kom je hier doen?' vroeg hij. Het was vrijdag en hij liep,
zoals veel Marokkanen op vrijdag, in een wit gewaad. Ik legde uit
dat ik met een boek bezig was en dat ik een verhaal over het gebouw wilde schrijven. 'Je mag hier niet zomaar binnenkomen',
zei hij. 'Maar het gebouw is toch voor ons allemaal, voor de hele buurt?' wierp ik tegen. Na enig heen en weer geprat opende
hij met zichtbare tegenzin de glazen deur en nodigde hij me uit
in een van de zaaltjes.

'Hoe weet ik dat je echt een boek schrijft?' Ik toonde de uit-
draai van twee verhalen die in het nieuwe weekblad *Den Haag
Centraal* waren gepubliceerd. 'Mag ik ze kopiëren?' vroeg hij. 'Ja,
natuurlijk', zei ik. Toen hij bij de kopieermachine stond, vroeg
hij: 'Heb je je identiteitskaart bij je?' Ik zei van ja. 'Nou, die wil
ik dan ook graag meteen kopiëren'. Oh, my God, hij is een persoonsdossier over mij aan het aanleggen! ging het door mij heen.
Dat hele 'hoi, kom gewoon binnenlopen'-idee lag aan diggelen.

Onze AIVD heeft in een van zijn jaarverslagen gewaarschuwd dat de Marokkaanse Inlichtingendienst, de Direction de la Surveillance du Territoire, ook in Nederland actief is. Die club ziet ons land kennelijk, en misschien niet helemaal onterecht, als een deel van het Marokkaanse territorium. Maar zou die Hassan soms ook...? Ik durfde er niet aan te denken. Ik wilde het verhaal toch echt schrijven en kon me een breuk met hem niet veroorloven.

Enkele dagen later bezoek ik het gebouw opnieuw. Ik ga linea recta naar de internetzaal met de aquariumramen. Het is een sombere herfstdag, maar in de zaal is het licht. Met een stapel kranten en een plastic zakje Balisto's nestel ik me bij de computerterminal naast het rechter aquariumraam. Ik wil er zo mogelijk de hele dag blijven om een idee te krijgen wat zo'n prachtige, lichte, goed geoutilleerde zaal nu voor een achterstandsbuurt betekent. Nauwelijks heb ik een beet uit mijn eerste Balisto genomen of Hassan staat achter me. Ditmaal in een wijdvallend, donker houthakkershemd met korte mouwen. Hij ziet er opnieuw behoorlijk intimiderend uit.

'Je bent er alweer?' vraagt hij. 'Ja, gewoon een beetje internetten', probeer ik. 'Maar dat kan niet zomaar', zegt hij, 'je moet je eerst inschrijven.' Ik toon Hassan het vel met het activiteitenprogramma, dat hij zelf ongetwijfeld van buiten kent. Activiteit 9: internet open inloop/ doorlopend. 'Hassan, kijk eens hier: internet open inloop staat er. En er staat helemaal niet bij dat je je moet inschrijven. Integendeel, open inloop betekent juist dat je je níet inschrijft.' Maar Hassan blijft onverbiddelijk. Hij loopt naar een rek met folders en komt terug met een inschrijfformulier. Als ik alles heb ingevuld, stopt hij het bij zich. Ik hoop vurig dat hij weggaat, al was het maar om het formulier als nieuwe aanwinst in mijn persoonsdossier te stoppen. Maar helaas, hij komt bij me zitten.

'Gewoon nog even internetten', zeg ik. Hassan zegt niets. Hij blijft broeierig naast me zitten. Hij is begonnen mij te stalken in zijn eigen gebouw. Dan na een minuut of vijf opeens: 'Dadelijk is er computerles en dan moet je echt weg.' Hij staat op en verlaat de zaal. Er druppelen inderdaad enkele oudere mannen binnen. Ze zien er wat groezelig uit. Ze kennen elkaar goed en gaan in een kringetje bij twee terminals zitten. Ik neem mijn kranten en het zakje met Balisto's en kies een tafeltje midden in de zaal. Hassan komt weer binnen.

'Je moet nu echt weg, want bij de les mag niemand storen.' 'Maar Hassan, ik zal echt muisstil zijn. Ik wil hier nog heel even wat krantjes lezen. Daarna ga ik echt weg. Ik beloof het. Er heerst hier gewoon een ontzettend goeie sfeer. En dat is ook jouw verdienste. Het is een grote zaal, niemand zal iets van me merken...' 'Nee, je moet weg', zegt Hassan. Hij weet het en ik weet het: hij heeft gewonnen. Ik raap mijn spullen bijeen en ga het gebouw uit.

Soms kan het in de Transvaalbuurt echt leuk zijn. Bijvoorbeeld als er een grote schoonmaakdag wordt georganiseerd. 'Op zondag 22 november slaan bewoners van de Transvaalbuurt samen met het stadsdeel, de corporaties en Dynamo de handen ineen om de straten in de buurt schoner te maken', kondigt het blad van het stadsdeel aan. Op het Krugerplein staat een feesttent. In de tent klinkt hoempapamuziek. En naast de tent is een minidraaimolen voor buurtkinderen, waarin Marokkaanse schlagers worden gedraaid. Het is lawaaiig en gezellig druk.

Ik dacht, bevooroordeeld als ik ben, dat er alleen autochtonen zouden komen opdagen. Maar dat was helemaal niet zo. Er staan opvallend veel meneren met baarden en lange, sombere pijen. In de tent is een tafel met koffie en thee. Op een andere tafel wordt door een Pakistaanse mevrouw spinazie in deegrolletjes gefrituurd.

Ze kosten vijftig cent per stuk. Met name bij de koffie is het dringen. En is er ook een tafel met informatie over afval. Hoe je bladeren en takken kunt composteren. Wat in welke bak moet. Wanneer de afvalzakken worden opgehaald. En hoe je, nieuw voor mij, ontzettend leuke dingen kunt doen met afval. Hoe je bijvoorbeeld van afval een brillenkoker kunt maken. Of een hoed. 'Stadsdeelbewoner Corrie van Huisstede (er volgt een telefoonnummer) gebruikt oude plastic zakken om tassen, brillenkokers en sieraden van te haken. Wie de techniek wil leren, kan bij haar een cursus volgen.' Niet om flauw te doen, maar ieder jaar is het weer een uitdaging: wat geef je ditmaal aan je schoonmoeder? En dan kan een hoed van afval natuurlijk wel een leuk idee zijn.

Kort voordat we, gehuld in fluorescerende veiligheidshesjes, met knijpstokken de wijk in kunnen gaan, is er nog een optreden van de beroemde stadsanimator Jos Zandvliet. Uiteraard met zijn banjo. Hij studeert met ons een – speciaal voor deze dag geschreven! – lied in. Het refrein is 'Schoner wordt de stad/ schoner wordt de stad/ schoner wordt de stad./ Samen doen we dat/ samen doen we dat/ samen doen we dat!' De mensen links in de tent moeten het eerste deel van het refrein zingen ('Schoner wordt de stad') en de mensen rechts het tweede deel ('Samen doen we dat'). Je moet er maar opkomen.

In het begin zingen we schuchter. Dat maakt Jos boos. 'Ja, wat is dat nou? Dat moet veel harder, mensen. Ik hoor niets. Helemaal niets!' Dus gaan we steeds harder zingen. 'Saaaaameeen doooeeen weeee dáááááát', schalt het over het Krugerplein. Alleen de mannen in de pijen doen niet echt mee. Met hun lippen vormen ze woorden, maar er komt geen geluid uit. Als het refrein er goed zit ingestampt en ook de overgang van de groep links naar de groep rechts vlekkeloos verloopt, mogen we het complete lied zingen:

Schoner wordt de stad
Schoner wordt de stad
Schoner wordt de stad.
Samen doen we dat
Samen doen we dat
Samen doen we dat!

Heel veel lege zakkies
Rommel in de wijk
Vette frietbakkies
Ruim 't op en zing gelijk:

Schoner wordt de stad
Schoner wordt de stad
Schoner wordt de stad.
Samen doen we dat
Samen doen we dat
Samen doen we dat!

Jos is tevreden. 'Mensen, wat doe ik hier eigenlijk nog? Jullie hebben sfeer van je eigen!' roept hij enthousiast. 'We gaan elkaar helemaal gek maken. En we zijn nog niet eens begonnen. Als je nog iemand kan, bel hem of haar dan gauw op. Want er kunnen nog meer mensen meedoen. En later vandaag gaan we ook nog smartlappen zingen. Maar voor nu: hou de sfeer vast – en laat 'm *groeien*!' We moeten ons in vier schoonmaakteams verdelen. Iedereen krijgt een knijpstok en er worden afvalzakken uitgedeeld. Elk team krijgt een eigen groepsanimator mee. Die van ons heeft een kleine oranje megafoon. Als we door de straten lopen, roept hij de mensen in de huizen op om ook mee te doen. Maar dat heeft geen effect.

Van het Krugerplein bewegen we ons, zwerfvuil knijpend, langzaam naar de Tugelaweg. Via een stukje Christiaan de Wetstraat gaan we vervolgens de President Brandstraat in. Dan volgt het Joubertplein, vanwaar we het Afrikanerplein willen aanpakken. De hoeveelheid afval valt eigenlijk behoorlijk tegen – vanuit het perspectief van een enthousiaste knijper dan. De Transvaalbuurt is toch zeker een krachtwijk? Dan worden de afvalzakken toch zo van vierhoog naar beneden gekieperd? We merken er niets van. Alleen als er ergens een fiets tegen een pui leunt, wil zich nog wel eens wat interessante rommel achter de wielen verstoppen. Ook de bloemperken vol doornen op het Afrikanerplein bieden goede vooruitzichten. Maar helaas heeft een concurrerend team hetzelfde ontdekt. Zo nu en dan klinkt vanuit die groep een blije kreet. Alsof er een prachtig paasei is aangetroffen.

Ons team wijkt beteuterd uit naar de Vaalrivierstraat. Onze groepsanimator doet een woordvondst: de *Vuil*rivierstraat. De *Vuil*rivierstraat! Gelukkig kunnen we weer lachen. Dan heeft ie opeens een nog veel betere vondst: de Trans*vuil*buurt. We slaan dubbel van het lachen. De Trans*vuil*buurt, hahahahoewoehaahaa... We moeten elkaar vasthouden om niet om te vallen. Oh, wow man, de Trans*vuil*buurt! De stemming is weer helemaal terug. 'Jongens', zegt onze groepsanimator, 'als we op straat niets meer vinden, bellen we bij de mensen aan. Dan gaan we gewoon binnen een beetje opruimen!'

Alleen het idee al dat wij, vijftien mannen, vrouwen en kinderen, in fluorescerende hesjes met onze knijpstokken zo'n Turkse etagewoning zouden binnenstappen! Echt waar, de sfeer kon niet meer kapot en het scheelde maar weinig of we hadden midden op de Vaalrivierstraat uit volle borst het 'Schoner wordt de stad' ingezet.

Punt 4 op het activiteitenprogramma van het Moskeeverzamel-gebouw luidt: 'Nederlandse normen en waarden voor kinderen van Turkse afkomt'. Dat leek me wel wat. En de Burendag aan de Turkse kant was het perfecte moment om te vragen of ik daar-bij mocht zijn. Niet om me echt in te schrijven, maar om er ge-woon eens bij te zitten. Emine, die me ontving, vond het goed. Ze keek eerst wel vreemd op. Een Hollandse meneer die bij 'Ne-derlandse normen en waarden' wil zitten?

De lessen worden gehouden op zaterdag en zondag. Ik koos voor de zondag. Emine vertelde dat de les voor meisjes om tien uur be-gon en voor jongens om half twaalf. Ze zei het niet met zoveel woor-den, maar ik merkte toch wel dat ze liever niet had dat ik, een man, in de les voor de meisjes zou komen. Toen ik op de afgesproken zondag het gebouw binnenging, was Hassan in geen velden of we-gen te bekennen. Eerst voelde ik me opgelucht, maar naderhand vond ik het jammer. Ik liep immers door het gebouw met specia-le *toestemming* van de Turkse kant. Hij kon me niets doen.

Ik had alles zo getimed dat ik nog net een kwartiertje bij de meisjes kon meeluisteren. Toen ik op de tweede etage het zaaltje binnenliep, zaten er negen meisjes tussen de acht en twaalf jaar om een grote, ronde tafel. Ik herinnerde me die tafel. Ik had er-aan gezeten op Burendag. Met het moskeebestuur en met Emi-ne had ik er koffie aan gedronken en koekjes gegeten. Op Bu-rendag hing er midden boven die tafel een ballon, die met een touwtje was vastgemaakt aan, als ik het me goed herinner, een bloempotje. De ballon was er niet meer.

De meisjes, die allemaal gesluierd waren, zaten gebogen over Korans en lesboekjes met Arabische letters. Emina was er ook. Zij was het die lesgaf. Ze reageerde een beetje geschrokken op mijn binnenkomst en uit haar lichaamstaal begreep ik dat ik het zaaltje zo snel mogelijk diende te verlaten. 'Je moet één etage ho-ger zijn. Daar is dadelijk de les voor de jongens.'

Als ik het zaaltje voor de jongens binnenkom, is er nog niemand. In een U-vorm staan er tafeltjes opgesteld. De enige decoratie aan de muur is een grote landkaart met de provincies van Turkije. De ramen zijn van onder tot boven dichtgeplakt met mat plastic folie. Je kunt niet naar buiten kijken en de achterburen aan de andere kant van wat vroeger de speelplaats was, kunnen niet naar binnen kijken. De bedoeling van het stadsdeel was toch juist dat het gebouw 'transparant' zou zijn. Er moest getoond worden dat iets wat gelieerd is met de islam, helemaal niet *eng* is. Het projectteam had zelfs nadrukkelijk aan de beide moskeebesturen gevraagd of het goed was als er bij de twee moskeeruimten ramen aan de straatkant zouden komen en wel op ooghoogte, zodat de hele buurt kon zien wat er zich zoal in de gebedsruimte afspeelde. De moskeebesturen hadden enthousiast gereageerd. Ja, natuurlijk, prachtig idee, we hebben niets te verbergen.

Die ramen in de gevel zijn er inderdaad gekomen, zowel aan de Turkse als aan de Marokkaanse kant. Maar ook daar is van dat plastic folie op geplakt. Tot een hoogte van zo'n twee meter twintig. Je zou technisch gezien vanaf het Joubertplein nog steeds naar binnen kunnen kijken, maar dan moet je wel een keukentrapje meenemen.

De eerste jongens komen het zaaltje binnen. Ze hebben stoffen rugzakjes bij zich. Uit ieder rugzakje wordt, met delicate vingers, een prachtig etui gehaald. Vervolgens wordt uit het etui, heel voorzichtig, een Koran geschoven. De rugzakjes zien eruit alsof ze thuis met veel liefde door trotse moeders in elkaar zijn gezet. Ja, mijn Yusuf/Abdullah/Ahmed zit ook op Koranles. Je hoort het ze gewoon zeggen. Opnieuw een groepje jongens. En opnieuw hetzelfde ceremonieel. Een van de jongens haalt bovendien een witte doek uit zijn rugzakje. Hij spreidt de doek uit over de tafel en haalt dan pas zijn Koran uit het etui.

Er wordt nauwelijks gepraat. We wachten op onze leraar Nederlandse waarden en normen. Precies om half twaalf zwaait de deur open en stapt de leraar binnen. Hij heeft een plezierig gezicht. Ik sta op om hem te vertellen dat Emine het goed vond als ik erbij kwam zitten. De jongens beginnen te lachen. 'Onze imam verstaat alleen maar Turks', klinkt het van alle kanten. Ook de leraar, die kennelijk tevens de imam is, moet erom lachen. De jongens vertellen hem in het Turks wat ik kom doen. Met zijn hand geeft hij aan dat ik weer mag gaan zitten. Hij deelt snoepjes uit en dan begint de les.

De Korans worden voorzichtig geopend. De jongens bladeren even om de aangegeven passage te vinden. Nergens een ezelsoor. Nergens een scheurtje. Elke bladzijde wordt behoedzaam omgeslagen, als ging het om een kostbaar middeleeuws manuscript. Om beurten moeten ze een paar zinnen voorlezen. En de imam corrigeert. Maar alleen de uitspraak of het ritme. Over de inhoud en de betekenis van de woorden gaat het niet. Het is alsof je het cyrillische alfabet van buiten leert en dan de hele *Anna Karenina* van Tolstoj doorworstelt zonder dat je één woord Russisch begrijpt.

Wal-qor-a-niel-ha-kieem-ien-naka-la-mie-nal-moer-sa-lieen-a-laa-sie-ra-tiem-moes-ta-qieem-ta-ziee-lal-a-ziee-zier-ro-hiem. De imam schudt van nee. Hij loopt naar het bord en schrijft *ra-hiem*. Het moet niet ro-hiem zijn maar ra-hiem. De jongen leest het laatste woord opnieuw en gaat dan verder. *Ra-hiem-lie-toen-dzie-ra-quaw-mam-maa-oen-dzie-ra-aa-baa-oe-hoem-fa-hoem-ghaa-fie-loeen-la-qad-haq-quaw-loe-a-laa-ak-la-ak-sa-rie-hiem-fa-hoem-laa-yoe-noeen.*

Deze les is toch wat vreemd. Er klopt volgens mij iets niet. Ik durf op zich de stelling wel aan dat de Koran inmiddels deel uitmaakt van onze waarden en normen. En ik vermoed dat een islamitische gedragsnorm als het Nieuwe Kijken – het zedig weg-kijken als er een man passeert – in steden als Den Haag, Amsterdam en Rotterdam over vijftien jaar de overheersende norm zal zijn. Maar toch denk ik dat op het stadsdeelkantoor het oplezen van Arabische lettergrepen niet direct associaties oproept met 'Nederlandse waarden en normen'.

Naa-hoem-fa-hoem-laa-yoeb-sie-roen-in-naa-dja-al-naa-fiee-a-naa-qie-hiem-agh-laa-lan-fa-hie-ya-ie-laal-adz-qaa-nie-fa-hoem-moeq-ma-hoeen-wa-dja-al-naa-miem-bei-nir-ay-diee-hiem-sad-daw-wa-mien-gal-fie-hiem-sad-dan-fa-agh-sjai. Oef, dit is eigenlijk meer een madrasa. Weten de stadsdeelraadsleden dat wel? Hebben die die derde etage echt weggegeven voor dit doel? Hadden die zoiets van: Koranschooltjes, leuk toch, die hoeven voor ons geen huur te betalen? Anders hangt dat grut toch maar rond op het plein?

Wad-rib-la-hoem-ma-sa-lan-as-ha-bal-qar-ya-tie-iedz-djaa-a-haal-moer-sa-loeen-iedz-ar-sal-naa-ie-lei-hie-moes-nei-fa-kad-dza-boe-hoe-maa-fa-az-zaz-naa-bie-sa-lie-sin-fa-qaa-loe-ien-naa-ie-lei-koem-mar... de imam onderbreekt het jongetje dat aan het voorlezen was. Met een ivoorkleurig stokje wijst hij iets aan. Een woord. Het stokje blijft net iets boven de Koran zweven. De leraar raakt het heilige boek niet aan. 'Moer', zegt de leraar. 'Moer', zegt de leerling hem na. *Moer-swa-loeen-wa-maa-a-lei-naa-iel-lal-ba-laa-ghoel-moe-been-qaa-loee-in-naa-ta-tai-jar-naa-bie-koem-la-iel-lam-tan-hoe-la-nar-djoe-man-na-koem-wa-la-ya-mas-san-na-koem-mien-naa-dzaa-boen-a-lieem...*

Als het bijna half twee is, komt Emine het lokaal binnen. Ze zegt zachtjes even wat tegen de imam en komt dan naast me zitten. 'Ik zal een beetje voor je vertalen.' 'Nou, dat hoeft niet, hoor.' Er valt nou niet direct veel te vertalen. Maar Emine zegt: 'Jawel, want dadelijk gaat de imam nog wat vertellen over Nederlandse waarden en normen.' De jongens denken dat de les is afgelopen. Ze leunen achterover, rekken zich uit en stoppen dan hun Koran voorzichtig terug in het etui. Het etui gaat terug in het rugzakje.

Emine fluistert in mijn oor: 'De imam zegt nu aan de leerlingen dat hij wat gaat vertellen over hoe ze zich in Nederland moeten gedragen.' Terwijl ze me dat zegt, zie ik dat de jongens elkaar verbaasd aankijken. Mogen we niet naar huis? Wat is dat nou? Waarom krijgen we een toegift? Emine: 'De imam zegt nu dat hij met de jongens een gewone dag wil doornemen. Hij vraagt wat ze doen als ze opstaan. Ze wassen zich. Precies. Maar hoe was je je? Juist, op de islamitische wijze. Niet zoals de Hollanders. Die wassen zich niet goed. Die zijn niet zo rein...'

Dit is natuurlijk een interessante wending. Voor ons autochtonen zijn de Nederlandse waarden en normen haast per definitie *goed*. Maar voor allochtonen is dat natuurlijk helemaal niet zo. Veel van hen zijn hier niet naar toe gekomen vanwege onze normen, maar *ondanks* onze normen. En die imam heeft natuurlijk gelijk. Moslims wassen zich heel zorgvuldig en in principe vijf keer per dag. Die zijn inderdaad reiner. Emine: 'De imam zegt nu dat je na het wassen je kamer moet opruimen en je bed opmaken. De jongens zeggen dat ze niet weten hoe dat moet. Hun moeder doet dat altijd, zeggen ze. Maar de imam zegt dat ze moeten proberen netjes te zijn, ook op hun eigen kamer. En dat ze ook hun schooltas goed in orde moeten maken. Als ze dan met de fiets de straat opgaan, moeten ze de voetgangers respecteren. Anderen niet tot last zijn.'

De jongens beginnen onrustig te schuiven. Het kan ze niet boeien. Je bed opmaken, waar heeft ie het over? Dat lettergrepen lezen uit de Koran is misschien ook niet de hele tijd echt interessant, maar dat is het woord van Allah. Opeens is de aandacht weer terug. 'Je mag niet spugen op straat en ook je snot niet zomaar met zo'n draad uit je neus op de grond snuiten', vertaalt Emine. Kijk, dat thema vinden ze weer wél leuk. Een jongetje steekt zijn vinger op. 'Als je spuugt, zie je dat toch na twee minuten niet meer?' 'De imam verduidelijkt nu dat als je wilt spuggen, dat je dat dan in een zakdoekje moet doen', zegt Emine. Een andere vinger schiet de lucht in. 'Je mag toch zeker wel achter een boom spugen?' De imam is van oordeel dat ook het achter een boom spugen eigenlijk niet correct is.

Het spugen is met name een issue tijdens de Ramadan. Sommige vrome moslims weigeren in die maand om tussen zonsopgang en zonsondergang zelfs maar hun speeksel in te slikken. Dat moet dus continue worden uitgespuugd. In hun boek *La République ou la burqa* (Albin Michel, 2010) signaleren de gezusters Dounia en Lylia Bouzar - allebei godsdienstanthropoloog - dat het niet-inslikken van speeksel in de vastenmaand op sommige scholen in Frankrijk erg *en vogue* is geraakt en dat het gespuug in klaslokalen begint te leiden tot 'véritables problèmes d'hygiène collective'. Bijna alle rechtsgeleerden zijn van mening dat spuug tijdens de Ramadan gewoon mag worden doorgeslikt. Anders ligt dat bij het speeksel van een ander (tongzoen). Dat speeksel maakt, indien doorgeslikt, het vasten ongeldig. Overigens, ook de Profeet was bepaald niet wars van een goede tongzoen. De 9-de eeuwse geleerde Abu Dawud Sulaiman komt in zijn oeuvre met de volgende overlevering (Boek 13, overlevering 2380): 'Aisha, de Moeder van de gelovigen, vertelde ooit dat de Profeet, vrede zij met Hem, haar placht te kussen en op haar tong placht te zuigen als hij aan het vasten was'.

Na afloop van de les praten we nog wat na. Emine vertelt dat de imam een *hafiz* is, iemand die de hele Koran van buiten kent. Dat verbaast me niet echt, want hij heeft tijdens de hele les geen moment in een Koran gekeken. Het hele boek zit gewoon in zijn hoofd. Volgens Emine is ook het zoontje van de imam *hafiz*. 'De imam is met zijn zoontje begonnen toen hij vijf jaar oud was. Iedere nacht hebben ze zitten studeren. Een imam heeft overdag een druk bestaan, vandaar. Het ging door tot middernacht. Overdag mocht het jongetje slapen. Toen hij zes werd, zat de Koran ook in *zijn* hoofd. Dat was in Turkije. Het knulletje heeft zelfs een keer een heel stuk gereciteerd in de moskee, die toen tjokvol zat.'

Op die leeftijd! Ik kan het me allemaal heel goed voorstellen. Zo'n stille, donkere Anatolische stad, waar diep in de nacht achter één raam nog licht brandt. Een vader en een zoon die samen over een Koran gebogen zitten. Prachtig! Iets voor een verhaal van Kader Abdolah. Ik vraag Emine of er ook uitblinkers zitten in de groep die net les heeft gehad. Emine: 'Nou, er zit één jongen bij die wel heel erg goed is. Maar ik geloof niet dat hij de ambitie heeft om *hafiz* te worden. Hij heeft onlangs in de moskee van Kampen meegedaan aan een Koran-reciteerwedstrijd voor kinderen. Hij is toen tweede van Noord-Holland geworden. Twintig kinderen dongen naar de titel. Volgend jaar wil hij opnieuw meedoen, maar dan gaat ie voor het nationale kampioenschap!'

Ze wijst het schrandere knulletje aan en ik stap op hem af. Hij vertelt dat er heel veel mensen naar Kampen waren gekomen. Ook zijn hele familie zat in de moskee mee te luisteren. 'Als cadeau hebben mijn ouders me geld gegeven', zegt hij trots.

De overheid wil dat we *blij* zijn met de toestroom van allochtonen. Zij doen immers het werk dat wij niet meer willen doen en zij zijn het wapen tegen de vergrijzing – wie moet ons anders straks de trap opdragen? En mocht je in weerwil van alle stress van de multiculturele samenleving toch een hoge leeftijd weten te bereiken, wie gaat er dan een eitje koken voor je ontbijt? En wie gaat 's middags de petits fours halen? En wie stopt je 's avonds onder de dekens? Juist, dat gaat Abdullah allemaal doen. Althans, dat spiegelen de hoge heren in Den Haag je voor. Maar de realiteit is toevallig anders.

In een rapport uit 2007 meldt het Dagelijks Bestuur van stadsdeel Oost-Watergraafsmeer: 'In Transvaal en omliggende buurten woont een zeer grote groep mensen van niet-Nederlandse afkomst. Velen van hen zijn onvrijwillig werkloos en daardoor zijn ook velen aangewezen op een uitkering.' Ah, dat is andere koek. Abdullah zit gewoon thuis. En hij of zijn vrouw Fatima komt je helemaal niet onderstoppen. Misschien betracht zij, Fatima, zelfs *purdah* en komt zij omwille van de zedigheid haar huis nooit uit. Zij is dan helemaal *vrijwillig* werkloos. Maar hoe dat ook zij, het Dagelijks Bestuur van het stadsdeel is ernstig verontrust over die grote werkloosheid en gaat door met: 'Vanuit dit gegeven – en met het oog op de voorwaarde die verbonden is aan de bijdrage van de Europese Unie – is besloten om een laagdrempelige multifunctionele voorziening aan de Joubertstraat 15 te realiseren waarin activiteiten gericht op toeleiding naar werk zullen plaatsvinden.'

In feite gaat het gewoon om twee moskeeën met boven een paar zaaltjes, maar tegenover Brussel heet het een 'multifunctionele voorziening' voor *toeleiding naar werk*. Op die manier slaagt het stadsdeel erin een subsidie van 1,4 miljoen euro – geld uit het Europees Fonds voor Regionale Ontwikkeling – in de wacht te slepen. Overeenkomstig dit gegoochel met woorden worden de twee moskeebesturen 'migrantenorganisaties' genoemd. Alles wat vragen over de scheiding van kerk en staat zou kunnen oproepen, wordt zo veel mogelijk weggepoetst. In de D2-subsidieaanvrage schrijft het stadsdeel: 'De activiteiten van de migrantenorganisaties zijn gericht op educatie, voorlichting en ontmoeting. Daarnaast hebben beide organisaties een gebedsruimte.'

In het persbericht over de officiële opening van het gebouw in mei 2009 door wethouder Ossel worden de twee gebedsruimten 'gebeds- en ontmoetingsruimten' genoemd. Het woord moskee is al helemaal achter de horizon verdwenen en de gebedsruimten zijn opeens eigenlijk ontmoetingsruimten waar ook wel eens gebeden wordt. Alleen de architecte, mevrouw Rohmer, windt er geen doekjes om. Op haar website blijft ze haar gebouw koppig noemen wat het is: het Moskeeverzamelgebouw. En iedereen die het gebouw qua indeling en sfeer en uitstraling kent, geeft haar groot gelijk.

Het stadsdeel is overigens nog niet, zoals wij dat bij Buitenlandse Zaken graag noemen, *off the hook*. Het is namelijk zo dat Brussel de boel streng komt controleren. Daar geven ze dat geld niet zomaar. Dat is iets waar ook het rapport van TNO Bouw en Ondergrond voor waarschuwt. En zo'n controle wordt natuurlijk onverwachts uitgevoerd. Er kan ieder moment bij het Moskeeverzamelgebouw worden aangebeld. De D2-subsidie betreft formeel alleen de zaaltjes op de tweede en derde etage. Dan gaan die inspecteurs die lugubere trappen op en komen ze opeens dat lokaal binnenstormen dat dienstdoet als madrasa. En dan zien ze die dichtgeplakte ramen en die grote kaart met de provincies van Turkije en dan denken ze: Dit heeft niets met de afgesproken *toeleiding tot werk* te maken.

Want het moet gaan om toeleiding tot werk in het problematische Nederland. Niet om toeleiding tot werk in Turkije. Daar zijn andere potjes voor. En dan zien ze tot overmaat van ramp ook nog twaalf jongetjes over een Koran gebogen zitten. Nou, dat wordt een heel, heel boze brief van de Europese Unie aan het stadsdeel, met een kopie aan burgemeester Cohen, de schrijver van *Bin-*

den. En Brussel stelt ook meteen eisen. Die subsidie moet worden teruggestort. En het gaat niet alleen om het geld. Maar ook om de schaamte. Om de reputatieschade. Ons geliefde Amsterdam dat niet meer betrouwbaar is. Dat wordt dan ook nog even een knetterende ruzie tussen het stadsdeel en de 'centrale stad'.

Enfin, wat ik maar wil zeggen: als u binnenkort tot diep in de nacht de lichten ziet branden in het nieuwe stadsdeelkantoor aan het Oranje-Vrijstaatplein, dan weet u hoe ver het is.

Onlangs zat ik in de Amsterdamse Transvaalbuurt op mijn gemak in de Egyptische snackbar op de hoek van het Krugerplein en de Pretoriusstraat een kapsalon te eten, toen het me alweer opviel: onze Nederlandse moslima's wenden op straat hun blik af als er een man passeert. Ze kijken naar de grond of draaien hun gezicht opzij. Ik wil niet zeggen dat alle moslima's dat doen, je hebt altijd uitzonderingen. Maar het begint wel steeds meer de norm te worden, zeker in de grotere moslimwijken in de Randstad.

Zelf ben ik daar niet zo blij mee. Ik houd op straat wel van die nanoseconde oogcontact die je het gevoel geeft dat je voor de ander *bestaat*. Ik heb het niet over aanstaren of broeierige blikken. Nee, gewoon die in Nederland gebruikelijke flits waarmee in de publieke ruimte jouw ogen die van een ander kruisen. En die is in onze moslimbuurten snel aan het verdwijnen.

Als je er over straat loopt, besta je als het ware niet meer als normale medemens. Bij zo'n afgewend gezicht van een passerende moslima vraag je je af of zij denkt dat je een enge huidziekte hebt. Of erger nog, dat je een seksueel *beest* bent. Dat je jezelf niet meer in de hand hebt als haar blik die van jou zou kruisen. Dat je haar in zo'n geval meteen ter plekke, ik zal maar zeggen bij de voordeur van halal slagerij Ramdjan aan de Krugerstraat, gaat bespringen.

Dat wegkijken is voor Nederland iets nieuws. Het is het Nieuwe Kijken. Het is iets wat niet past bij onze nogal brutale volksaard. We hebben, dat kunnen we toch wel stellen, onze Gouden Eeuw niet te danken aan zedig neergeslagen ogen. Onze moslima's doen aan dat Nieuwe Kijken op goede gronden. Zij doen het uit kuisheid en vroomheid, eigenschappen die binnen de islamitische gemeenschap hoog worden aangeslagen. Onze imams roepen de moslimzusters en niet te vergeten ook de moslimbroeders regelmatig op om hun blik toch vooral op de grond gericht te houden. Zo staat het ook voorgeschreven in de Koran. Ze waarschuwen dat Satan zit te wachten op dat fatale moment waarop een vrouw zich laat gaan en toch de blik van een man kruist.

Overigens wordt er niet overal zo zwaar aan getild. Vorig jaar was ik nog in Jedda, in Saudi-Arabië. In het noorden van de stad heb je daar de Hera'a Street, een straat met bijna alleen maar kolossale shopping malls. En in die malls kijken de vrouwen je wel aan. Niet allemaal, maar heel veel wel. Geen geladen blikken. Nee, gewoon een moment van nieuwsgierigheid. Of van verbazing. Zoiets van: hé, grappig, daar loopt een christenhond. En soms zie je zelfs dat de ogen zich vernauwen. Dan weet je dat ze achter hun sluier even glimlachen. En dat dus allemaal in het wahhabitische Saudi-Arabië, op hooguit vijftig kilometer van de heilige stad Mekka. Op dat punt ligt Jedda echt voor op Spangen en de Oude Westenbuurt in Rotterdam en ook op grote delen van Den Haag en Amsterdam.

Het Nieuwe Kijken wordt een groot probleem voor de integratie. Het is in ieder geval veel lastiger dan dat 'geen hand geven' waarover in de politiek zo veel ophef is geweest. Iemand die een vrouw geen hand wil geven, kan op veel werkplekken gewoon functioneren. Maar een vrouw die weigert iemand aan te kijken, dat wordt echt ingewikkeld. Het Nieuwe Kijken is als het ware een boerka, een *virtuele boerka*, waarmee veel van onze moslima's zich in de publieke ruimte van de buitenwereld afsluiten.

Alhoewel, dit moet iets worden genuanceerd. Want die virtuele boerka is er als het ware niet als een moslima iemand tegenkomt die (a) geen man is of (b) geen jongen in de puberteit. Een vrouw op straat kan zij wel aankijken. En ook een kleuter. En zelfs mannen en jongens in de puberteit kan ze daar aankijken, mits die behoren tot de cirkel voor wie zij zich volgens de Koran mag ontsluieren: te weten (1) haar vader, (2) haar schoonvader, (3) haar echtgenoot, (4) haar zonen, (5) haar zwagers, (6) de zonen van haar broers en zusters en tenslotte (7) haar slaven, op voorwaarde dat die door castratie of ouderdom geen seksueel verlangen meer hebben ('who lack vigour', zegt de officiële Koraninterpretatie van uitgeverij Darussalaam in Riaad).

Ieder braaf moslimjongetje dat naar Koranles gaat, kent die riedel uit zijn hoofd. En hij weet ook dat slaven – althans degenen 'who lack vigour' – het haar en de hals van zijn moeder mogen zien. Dat is voor mij wel weer een deel van de charme van de islam: als iets vastligt, dan ligt het ook vast. Je gaat niet flauw doen van: gecastreerde slaven komen in Nederland toch niet zo heel erg veel voor, dus waarom moeten we dat dan leren?

Dat gold ook bij de Koranles in de As-Soennah-moskee in Den Haag. Onze leraar was op bedevaart naar Mekka en de hulpleraar moest inspringen. Die vond dat nogal eng en wilde – zekerheidshalve, denk ik – ingewikkelde discussies over metafysische zaken vermijden. Hij beperkte de les daarom tot het thema offerdieren. Nu is het in de islamitische overlevering zo dat een kameel gelijk is aan zeven schapen. Dat is een regel die het berooide moslims mogelijk maakt om met zeven man een *pool* te vormen en dan samen één kameel als offerdier te kopen in plaats van ieder een eigen schaap. En de hulpleraar gaf ons, om ons maar bezig te houden, een aantal ingewikkelde berekeningen op. Zo van: honderdachtenveertig arme moslims komen op een markt waar negentien kamelen staan en vierentwintig schapen. Hoe kunnen zij het beste inkopen? Dus wij in de weer met van die breuksommen en niemand, echt *niemand* die zijn vinger opstak met een flauwe vraag over de verkrijgbaarheid, eenentwintigste eeuw, van offerkamelen op de Albert Cuyp of op de Haagse markt. Daar houd ik van.

Je vraagt je af waarom onze politici zich nooit druk hebben gemaakt om dat Nieuwe Kijken. Zij moeten toch ook weten dat daar enorme problemen van komen? De reden is dat zij er helaas niets van af weten. Komen ze dan nooit in onze moslimwijken? Jawel. Maar ze kijken er nooit echt rond. Want ze worden 'afgeschermd'. Ze worden op sleeptouw genomen door de lokale buurtcoach of door de gemeentelijke manager Integratie & Diversiteit en die zorgt ervoor dat er tijdens het interculturele dialoogmoment alleen *leuke* moslima's om de tafel zitten. Een paar van die kekke Turkse onderneemsters en een Iraanse mevrouw die liefdesgedichten schrijft. Die ambtenaren moeten scoren – hun wijk zit in de lift, heet dat – en nodigen geen moslima's uit die (a) geen hand willen geven plus (b) hun blik star op het tafelblad gericht houden plus (c) verplicht buitenshuis begeleid worden door een intimiderende echtgenoot.

Daarom weten onze politici niet wat er speelt. Maar daar hoop ik verandering in te brengen. Nu is het zo dat je in Nederland geen probleem aan de orde mag stellen zonder dat je ook met de oplossing komt. Voor dat Nieuwe Kijken heb ik niet echt een kant-en-klare oplossing, maar wel zoiets als een bepaalde denkrichting. Ik zou namelijk willen voorstellen dat vrouwen die heel veel moeite hebben met Modern Kijken op cursus gaan naar – precies – Saudi-Arabië. Zoiets hoeft niet eens lang te duren. Ik zou zeggen vier dagen theorie en vier à vijf dagen praktijk. En het hoeft ook niet duur te zijn. Ik denk dat je – ticket, visum, begeleiding, hotel, bus, leslokaaltje, leuk gekalligrafeerd diploma – met zo'n drieduizend euro per mevrouw al een heel eind komt.

Het praktijkdeel zou gegeven kunnen worden op de roltrappen in een van die malls aan de Hera'a Street. Als de cursiste halverwege boven is, kijkt ze even, in een flits, in de donkere ogen van zo'n meneer in witte soepjurk die net halverwege beneden is. Mocht Satan iets willen, dan is het al te laat. Als zij boven is, is die meneer helemaal beneden en kan hij haar nooit meer inhalen. Want Saudi-mannen zijn statige mensen die alleen schrijden. Ik ben er nog niet helemaal uit, maar ik denk dat ik hierover binnenkort een brief ga schrijven aan onze minister voor Wonen, Wijken en Integratie.

Het is Lailat al-Qadr, de Waardige Nacht – de nacht waarop gevierd wordt dat Allah vele eeuwen geleden het eerste hoofdstuk van de Koran via de engel Gabriël neerzond aan de Profeet, die op dat moment, zoals hij wel vaker deed, zat te mediteren in een grot aan de rand van Mekka. Het is ook de nacht waarop vele engelen neerdalen op de aarde. Zeventigduizend om precies te zijn – Gabriël niet meegerekend.

Volgens de Koran is deze nacht zo speciaal dat alles wat je dan doet – bidden, mediteren – gelijkstaat aan bidden en mediteren gedurende duizend maanden. En alle moslims weten je altijd meteen uit hun hoofd te zeggen dat duizend maanden gelijkstaat aan 'drieëntachtig jaar en vier maanden', met andere woorden gelijkstaat aan meer dan een gemiddeld mensenleven, zeker een gemiddeld mensenleven in het vroegmiddeleeuwse Arabië. De Waardige Nacht wordt met name door de Marokaanse gemeenschap gevierd. En wel op de 27ste nacht van de ramadan. De moskeën blijven dan tot de dageraad open.

Ik besluit op die nacht, gewapend met TomTom en een stapel uitgeprinte webpagina's van Nourdeen Wildemans website Moskeewijzer.nl, een grote tour te maken langs moskeeën in steden waar ik verder zelden of nooit kom – plaatsen als Alblasserdam, Ridderkerk, Schoonhoven, Gouda, Bodegraven. Enkele weken eerder had de broer van jeugdimam Mohammed Cheppih me gezegd dat ik welkom was om de nacht te eindigen in de Poldermoskee in Amsterdam. Ik zou er zelfs op de vloer van de gebedsruimte mogen slapen. Dat werd dus mijn plan.

De Koran heeft een kort hoofdstukje – hoofdstuk 97 – speciaal over de Waardige Nacht. De tekst luidt ongeveer – alle vertalingen uit het klassiek Arabisch worden door serieuze moslims slechts als onprecieze, niet erg betrouwbare 'interpretaties' gezien – als volgt.

1 Waarlijk Wij hebben het (de Koran) aan u nedergezonden in de Waardevolle Nacht.

2 Wat weet gij van de Waardevolle Nacht?

3 De Waardevolle Nacht is beter dan duizend maanden.

4 Daarin dalen engelen en de Geest door Gods gebod neder, zeggende:

5 'In alles vrede', tot het rijzen van de dageraad.

Korangeleerden hebben zich het hoofd gebroken over vers 4, waarin gesproken wordt over de Geest. Sommigen zeggen dat daarmee verwezen wordt naar de Profeet Jezus. Anderen menen dat het om de engel Gabriël gaat, die een dermate bijzondere plaats inneemt dat hij in dat vers niet onder de gewone engelen wordt gegroepeerd. Nog weer anderen zeggen dat met de Geest wordt gedoeld op een speciale cluster engelen, die zich alleen in de Waardige Nacht manifesteert. Maar over één ding zijn ze het eens: de Geest heeft niets te maken met de Heilige Geest zoals christenen die kennen uit die voor moslims rare Heilige Drie-eenheid.

Niemand weet trouwens met zekerheid wanneer de Waardige Nacht valt. Maar volgens de overlevering heeft Mohammed ooit aan zijn lievelingsvrouw Aisha verklapt dat Lailat al-Qadr een van de oneven nachten is die behoren tot de laatste tien etmalen van de ramadan. Maar door slechts een tipje van de sluier op te lichten dwingt de Profeet de gelovigen om zekerheidshalve vijf nachten biddend en mediterend door te brengen – de 21ste, de 23ste, de 25ste, de 27ste of de 29ste nacht van de ramadan.

Soms duurt de ramadan geen 30, maar slechts 29 dagen. Dan begint de reeks oneven nachten met de 19de nacht. Een complicatie is ook nog dat de nieuwe maan die het startpunt van de vastenmaand vormt, door de draaiingen van de aardbol soms alleen op het zuidelijk halfrond zichtbaar is. In zo'n situatie begint de ramadan in een land als Tanzania een dag eerder dan in Saudi-Arabië. Want de klassieke regel luidt dat de vastenmaand begint als de nieuwe maan met het blote oog zichtbaar is. En daardoor vallen ook de oneven nachten in die twee landen op verschillende data.

Ook in Nederland blijft het puzzelen. Dat merk ik als ik om een uur of tien 's avonds arriveer bij het lage, onooglijke gebouw – ik denk dat het vroeger een kleuterschool was – van de Turkse Culturele Vereniging aan de Anjerstraat in Alblasserdam. Door het grote raam zie ik groepjes Turken rond stevige houten tafels geanimeerd zitten kletsen. Hoog in een hoek is een televisie met een Turkse show. Niet direct de sfeer die je zou verwachten in de Waardige Nacht.

In het toegangshalletje vraag ik voorzichtig aan een meneer of het ook in de Anjerstraat vanacht Lailat al-Qadr is. 'O, dan moet u bij mijn oom zijn', zegt hij vriendelijk. 'Ik ga even zoeken'. Even later verschijnt de oom. Hij heet Temel. Hij vertelt dat hij bij het uvv Werkbedrijf in Delft werkt en tevens vice-voorzitter is van de Culturele Vereniging. Hij neemt me mee naar een achterzaaltje en instrueert en passant een andere meneer, die achter een bar staat, om mij een glas thee te brengen.

'Nee', zegt hij als we eenmaal zitten, 'je bent te laat. Wij hebben hier gisternacht Lailat al-Qadr gevierd.' 'Ho, ho, wacht even, gisteren was het een even nacht en de Profeet heeft gezegd dat het op een oneven nacht valt', werp ik tegen. Temel moet lachen.

'Ik zal het je uitleggen. Er is een verschil tussen ons Turken en de Marokkanen. Wij Turken volgen wat de Islamitische Stichting Nederland in Den Haag ons zegt. Die Stiching stelt voor de meeste Turkse moskeeën vast wanneer de ramadan begint en doet dat aan de hand van astronomische tabellen. De Marokkanen gaan af op de officiële afkondiging van de ramadan in Mekka. En die viel daar dit jaar één dag later. Als wij over een paar dagen Suikerfeest vieren, zitten de Marokkanen nog te vasten. Wij Turken zijn wat praktischer ingesteld. Bij ons zijn de meeste mensen gisternacht trouwens maar tot middernacht gebleven. Een enkeling tot een uur of een. Misschien wordt er door sommigen dan thuis nog verder gebeden. Zoiets weet je nooit. Maar onze leden, die moeten de volgende ochtend gewoon weer aan de slag. Ons geloof zegt dat werken – als je dat echt serieus doet – eigenlijk ook een vorm van bidden is. En de islam zegt bovendien dat het geloof je leven gemakkelijker moet maken, niet moeilijker.'

Ik vraag of sommige leden speciaal zijn teruggekeerd naar Turkije. En vertel dat ik zojuist in Ridderkerk in een moskee van leden van de soefischool Tariqa El Qadiri El Bouchicha hoorde dat zij nu voor het eerst Lailat al-Qadr in Nederland vierden. In het verleden reisden zij ieder jaar af naar Marokko om de Waardige Nacht dicht bij hun leermeester Sheikh Sidi Hamza te zijn.

'Nee, ik denk dat bij ons het aantal mensen dat is teruggereisd op de vingers van één hand te tellen is.' Temel laat nieuwe glazen thee aanrukken. Hij wijst naar een bord achter hem aan de muur. 'Gekregen van gemeente Alblasserdam', zegt hij met trots. Het is een dikke houten plank waarin artikel 1 van de Grondwet staat gebeiteld. 'Allen die zich in Nederland bevinden, worden in gelijke gevallen gelijk behandeld. Discriminatie wegens godsdienst, levensovertuiging, politieke gezindheid, ras, geslacht of op welke grond dan ook, is niet toegestaan.'

'De gemeente heeft met dit bord onze gematigde houding van de afgelopen jaren gehonoreerd. We hebben onze jongeren altijd opgeroepen om zich koest te houden, zelfs als er uit niet-moslimhoek uitspraken kwamen die als een aanval op de islam konden worden gezien.' Het kost me wat moeite om afscheid te nemen van die vriendelijke Temel, maar ik moet verder.

Vanuit Alblasserdam rijd ik door naar Schoonhoven, naar de Marokaanse moskee aan de Mr. Kesperstraat. Het is al flink na middernacht als ik er binnenstap. In de gebedsruimte is een meneer in witte soepjurk aan het stofzuigen. Hij kijkt me verbaasd aan. Een Hollander? In onze moskee? Op dit uur? Als ik voorzichtig iets mompel van Lailat al-Qadr, breekt er een lach door op zijn gezicht. Hij schakelt de stofzuiger uit en heet me van harte welkom. Ik zie nu ook dat er nog vier andere mannen in de gebedszaal zitten. Ik vertel dat het moeilijk was om de moskee te vinden. Overal rond de Mr. Kesperstraat zijn de straten opgebroken. Uiteindelijk heeft een mevrouw die in een invalidewagentje reed en die zelf ook een nogal verloren indruk maakte, me de weg gewezen.

'Allah heeft je naar deze plek gebracht', zegt een van hen. 'Wil je wat eten?' vraag een ander. Gegeneerd zeg ik dat ik al gegeten heb. Maar daar willen ze niet van weten. Uit een klein keukentje naast de ingang wordt een laag tafeltje aangedragen. En binnen enkele minuten staan er op het tafeltje een grote kom met schapenvlees in een smeuïge jus, een kleiner kommetje met schijven meloen en een schaal met brood. En zo ga ik dus – ik wist niet eens dat dat mocht – midden in de gebedszaal van de moskee zitten eten. Mijn gastheren komen naast me op de grond om het tafeltje zitten en moedigen me aan.

'Neem nog een stukje schaap! Gewoon met je hand!' 'Ha, prima, je gebruikt alleen je rechterhand, heel goed. Je weet hoe het hoort!' 'Je vindt het toch wel lekker?' 'Hier nog een schijf meloen!'

zegt iemand, terwijl hij het kommetje meloen nog dichter in mijn richting schuift. 'Dat brood kun je in de saus deppen.' Ik eet flink door en de mannen zijn tevreden. Ze vertellen dat de moskee gedurende de ramadan de hele nacht open blijft. En gedurende Lailat al-Qadr is dat sowieso het geval. Zelfs als ze later in de nacht allemaal naar huis zouden gaan, zou de deur openblijven. Iedereen die dat wil, moet in deze periode van de moskee gebruik kunnen maken.

Buiten ramadan is het anders. Dan gaat de deur buiten de gebedstijden op slot. Maar de oude getrouwe leden van de moskee hebben allemaal een eigen sleutel. 'Er zijn wel dertig sleutels in omloop', zegt iemand. 'Nee, het zijn er wel veertig', corrigeert een ander.

Schoonhoven heeft zo'n vijftienduizend inwoners. Ongeveer 10 procent is Marokkaans. De eerste Marokkanen kwamen voor de verffabriek en natuurlijk voor de grote zilverfabriek. Een van de mannen vertelt: 'Er was hier ook een varkensslachterij. Daar hebben toen veel Marokkanen gewerkt. Maar daar praten we nu liever niet meer over. Er liep vroeger hier in de stad zelfs een Marokkaan rond die als bijnaam de Varkensman had. Daar konden toen gewoon grapjes over worden gemaakt. Maar goed, die tijd is voorbij. Over varkens wordt soms wel eens te spastisch gedaan. Als je in de wildernis verdwaalt en je komt een varkentje tegen, dan mag je dat echt wel opeten.'

Als ik aanstalten maak om mijn tocht voort te zetten, zegt een van hen: 'Wacht!' Hij gaat naar een andere ruimte en keert terug met een doos dadels. De grootste doos dadels die ik ooit van mijn leven heb gezien, een maat doos waarin je ook een strijkplank zou kunnen vervoeren. Iemand anders komt met een plastic zak. De mannen vullen de zak met dadels. Alsof ik van proviand moet worden voorzien voor een karavaantocht van Damascus naar Isfahan.

Vanuit Schoonhoven rijd ik door de Krimpenerwaard naar Gouda. Het is inmiddels een uur of twee in de ochtend. De gehuchten langs het riviertje de Vlist liggen er verstild bij. Nergens zie ik nog een lamp in de dijkhuisjes branden. Het water in de Vlist staat hoger dan in de sloten van de omliggende polders. De weg loopt over de eeuwenoude dijk die met het riviertje meekronkelt. De bomen steken donker af tegen de oranje lichtvloed die in de verte boven de Westlandse kassen hangt. Vannacht dalen er zeventigduizend engelen neer, maar er zijn denk ik maar weinig Krimpenerwaardse melkveehouders die zich daarvan bewust zijn.

In Gouda ga ik eerst naar de Nour-moskee in de oude binnenstad. De moskee ligt halverwege een middeleeuwse straat die Raam heet. De mensen in Gouda hebben het over 'aan de Raam'. 'De Nour-moskee aan de Raam.' De moderne gevel detoneert in de oude straat. Ik rammel aan de voordeur, maar alles is hermetisch gesloten. Door het glas in de deur zie ik in vaal neonlicht een halletje met lege schoenenrekken. Vreemd. Het is toch Lailat al-Qadr? Een nacht die geldt als duizend maanden?

Op mijn lijst staat voor Gouda gelukkig nog een andere bestemming, de As-Salaam-moskee. De As-Salaam-moskee ligt op de hoek van de Spieringstraat en de De Rijkestraat in de wijk Oosterwei. Een wijk waarvan niemand ooit gehoord had, totdat de Goudse buschauffeurs zeiden dat ze er niet meer wilden komen. De moskee is een laag vierkant gebouw. De architectuur van een bunker. Op de eerste etage brandt licht. Maar op de begane grond is alles donker. Zou die eerste etage misschien de woning van de imam zijn?

Ik voel aan de voordeur. Die is open. Voorzichtig stap ik het halletje in. In het trappengat roep ik zachtjes: 'Salaam aleikum.' Het blijft stil. Dan hoor ik geruis van oosterse kleren en een zacht: 'Aleikum salaam.' Ik klauter naar boven. De meneer van het 'Aleikum salaam' is alweer gaan zitten. In kleermakerszit met zijn rug tegen een deurpost geleund. In zijn hand heeft hij een klein Koraantje in een etui. Nee, dat klinkt oneerbiedig. Hij heeft een Koran in miniatuurformaat.

Ik zie dat de deur toegang geeft tot een met dikke tapijten bedekte gebedsruimte. Ik vertel de meneer kort over mijn tournee. Hij luistert en knikt, maar wil weer terug naar zijn Koran. Ik ga de gebedsruimte binnen. Er zitten een paar mannen. Het licht in de zaal is zwak en het duurt even voordat ik ze zie. Sommigen lezen in de Koran. Anderen zitten te mediteren. Het is doodstil en er heerst een ongekend serene sfeer. En dat te midden van die lelijke flatgebouwen van Oosterwei. Hoe is dat mogelijk? Zo'n stilte, zo'n vroomheid, zo'n toewijding, juist daar in die akelige buurt? Ik vermoed dat er eerder die avond een engel is neergedaald op de hoek van de Spieringstraat met de De Rijkestraat.

Ik knik de meneer bij de deurpost toe en verlaat het gebouwtje. Mijn tocht gaat via moskeeën in Alphen aan de Rijn en Abcoude naar Amsterdam. Daar stap ik om half vijf de Poldermoskee binnen. De vloer van de gebedszaal zit vol gelovigen. Er is veel kabaal. Ik ga tegen een radiator aan de zijwand zitten. Voor in de zaal staat de imam met enkele mannen. Een van hen vertaalt voor de nieuwe imam die geen Nederlands spreekt. Er is verwarring en er wordt gelachen. Een van de mannen gooit doosjes met mobiele telefoons de zaal in. Bizar. Maar dan schiet me opeens iets te binnen wat in het programma stond. Zou er niet een godsdienstquiz worden gehouden? Die mobieltjes zijn vast voor de gelukkige winnaars.

Ik rol mijn leren jack op tot een kussen en ga slapen. Om half zes schrik ik wakker. Lange rijen gelovigen zijn begonnen aan het ochtendgebed. Door de ramen komt, vaag nog, het eerste kille licht van de dageraad. Lailat al-Qadr is voorbij.

In Rijswijk ligt, een beetje verloren tussen bedrijfsterreinen en de A4, het grauwe partycentrum Event Plaza. Begin 2007 haalde het even het nieuws toen er op de parkeerplaats een groot schietincident was. In een van de zalen wordt een Koerdisch nieuwjaarsfeest gevierd. Vier-, vijfhonderd Koerden zitten aan lange tafels of slenteren wat rond. Als ik om zeven uur binnenkom, is het duidelijk nog niet echt begonnen. Achter in de zaal is een stand ingericht waar allerlei Koerdische dingen worden verkocht. De meeste spullen hebben met Koerdistan te maken, het niet-bestaande land waar alle Koerden over dromen.

Er worden sleutelhangers verkocht met de nationale vlag van Koerdistan. Er zijn witte sierborden met opdrukken van besnorde verzetshelden. Ook dus met de kop van Öcalan, de guerrillaleider die in Turkije als terrorist gevangenzit. De borden zelf zijn van de Mosa-fabriek in Maastricht of van de IKEA. De opdrukken zijn gemaakt in kleine werkplaatsen hier in Nederland. Er worden ook muziekcassettes verkocht en vlaggen in allerlei maten. De Koerdische vlag is rood-wit-groen met in het midden een zon. De Koerden zijn moslims, maar nogal gematigd. Vandaar ook dat hun vlag in tegenstelling tot de vlag van veel islamitische landen niet door een halve maan wordt gesierd.

Azad en Nawzad, die achter de tafel staan, vertellen me dat het Koerdische nieuwjaar, Nowruz, voor alle Koerden veruit het belangrijkste feest is. 'Het markeert het begin van de lente. Voor ons zijn de islamitische feesten, zoals de afsluiting van de ramadan, gewoon minder belangrijk.' De traditie van Nowruz bestaat al duizenden jaren en vindt zijn oorsprong in feite in Iran.

In de stand van Azad en Nawzad worden ook landkaarten van Koerdistan verkocht. Met zo'n kaart moet je niet door het Midden-Oosten reizen, want dan word je meteen gearresteerd. Niemand weet precies hoe de grenzen van Koerdistan getrokken zouden moeten worden, maar de kaarten in Event Plaza maken er wel een beetje een potje van. Er is zelfs een uitloper getrokken naar de Turkse havenstad Iskenderun aan Middellandse Zee. Er zullen vast ook wel enkele Koerden in Iskenderun wonen, maar om die stad dan ook maar tot Koerdisch territorium te rekenen gaat wel heel ver.

Op zich is die zijsprong wel begrijpelijk. Want het trieste voor de Koerden is dat hun gebied *land-locked* is. Geen van de landen waar de Koerden wonen – Turkije, Irak, Iran, Armenië en Syrië – wil een onafhankelijk Koerdistan. Dus zelfs als bijvoorbeeld Noord-Irak een Koerdische rompstaat werd, zouden de inwoners daar politiek en economisch als ratten in de val zitten. Er zijn in het Midden-Oosten waarschijnlijk meer dan dertig miljoen Koerden. Zelf beweren ze dat er op de wereld geen grotere natie, geen groter volk bestaat zonder eigen land. Het is eigenlijk om in tranen uit te barsten.

De meeste feestgangers in Event Plaza, althans de wat ouderen onder hen, zijn als vluchteling naar ons land gekomen. Vooral vanuit Noord-Irak. Ze zijn gevlucht, maar zien er niet verslagen uit. Integendeel. Het publiek in de zaal maakt een assertieve indruk. Het gaat de Koerden zo te zien helemaal niet slecht in ons land. Ze hebben zich uitgekiend gekleed. Sommige mannen lopen in de imposante outfit van de Koerdische strijders: wijde pofbroek en tulband. De vrouwen zijn haast wulps. Ze hebben prachtig lang, golvend haar. Zo nu en dan schudden ze ermee, als een leeuwin haar manen. In de enorme zaal tel ik slechts twee vrouwen met hoofddoek. Ook de kinderen zijn zorgvuldig uitgedost. Enkele jongetjes zijn gekleed als kleine Koerdische strijdertjes. En de meisjes lopen rond in exotische, zuurstokkleurige kleren vol glitters. Sommige zijn beeldschoon – kleine, dromerige Sheherazades, die als door een wonder in onze kille polders zijn beland.

Er wordt eigenlijk vooral met spanning gewacht op het voor later geplande optreden van Ismail Juma, de man van het Koerdische levenslied. De André Hazes van Noord-Irak. Hij is voor dit feest helemaal uit Irak naar Nederland gekomen. In de zaal is inmiddels een Koerdische televisieploeg aan het werk. Het feest zal in het Koerdische deel van Irak worden uitgezonden. De eerste dansen beginnen. Groepen mannen en vrouwen vormen een lange keten. Langzaam schuift het gezelschap over de dansvloer. Koerdische rijdansen. Ze worden haast met militaire precisie uitgevoerd. De danspassen zijn zwaar, gechargeerd, maar niet onelegant. Het zijn collectieve dansen. Voor het individu is hier geen plaats. Van verre ziet het eruit alsof de dansvloer in beslag is genomen door een enorme prehistorische rups. Een logge rups die zich traag door alles een weg weet te banen. Het is beklemmend, beangstigend. De dans van harde, onverbiddelijke bergclans.

Om negen uur zwaait achter in de zaal de deur open, en omringd door lijfwachten maakt Ismail Juma zijn entree. De dansvloer stroomt helemaal vol. De temperatuur stijgt. Oudere vrouwen die niet meedansen, wuiven zich met snel gewapper van de handen of met programmaboekjes koelte toe. Zonder onderbreking zal Ismail Juma een uur lang zingen. Van de massieve rups blijft weinig over. Er hebben zich verschillende ketens gevormd. Azad vertelt me dat iedere clan nu zijn eigen dans met zijn eigen passen danst. Maar overal wordt met Koerdistaanse vlaggen gezwaaid. Dus toch eenheid.

Iemand doet me een speldje op. Het is een speldje met de plattegrond van Koerdistan. Van dat Koerdistan dat tot de Middellandse Zee reikt. Om mij heen beginnen mensen me uit te nodigen om ook mee te dansen. Een aantal keren zeg ik nee. Maar dan begin ik te twijfelen. Kan ik me hiervan afzijdig houden? Ik vraag Azad om raad.

'Azad, wat vind je, zijn die uitnodigingen menens of zeggen ze dat voor de grap?' Azad zegt dat ik gewoon mee moet doen. 'Maar sluit je aan bij de mannen. Blijf bij de vrouwen en meisjes uit de buurt.' Hij kijkt me met een veelbetekenende blik aan (eer, broer, dolkstoot). Ik sluit me aan bij de mannen. Op zijn Koerdisch haak ik mijn pinken in die van mijn buren. Het is een dans zonder einde. Langzaam gaan we in een grote krans rond over de dansvloer. De muziek, de hitte, de telkens herhaalde, zware danspassen. Je moet nog oppassen dat je niet in trance raakt.

Ik zie dat onze groep wordt geleid door iemand die vervaarlijk met een Koerdistaanse vlag zwaait. Oh, my God – die vlag, dat foute speldje: als Buitenlandse Zaken hiervan hoort, word ik vast en zeker ontslagen. Langzaam schuiven we voorbij het podium. Ik kijk omhoog naar Ismail Juma. Hij zingt en dept tegelijkertijd zijn bezwete gezicht met een grote witte zakdoek. Hij kijkt terug. Ik lach naar hem. Hij lacht terug. Heel even maar, want hij zit midden in een lied. De grote Ismail Juma heeft naar mij gelachen! Dit is gewoon nauwelijks te bevatten. Ik word overspoeld door geluk. Er kan mij niets meer overkomen.

UITGAVE
Mets & Mets

DISTRIBUTIE
Uitgeverij Contact, Amsterdam

ISBN 978 94 6116 001 0
NUR 763

© Robbert van Lanschot 2010, Den Haag

KOPIJREDACTIE
Ellis van Midden, Utrecht

OMSLAGILLUSTRATIE
© David Rozing/HH

BOEKVERZORGING
KM Grafisch Werk, Amsterdam

DRUK
Wilco, Amersfoort

Om redenen van privacy werden enkele namen veranderd.